ZAGUBIONE GODZINY

KAREN WHITE

ZAGUBIONE GODZINY

Z angielskiego przełożyła
MAGDALENA SŁYSZ

Wydawnictwo
A. Kuryłowicz

Tytuł oryginału:
THE LOST HOURS

Redakcja: Maria Białek
Ilustracje na okładce: aaleksa/Shutterstock (*front*), melis/Shutterstock (*tył*)
Projekt graficzny okładki i serii: Andrzej Kuryłowicz
Skład: Laguna

ISBN 978-83-7885-687-0

Książka dostępna także jako e-book

Dystrybutor
Firma Księgarska Olesiejuk sp. z o.o. sp. k.-a.
Poznańska 91, 05-850 Ożarów Maz.
t./f. 22.535.0557, 22.721.3011/7007/7009
www.olesiejuk.pl

Sprzedaż wysyłkowa – księgarnie internetowe
www.merlin.pl
www.fabryka.pl
www.empik.com

Wydawca
WYDAWNICTWO ALBATROS A. KURYŁOWICZ
Hlonda 2A/25, 02-972 Warszawa
www.wydawnictwoalbatros.com

2013. Wydanie I
Druk: B.M. Abedik S.A., Poznań

Mojej babci, Grace Biance,
w podziękowaniu za wspomnienia,
którymi się ze mną dzieliła

Podziękowania

Dziękuję mojej córce Meghan i jej trenerce Jen Bishop za to, że przypomniały mi, czym jest miłość do koni. I, owszem, Meghan, ja patrzę i widzę.

Dziękuję Andi Winkle za to, że poświęciła mi czas i szczodrze dzieliła się ze mną swoją wiedzą o koniach. Nie przeszkadza Ci, mam nadzieję, że zostałaś kierowniczką stajni w Asphodel Meadows ani że napisałam o Twoim złamanym nosie, ale w mojej wersji przynajmniej nie zderzyłaś się ze szklaną ścianą. Wszelkie błędy dotyczące koni i jeździectwa biorę na siebie.

Dziękuję też Wendy Wax i Susan Crandall, zdolnym pisarkom, których wsparcie i inwencja są bezcenne. Doceniam to, że zawsze jesteście szczere i wspieracie mnie, gdy tego potrzebuję.

I, jak zwykle, dziękuję Timowi, Meghan i Connorowi za to, że pozwolili mi realizować marzenia.

Złote chwile przepływają obok nas w strumieniu życia,
a my widzimy tylko piasek;

Nawiedzają nas anioły,
a my dostrzegamy je dopiero wtedy, gdy odchodzą.

George Eliot

ROZDZIAŁ 1

Gdy miałam dwanaście lat, pomogłam dziadkowi zakopać metalowe pudełko w ogrodzie na tyłach naszego domu w Savannah. Nie pytałam, co w nim jest. Pudełko należało do babci, więc nie obchodziło mnie to. Na długo przed tym, jak umysłem Annabelle zawładnął alzheimer, jej ducha pokonał lęk przed życiem, dlatego nabrałam przekonania, że nie ma do powiedzenia nic, co warte byłoby słuchania.

Przykucnęłam na skraju płytkiego dołka wśród babcinych peonii. Czułam zapach potu i rozgrzanej trawy. Zagłębiłam palce w ciemną ziemię i wzięłam jej dwie garście, potem rozwarłam zaciśnięte dłonie. Grudy poleciały na leżące w dole pudełko niczym cienie. Ziemia spadła na metal z cichym stukotem, jakby czyjeś piąstki kołatały w wieko, domagając się ujawnienia ukrytych sekretów. Ziewnęłam i się odwróciłam; o pudełku i tym, co się w nim znajdowało, nie pamiętałam już w chwili, gdy zatrzasnęły się za mną siatkowe drzwi na werandzie z tyłu domu.

Nie myślałam o tym upalnym popołudniu przez ponad dziesięć lat; nie było to jakieś szczególne wydarzenie w moim życiu, pełnym przyjaciół, przyjęć i niekończącego się pasma sukcesów i wrażeń na grzbiecie konia wyścigowego. Wierzyłam, że jestem niepokonana, odporna na lęki i rozczarowania, które pozbawiły koloru twarz mojej babci, tak jak zachodzące słońce pozbawia świat barw.

Dziadek rozumiał to moje złudne przekonanie, bo znał jego źródło. W końcu to on mi powiedział, że Bóg nie bez przyczyny ocalił mnie od śmierci w wypadku, w którym stracili życie moi rodzice, że miał wobec mnie jakieś plany. Uważałam, że doświadczyłam już wielkiej tragedii i dlatego nic złego nie może mi się przydarzyć. Babcia twierdziła, że tylko kuszę los. Ja jednak żyłam w świecie złudzeń, czułam się niezniszczalna, aż do dnia, w którym boleśnie przekonałam się, jak bardzo się myliłam. Życie chyba właśnie takie jest: daje ci w twarz, gdy najmniej się tego spodziewasz.

Rozległ się dzwonek u drzwi i zapach rozgrzanej słońcem trawy oraz wilgotnej ziemi zniknął. Wstałam powoli z fotela w salonie i spojrzałam na wysłużone meble oczami kogoś, kto od ponad dwudziestu lat nie przywykł do ich nędznego wyglądu. W domu wciąż pachniało kwiatami, chociaż ostatnią ze zwiędłych wiązanek pogrzebowych wystawiłam na chodnik razem z resztą śmieci zeszłego wieczoru. Miałam nadzieję, że kwiaty w domu pomogą mi wreszcie poczuć ból, który czaił się gdzieś pod skórą. Do szóstego roku życia nacierpiałam się tyle, że moje ciało chyba miało już dość.

Ponownie zadźwięczał dzwonek. Ruszyłam sztywno do drzwi, choć moje plecy i prawe kolano zgłaszały protest przy każdym kroku. Typowa dla Savannah wilgoć wisiała w powietrzu niczym welon, co tak samo nie sprzyjało mojemu zdrowiu jak zimno. Już dawno doszłam jednak do wniosku, że żaden klimat nie służy moim poturbowanym kościom, więc mogę równie dobrze zostać w tym starym mieście i wiekowym domu, należącym do rodziny mojej matki od czterech pokoleń.

Starałam się ukryć rozczarowanie, gdy otworzyłam drzwi i ujrzałam za nimi naszego adwokata, o jakieś dziesięć lat młodszego od dziadka, którego właśnie pochowałam. Miał szarawą cerę, barwy wyschniętego błota bagiennego, i spuszczony wzrok. Zawsze wydawało mi się, że widzę w jego oczach niepokój.

— O, pan Morton — powiedziałam i usunęłam się na bok, żeby wpuścić go do środka. — Co za miła niespodzianka.

Miałam nadzieję, że to jakiś stary przyjaciel z czasów, gdy uprawiałam jeździectwo, jeden z tych, którzy w ostatnich latach odwiedzali mnie coraz rzadziej. Wszystkich ich już zmęczyło pytanie mnie, kiedy znowu zacznę jeździć, i przestali do mnie wpadać, jakby to, co mi dolegało i nie pozwalało wskoczyć na siodło, mogło być zaraźliwe. Nie miałam kolegów ze szkoły, bo głównie uczyłam się w domu, i większość moich przyjaźni wywodziła się z kręgów jeździeckich. Kilku dawnych znajomych zjawiło się na pogrzebie dziadka, ale to wszystko. Nawet Jen Bishop, moja najstarsza przyjaciółka i rywalka, przysłała tylko wieniec i kartkę z kondolencjami.

Pan Morton mruknął coś w odpowiedzi i ruszył przede mną do salonu. Poprosiłam, żeby usiadł, dosłownie sekundę po tym, jak zajął mój ulubiony fotel, ten sam, na którym co wieczór z nieodłączną robótką na drutach zasiadała babcia.

— Napije się pan czegoś?

— Mógłbym dostać coś do picia, Piper?

Zamilkłam na chwilę, zastanawiając się, czy byłoby z mojej strony nietaktem, gdybym mu zasugerowała włożenie aparatu słuchowego.

— A na co miałby pan ochotę, panie Morton? Na herbatę czy lemoniadę? — Zauważyłam, że przeciągnął palcem po warstwie kurzu na stoliku. Ślad, który zostawił, stanowił oskarżenie pod moim adresem jako pani domu. — A może arszeniku? — dodałam cicho.

Zamrugał wolno i przez jedną okropną chwilę miałam wrażenie, że usłyszał, co powiedziałam.

— Poproszę coca-colę. Taki gorący dzień.

Wróciłam do pokoju z dwiema szklankami coli w dwóch trzecich wypełnionych lodem. Miałam już tylko otwartą puszkę, więc zamiast próbować wytłumaczyć się przed panem Mortonem, pomyślałam, że po prostu rozleję to, co jest.

— Dziękuję, Piper. — Pociągnął duży haust, zmarszczył nos i odstawił szklankę na podkładkę.

— Co mogę dla pana zrobić, panie Morton? — zapytałam głośno i usiadłam na wytartej kanapie obok jego fotela.

W odpowiedzi położył swoją teczkę na stoliku do kawy, który stał przed nim, otworzył ją uroczyście i wyjął dużą beżową kopertę.

— Musisz podpisać kilka dokumentów związanych z majątkiem twojego dziadka. — Przesunął w moją stronę plik papierów i podał mi gruby czarny długopis. — Mam też dla ciebie dokumenty dotyczące dalszej opieki nad babką, które musisz przejrzeć i podpisać.

Uniosłam głowę i spojrzałam na niego. Po raz pierwszy uświadomiłam sobie, co naprawdę oznacza dla mnie śmierć dziadka. Razem z domem, znajdującymi się w nim meblami oraz buickiem leSabre z 1988 roku najwyraźniej przeszła na mnie także opieka nad babcią, która nawet mnie nie poznawała.

Podpisałam papiery we wskazanych miejscach i oddałam je panu Mortonowi. On skrupulatnie je złożył, a następnie schował do teczki. Ale zamiast wstać i wyjść, poprawił się w fotelu, pociągnął kolejny łyk rozwodnionej coli i spojrzał na mnie zza grubych szkieł.

— Coś jeszcze, panie Morton? — zapytałam.

Popatrzył na mnie nierozumiejącym wzrokiem. Położył kościste ręce na kolanach obciągniętych czarnym materiałem i oświadczył:

— Jest jeszcze jedna sprawa, Piper.

Nie zadałam sobie trudu, żeby odpowiedzieć.

— Jak wiesz, poznałem twoich dziadków, kiedy byłem jeszcze gońcem w kancelarii mojego ojca. Zawsze byli porządnymi ludźmi. — Opuścił na moment wzrok, jakby próbował opanować wzruszenie, i pomyślałam, że choć przez chwilę chciałabym zaznać cierpienia, którym przepełniła go śmierć mojego dziadka. — Annabelle... twoja babka... — ciągnął — była piękną młodą kobietą. Jej ojciec prowadził praktykę lekarską i cieszył się wielkim szacunkiem. Leczył ludzi niezależnie od ich pozycji społecznej i koloru skóry... co było wówczas rzadkością. — Pochylił głowę, jego krzaczaste brwi przypomniały mi pikujące jastrzębie. — Annabelle była taka sama. Zawsze myślała o innych, troszczyła się o wszystkich. — Głos mu łagodniał, gdy wypowiadał jej imię. Zerknęłam na niego, ale nic nie wyczytałam w jego oczach.

Spuściłam wzrok i podkurczyłam palce w butach, żeby nie stukać stopami o podłogę ze zniecierpliwienia, że panu Mortonowi zebrało się nagle na wspominki. Spojrzałam za okno, na East Taylor Street i dalej, na Monterey Square z pomnikiem bohatera wojny o niepodległość, Kazimierza Pułaskiego. Ten widok stanowił mój świat od szóstego roku życia, kiedy to zamieszkałam u dziadków. Bicie dzwonów w kościele Świętego Jana przy pobliskim Lafayette Square zlewało się z cichą rozmową babci i dziadka na balkonie poniżej mojej sypialni i tworzyło wieczorną kołysankę. Przez krótki czas dzięki umiejętnościom jeździeckim podróżowałam po świecie. Ale już dawno zsiadłam z konia i znowu znalazłam się w miejscu, w którym zaczynałam; patrzyłam na pomnik na Monterey Square i surową twarz generała Pułaskiego.

— Kiedy się do nich przeprowadziłaś, twoja babka zamierzała dać ci coś, co wiele dla niej znaczyło, gdy była młodą kobietą. — Urwał na chwilę, a jego brwi uniosły się jakby w wyrazie zdziwienia. — Ale chyba nie trafił się odpowiedni moment, bo twój dziadek powierzył mi to, gdy oddawał Annabelle do domu opieki. Pomyślałem, że powinienem ci tę rzecz teraz przekazać.

Oderwałam wzrok od okna, świadoma, że czeka na moją reakcję. Przez chwilę usiłowałam skupić się na tym, co właśnie powiedział.

— Coś od mojej babci?

Pan Morton wyjął z wewnętrznej kieszeni marynarki zaklejoną kopertę i mi ją wręczył. W środku było coś wypukłego, a na kopercie widniało moje imię, wypisane starannym pochyłym pismem. Zerknęłam na pana Mortona, a on kiwnął głową zachęcająco, więc wsunęłam paznokieć pod zagięcie koperty i ją rozerwałam.

Zajrzałam do środka, szukając jakiegoś listu, notki. Podstawiłam rękę, odwróciłam kopertę i potrząsnęłam nią, by coś, co utknęło na końcu, wypadło mi na dłoń.

Pan Morton pochylił się ku mnie i oboje spojrzeliśmy na mój podarunek, złoty wisiorek w kształcie anioła trzymającego otwartą książkę. Ponownie potrząsnęłam kopertą, licząc, że wypadnie z niej jeszcze łańcuszek, ale nic więcej w niej nie było.

— Nie ma nawet liściku — zauważyłam. Obróciłam wisiorek w dłoni, zastanawiając się, dlaczego babcia nie dała mi go wcześniej. Poczułam się dziwnie zawiedziona.

Pan Morton ujął moją rękę i uścisnął ją mocno, niemal boleśnie.

— Nie, nie ma. Annabelle zamierzała dać ci to osobiście. To część jej historii... część jej życia, które miałaś poznać.

Wstałam, skrępowana przejęciem w jego głosie.

— Będę na niego uważała. I poszukam łańcuszka. Może jest gdzieś w jej dawnym pokoju.

Patrzył na mnie przez dłuższą chwilę i pomyślałam, że nie zrozumiał, co powiedziałam. Gdy już miałam powtórzyć wolno i wyraźnie, pan Morton odparł:

— Zrób tak, młoda damo. — Wstał i spojrzał na mnie ze

skupieniem na swojej pomarszczonej twarzy. — Może coś znajdziesz.

Zakłopotana, czekałam, żeby wziął swoje rzeczy, a potem pospiesznie odprowadziłam go do holu.

— Jesteś ładną młodą kobietą, Piper. Twój dziadek na pewno chciałby, żebyś ruszyła naprzód. Znalazła mężczyznę i wyszła za mąż. Założyła rodzinę.

— Sugeruje pan, żebym sprzedała ten dom?

Pan Morton wzruszył ramionami.

— To oczywiście wchodzi w rachubę. Nawet po opłaceniu opieki nad babcią, z majątku twoich rodziców i dziadków zostanie ci ładna sumka. Mogłabyś wybrać się w podróż.

Otworzyłam drzwi frontowe i usłyszałam dalekie bicie dzwonów.

— Nie mam ochoty nigdzie jechać. Poza tym z moim kręgosłupem i kolanem daleka podróż to chyba nie najlepszy pomysł.

Adwokat spojrzał na mnie spokojnie.

— Podróż nie zawsze oznacza pokonywanie odległości. Czasami najlepsze podróże odbywa się w granicach swojego serca. — Zanim zdążyłam zapytać, co ma na myśli, dodał: — A skoro mowa o wyjeździe, wybieramy się z Matildą na czteromiesięczną wycieczkę po wybrzeżach Ameryki Połu-dniowej. Matilda marzyła o tym od dłuższego czasu i doszedłem do wniosku, że to równie dobry moment jak każdy inny. Będziesz mogła kontaktować się ze mną e-mailem, ale pewnie nie zawsze. W razie pilnej sprawy dzwoń do biura. George na pewno chętnie ci pomoże.

— Dziękuję. — Starałam się nie wzdrygnąć na wzmiankę o George'u. Nie mogłam się już doczekać, kiedy pan Morton wyjdzie. Jego słowa wzbudziły we mnie niepokój i jedyne, czego pragnęłam, to wrócić do ciemniejącego salonu i rozmyś-lań o tym wszystkim, co straciłam.

Pan Morton wyszedł na ceglane schody i wyjął z kieszeni staroświecki złoty zegarek, na dewizce dyndał breloczek w kształcie klucza. Starszy pan spojrzał na tarczę zegarka i marszcząc czoło, schował go z powrotem.

— Jeszcze jedno. Matilda chciałaby wiedzieć, czy drzewo genealogiczne jej rodziny jest już gotowe.

Grzebanie się w drzewach genealogicznych i rozwikływanie tajemnic cudzych koligacji rodzinnych było najbardziej ryzykownym zadaniem, jakiego się podjęłam od czasu upadku z konia przed sześcioma laty. Ściągnęłam brwi, wiedząc, że moja odpowiedź nie spodoba się pani Morton.

— Prawie. Ale wbrew temu, co mówiła pańska żona, nie udało mi się znaleźć żadnych związków między jej rodziną a brytyjskim rodem królewskim. Znalazłam natomiast powiązania z hodowcami owiec w Yorkshire.

Przez moment patrzył na mnie bez wyrazu. W końcu odparł:

— Sama jej to powiedz.

— To już lepiej rzućcie mnie aligatorom na pożarcie — mruknęłam pod nosem, gdy się odwrócił. Wyobraziłam sobie jego apodyktyczną żonę, której pretensje dorównywały tylko pogardzie dla mojej osoby, bo wykazałam się złym smakiem i przyszłam na świat na północ od linii Masona—Dixona, choć moi rodzice urodzili się i wychowali w Savannah.

Pan Morton odwrócił się do mnie tak gwałtownie, że się przestraszyłam.

— Słyszałem to.

Uśmiechnęłam się, odnosząc wrażenie, że moja twarz nienaturalnie się rozciąga, jakby nie była przyzwyczajona do unoszenia kącików ust.

— Do widzenia, panie Morton — rzuciłam, zamykając ciężkie drzwi z wiszącym na nich czarnym wieńcem.

Patrzyłam za nim przez szyby witrażowe i usiłowałam przywołać łzy na myśl o dziadku, który wychowywał mnie, od kiedy miałam sześć lat. Z roztargnieniem obróciłam w dłoni mały wisiorek i mocno zamrugałam, żeby zmusić się do płaczu. Ale tylko stałam z suchymi oczami i śledziłam wzrokiem pana Mortona, który szedł powoli chodnikiem w stronę placu z posągiem poległego bohatera wojennego. I zaczęłam się zastanawiać, zresztą nie po raz pierwszy, czy śmierć dla chwały nie jest znacznie lepsza niż życie z widocznymi śladami porażki.

ROZDZIAŁ 2

Obudziłam się z zesztywniałym karkiem, w bok wbijało mi się coś małego i twardego. Znowu zasnęłam na kanapie, bo nie było już dziadka, który by mi kazał pójść na górę i położyć się do łóżka. Usiadłam, kręcąc szyją, i sięgnęłam ręką pod biodro, żeby wydobyć to, co mnie uwierało. Mały złoty wisiorek. Podniosłam go i poczułam dreszcz podniecenia, choć nie wiedziałam dlaczego. Być może liczyłam, że poszukiwania łańcuszka pomogą mi zapomnieć na jakiś czas o reszcie mojego życia. Powlokłam się do kuchni; kolano i kręgosłup dołączyły się do protestów zgłaszanych przez kark. Otworzyłam lodówkę, żeby wyjąć moją poranną colę, i przypomniałam sobie, że poprzedniego wieczoru skompromitowałam się jako gospodyni, częstując pana Mortona resztkami z ostatniej puszki, wydobytej z głębi chłodziarki. Małą przestrzeń lodówki wypełniały zapiekanki, sałatki, duża szynka, a to za sprawą źle pojętego poczucia obowiązku sąsiadów, byłych współpracowników dziadka i członków Kościoła. Tak w Savannah wyglądała żałoba, jakby cierpienie po czyjejś śmierci wymagało dodatkowych kalorii. Do tej pory nie uchyliłam nawet folii przykrywającej pojemniki, bo miałam poczucie, że nie zasłużyłam na te dary. Nie uroniłam jeszcze ani jednej łzy.

— Niech to szlag — powiedziałam do pustej kuchni i za-trzasnęłam drzwi lodówki.

Coś upadło na drewnianą podłogę i poniewczasie zorien-towałam się, że trzaskając drzwiami, upuściłam wisiorek, który wciąż trzymałam w dłoni. Z nieuzasadnionym przerażeniem padłam na podłogę i zapomniawszy, że powinnam uważać na kolano, zaczęłam na czworakach szukać zguby.

Ozdobę znalazłam obok przepełnionego plastikowego kubła na śmieci, jakby to miało mi przypomnieć, że należy go opróżnić. Podniosłam ją, a potem wyciągnęłam do światła, które wpadało przez okno. Mrużąc oczy, przyjrzałam się okładce otwartej książki, bo zauważyłam wygrawerowane na niej cien-kie czarne linijki. Zbliżywszy się jeszcze bardziej, stwierdziłam, że to rzeczywiście pismo, ale słowa były za małe, abym mogła je odczytać. Z największym zapałem, jaki mogłam z siebie wykrzesać, przeszłam przez hol do gabinetu dziadka; przy-stanęłam przed drzwiami, gdy poczuwszy zapach fajki, pomyś-lałam, że powinnam zapukać.

Przejrzałam szuflady biurka, ale w końcu znalazłam lupę na blacie, tam gdzie dziadek odłożył ją po przeczytaniu niedzielnej gazety. Poczułam lekki smutek i zatrzymałam się na moment, czekając, żeby zamienił się w ból. Ale pozostałam równie otępiała i bezsilna, jak przez ostatnich sześć lat, i nawet ta myśl nie wywołała łez, które tak chciałam uronić. Ujęłam lupę za metalową rączkę, mając nadzieję, że jest jeszcze ciepła od dotyku dziadka. Ale była zimna i bezduszna, gdy podeszłam z nią do okna, żeby lepiej widzieć.

Podniosłam wisiorek oraz lupę i zbliżyłam je do oka. Odwróciw-szy ozdobę, żeby zobaczyć okładkę książki, przeczytałam głośno: *Perfer et obdura; dolor hic tibi proderit olim.* Popatrzyłam w górę, słysząc słowa, które padły z moich ust. Czy to nie była łacina? Przeczytałam tekst jeszcze raz, wysilając umysł, żeby przypomnieć sobie język, który od czasów szkoły zdążyłam zapomnieć.

Odłożyłam lupę na biurko dziadka i podeszłam do regału z książkami w nadziei, że uchował się wśród nich mój stary podręcznik do łaciny. Dziadek nie zamierzał mieć nic wspólnego z komputerami, a mnie nie chciało się iść po schodach na piętro, żeby włączyć własny. A przetrząsając bibliotekę, miałam gwarancję, że poszukiwania zajmą mi większość i tak jałowego przedpołudnia.

Zapomniawszy o śniadaniu, przez godzinę przeglądałam książki dziadka, ale nie znalazłam nic, co mogłoby mi pomóc przetłumaczyć sentencję. Już miałam opuścić gabinet, gdy pod jednym z okien zauważyłam stary kufer kapitański.

Babcia trzymała w nim kiedyś swoje robótki ręczne, między innymi wydziergane dla mnie swetry i szaliki, które albo na mnie nie pasowały, albo mi się nie podobały i ich nie nosiłam. Nigdy wcześniej nie interesowała mnie zawartość tego kufra, ale teraz coś kazało mi zatrzymać się obok niego — ulotne wspomnienie babci, która klękała przed nim z trzaskiem w kolanach, żeby schować coś do środka.

Wsunęłam wisiorek do kieszeni, uklękłam na podłodze i podniosłam wieko. W twarz buchnął mi silny zapach naftaliny, od którego poczułam pieczenie w oczach, więc prędko odwróciłam głowę. Kiedy woń uleciała, zaczęłam szybko przerzucać zawartość kufra, odsuwając stare robótki i częściowo zużyte kłębki kolorowej włóczki, które nawet w czasach, gdy babcia robiła na drutach, zupełnie do niej nie pasowały. Ona sama zawsze nosiła zgaszone brązy i szarości, ale gdy dziergała coś dla mnie, to tylko w wesołych kolorach: różowym, żółtym, jasnoniebieskim albo w bursztynowych odcieniach moczarów o zachodzie słońca.

Moje palce przeczesywały miękką wełnę, aż dotknęły dna kufra i wyczułam pod paznokciem coś małego i twardego. Wyciągnęłam niebieski dziecięcy sweterek. Trafiłam na jeden z guzików z masy perłowej w rządku na przodzie. Przyglądałam się temu sweterkowi przez dłuższą chwilę, ciekawa, dla kogo został zrobiony.

Z zamyślenia wyrwał mnie dzwonek telefonu. Podniosłam słuchawkę starego czarnego aparatu marki Princess, który stał na biurku.

— Słucham?

— Dzień dobry, Piper. Tu Paul Morton. Matilda i ja wkrótce jedziemy na lotnisko, ale chciałem jeszcze sprawdzić, czy wszystko u ciebie w porządku.

— To miło z pana strony, panie Morton. Dziękuję. — Mówiłam, naprawdę tak myśląc. Irytacja wywołana telefonem, który zakłócił moją samotność, zniknęła bez śladu.

— Wiem, że nie miałaś czasu zastanowić się nad naszą wczorajszą rozmową, więc nie będę cię jeszcze pytał o plany. Chciałem się tylko dowiedzieć, czy masz do mnie jakieś ostatnie sprawy, zanim wyjadę z kraju.

Już miałam odpowiedzieć, że nie, gdy nagle coś przyszło mi do głowy. Wyjęłam wisiorek z kieszeni.

— Właściwie tak. Jest pan prawnikiem, więc pewnie zna pan łacinę, mam rację?

Nastąpiła dłuższa chwila ciszy, a potem pan Morton odpowiedział:

— Nie interesuję się baseballem, Piper, więc nie wiem, jak radzą sobie Marliny.

Przygryzłam wargę, ale zanim powtórzyłam pytanie, pan Morton parsknął śmiechem.

— Żartuję, Piper. Usłyszałem cię dobrze. Matilda każe mi nosić aparat słuchowy, gdy z nią podróżuję, bo inaczej doprowadzam ją do szału. Nie wie jednak, że czasami go wyłączam.

Uśmiechnęłam się do słuchawki.

— To zostanie między nami, obiecuję, panie Morton.

— To co mam ci przetłumaczyć?

Zbliżyłam wisiorek do oczu i mrużąc je, przeczytałam głośno:

— *Perfer et obdura; dolor hic tibi proderit olim.*

Odchrząknął.

— To z Owidiusza. „Bądź cierpliwy i silny; pewnego dnia ból przyniesie ci korzyść". — Przerwał na chwilę. — Gdzie to usłyszałaś?

— Przeczytałam na wisiorku od babci, który mi pan dał.

Usłyszałam, że wziął głęboki oddech.

— To w jej stylu.

— Zabawne. — Oparłam się o biurko. — Pomyślałam, że wręcz przeciwnie. Babcia nie była tak głęboką ani nawet sentymentalną osobą, żeby kazać wygrawerować ulubiony cytat na wisiorku.

Milczał przez chwilę.

— I tu się mylisz, Piper. Bardzo się mylisz.

— Pozwoli pan, panie Morton, że nie zgodzę się z panem. Mam inne zdanie.

— Hm, być może. Nigdy tak naprawdę nie znałaś Annabelle.

Powściągnęłam rozdrażnienie.

— Panie Morton, mieszkałam z nią przez sześć lat i odwiedzałam ją prawie codziennie, od kiedy skończyłam dwanaście lat. To chyba świadczy, że jednak ją poznałam.

— To, że zna się okładkę książki, nie uprawnia do dyskusji o jej zawartości.

Wezbrał we mnie gniew, ale jednocześnie zaburczało mi w brzuchu — w końcu nic jeszcze nie jadłam. Nie odpowiedziałam.

— Coś jeszcze, Piper? Matilda wzięła do ręki parasolkę, co oznacza, że jest już gotowa do wyjścia.

Chciałam mu powiedzieć, gdzie może sobie wsadzić tę parasolkę, ale ugryzłam się w język. Przypomniałam sobie sweterek i niechętnie ciągnęłam:

— Znalazłam jeszcze coś w kufrze babci. Niebieski sweterek wydziergany na drutach. Z tego, co wiem, ani moja mama, ani ja nie miałyśmy braci. Może pan wie, dla kogo był przeznaczony.

Znowu nastąpiła dłuższa pauza, ale tym razem wiedziałam, że mnie usłyszał, i poczułam podniecenie, które sprawiło, że zjeżyły mi się włoski na karku.

— Panie Morton?

— Przyjechała taksówka i naprawdę muszę już kończyć, Piper.

— Panie Morton, wie pan coś o tym sweterku?

Usłyszałam dźwięk klaksonu i głos adwokata:

— Twoja babcia była znacznie silniejsza, niż ci się wydaje, Piper. Może powinnaś ją odwiedzić.

W słuchawce ponownie dał się słyszeć klakson.

— Naprawdę muszę już iść, Piper. Gdybyś czegoś potrzebowała, zadzwoń do George'a. Do widzenia, moja droga.

Przyciskając słuchawkę do ucha, przez dłuższy czas słuchałam dobiegającego z niej sygnału. Zastanawiałam się, co, do cholery, pan Morton próbował mi powiedzieć i dlaczego w ogóle mnie to obchodzi.

୭

Zmusiłam się, żeby pójść do sklepu po coca-colę i jakieś mrożone danie, bo na myśl o odgrzaniu zapiekanki robiło mi się niedobrze. Po rozmowie z panem Mortonem i znalezieniu niebieskiego sweterka zaczęłam myśleć o babci i mimo woli kupiłam mąkę kukurydzianą, okrę i zielone pomidory, z których przyrządzała mi „danie na pocieszenie", gdy byłam mała.

Wiedziałam, że powinnam ją odwiedzić, ale na pogrzebie dziadka była dla mnie bardzo męcząca, bo musiałam bez przerwy odpowiadać na ponawiane przez nią pytania i przedstawiać jej krewnych oraz przyjaciół, których znała od pięćdziesięciu lat. Wydawała się zupełnie zagubiona i po jakimś czasie przestałam jej przypominać, na czyim pogrzebie jesteśmy. Dla niej dziadek będzie żył wiecznie — pocieszałam się, że przez to nigdy tak naprawdę nie poczuje się samotna.

Ale musiałam do niej pojechać, i to wkrótce, choćby po to, aby ją zapytać, co miała mi powiedzieć sentencja o cierpliwości, sile i bólu.

Umieściłam siatki z zakupami na tylnym siedzeniu starego buicka, starając się nie widzieć za kierownicą dziadka w jego sfatygowanym słomkowym kapeluszu, jak sygnalizuje skręty lewą ręką, bo przepaliły mu się żarówki kierunkowskazów i nie chce wydawać pieniędzy na nowe.

Gdy objeżdżałam plac w kierunku East Taylor Street, porośnięte mchem dęby przekornie raz po raz rzucały na mnie cień, a stare wille patrzyły ze stoickim spokojem, jak je mijam, opierając się upływowi czasu i klimatowi już przez samo to, że trwały. Zajechałam przed dom i się zatrzymałam — jak zwykle zachwyciło mnie piękno tego typowego dla Savannah budynku z szarej cegły o kunsztownych barierkach z kutego żelaza. Pewnie dlatego, że pierwszy raz zobaczyłam go po śmierci rodziców i symbolizował dla mnie schronienie. Nawet później, gdy zaczęłam uważać dom dziadków za smutny, pełen cieni oraz wspomnień, wciąż było to moje miejsce na ziemi. I jeśli kryło jakieś sekrety, to na szczęście ich nie znałam.

Wjechałam na krawężnik, przypominając sobie poniewczasie, że klucz do drzwi frontowych dałam kierownikowi zakładu pogrzebowego, aby mógł, gdy mnie nie będzie, wnieść do domu kwiaty z pogrzebu. Westchnęłam ciężko i spojrzałam za siebie na torby, niepewna, czy dam radę zanieść wszystkie trzy naraz przez ogród do tylnego wejścia.

Postawiłam jedną z nich na gołej rabacie za domem, żeby przenieść ciężar z ręki do ręki, gdy usłyszałam dzwonek do drzwi frontowych. Zostawiłam torbę na ziemi, odemknęłam tylne wejście i wbiegłam do środka. Rzuciłam dwie torby na blat kuchenny i popędziłam do drzwi.

Na progu stał George Baker, wspólnik pana Mortona i jego wnuk. Ubrany w biało-niebieski garnitur z gofrowanej bawełny, miał odpowiednio współczującą minę. Był szczupłym, całkiem przystojnym mężczyzną, ale od kiedy przed sześcioma laty wróciłam do Savannah, nie dawał mi spokoju swoimi zalotami, więc unikałam go, tak jak wszystkiego, co przypominało mi przeszłość. Jako jedyny ze znajomych uparcie używał mojego prawdziwego imienia zamiast tego, które nadał mi dziadek, gdy pierwszy raz wsiadłam na konia.

— Cześć, Earlene. Cieszę się, że zastałem cię w domu. — Podniósł owinięty w folię półmisek. — Mama stwierdziła, że może będziesz głodna, więc przysyła zapiekankę z pomidorów i okry. Sporo tego, więc jeśli uznasz, że nie zjesz wszystkiego, chętnie zostanę na kolacji i ci w tym pomogę.

Wzięłam od niego naczynie i zmusiłam się do uśmiechu.

— Dzięki, George. To urocze ze strony twojej mamy, że o mnie pomyślała.

Stał i patrzył na mnie. Najwyraźniej czekał, żebym zaprosiła go do środka.

Wskazałam za siebie.

— Zostawiłam w ogrodzie za domem i w kuchni siatki z zakupami i muszę je wypakować, zanim wszystko się zepsuje.

— Wiesz, że nie powinnaś nosić ciężarów. Pomogę ci.

Godząc się z rezygnacją na jego towarzystwo, odsunęłam się, żeby go wpuścić.

— Schowam zapiekankę do lodówki, a ty przynieś siatkę, którą zostawiłam na dworze.

Ruszył za mną jak zagubiony szczeniak, gdy skierowałam się do kuchni, a potem wyszedł przez tylne drzwi. Dołożyłam zapiekankę do kolekcji w lodówce i zabrałam się do wypakowywania siatek. George po powrocie zaczął segregować zakupy

27

według miejsc, w których miały zostać schowane. Rozdrażniło mnie to; udałam, że nie widzę w tym żadnej metody, i wsadziłam puszkę z pomidorami bez skórki do zamrażalnika, razem z mrożonym groszkiem i lodami.

— Wygłosiłaś piękną mowę na pogrzebie, Earlene. Jesteś bardzo silną kobietą, powiedziałaś to wszystko i nawet się nie rozpłakałaś. Zwróciłem na to uwagę dziadkowi Paulowi, a on stwierdził, że twój dziadek byłby z ciebie dumny.

— Dziękuję — odparłam sztywno i wsadziłam jedną plastikową torbę w drugą. Jak miałam mu wyjaśnić, że to wcale nie dlatego, że jestem silna? Żeby być silną, musiałabym coś czuć.

George wystawił na blat dwa pudełka płatków Froot Loops.

— Naprawdę jadasz to na śniadanie?

Na usta cisnęła mi się sarkastyczna odpowiedź, ale dałam sobie spokój. Po prostu nie miałam siły, żeby potem przepraszać.

— Tak, żebyś wiedział — odparłam.

Zacisnął wargi.

— Twój lekarz na pewno zgodziłby się ze mną, że dieta złożona ze świeżych owoców i warzyw oraz z produktów pełnoziarnistych pomogłaby ci szybciej wrócić do zdrowia niż to wysoko przetworzone żarcie.

Zgrzytnęłam zębami i zaczęłam zwijać plastikowe torby. Wiedziałam, co nastąpi.

— Od twojego wypadku minęło prawie sześć lat. Powinnaś już odczuwać przy chodzeniu znacznie mniejszy ból. Może znowu przydałaby ci się fizykoterapia, jakieś ćwiczenia...

— Dziękuję za troskę, George. Doceniam ją. Naprawdę. Ale sama potrafię zatroszczyć się o siebie.

Zmięte opakowania po fast foodach, które zobaczył na blatach, świadczyły o czymś wręcz przeciwnym, ale postanowiłam to zignorować — pochyliłam się, żeby schować plik toreb pod zlew kuchenny.

— Myślałaś o tym, co będziesz teraz robić?

Wyprostowałam się powoli i spojrzałam przez okno nad zlewem na pusty ogród, zaniedbane, porzucone rabaty jak marzenie z dzieciństwa. Jego dziadek pytał mnie o to samo i chyba za to ich nie lubiłam. Przez długi czas istniał dla mnie mur między teraźniejszością a przyszłością i nie miałam ani siły, ani chęci, aby go zburzyć. Znacznie łatwiej było po prostu być.

Odwróciłam się do George'a.

— To naprawdę nie twoja sprawa.

— Wiesz, że chciałbym, aby była moja.

Przymknęłam na chwilę oczy i wzięłam głęboki oddech.

— Ale przyjechałem tu dziś z innego powodu.

Otworzyłam oczy z przerażenia, spodziewając się, że zaraz wyjmie pudełeczko z pierścionkiem.

Sięgnął do kieszeni marynarki i wydobył z niej małą beżową kopertę.

— Dziadek chciał ci to dać, gdy wpadł do ciebie wczoraj. Z jakiegoś powodu trzymał to gdzie indziej niż tę kopertę, którą ci przekazał. Pewnie dlatego, że dostał ją na przechowanie w zeszłym roku, gdy twój dziadek się dowiedział, że jest chory. — Podał mi kopertę i zajął się pakowaniem mrożonek do zamrażalnika, układając groszek i brokuły z wojskową precyzją. — Chyba nie chciał, żebyś znalazła którąś z nich przed jego śmiercią. Dlatego polecił nam oddać ci je, gdy umrze.

Spojrzałam na kopertę ze stemplem kancelarii prawniczej w lewym górnym rogu. Tylko moje nazwisko, Mills, było napisane odręcznie, nieznanym mi charakterem pisma. Otworzyłam ją i wytrząsnęłam z niej dwie mniejsze koperty oraz ciężki srebrny klucz, który upadł na podłogę. Przyglądałam mu się przez chwilę, a potem go podniosłam. Był to staroświecki klucz, jak wszystkie inne, które tkwiły w zamkach u drzwi w tym starym domu. Żadnego nie brakowało, więc obracając ten w dłoni, zaczęłam się zastanawiać, co otwiera.

29

Potem skupiłam uwagę na dwóch kopertach. Obic były zaklejone i zaadresowane do panny Lillian Harrington w Asphodel Meadows w Savannah. Rozpoznałam pismo babci, ale to nie jej ręka przekreśliła nazwisko i adres Lillian i dopisała „zwrot do nadawcy". Nie miałam pojęcia, kim jest adresatka, choć znałam nazwę „Asphodel Meadows". Była to dawna plantacja ryżu, założona na początku XIX wieku nad rzeką Savannah, jakieś pięćdziesiąt kilometrów na południe od miasta w jego obecnych granicach, na której od lat dwudziestych XX wieku hodowano konie. Nigdy tam nie byłam, choć nie wynikało to z braku zainteresowania z mojej strony. Biorąc pod uwagę, że zawsze uwielbiałam konie, zdziwiłam się teraz, że dziadek nigdy mnie tam nie zabrał ani że dotąd nie zetknęłam się z nikim z tej farmy, mimo że w środowisku jeździeckim w Savannah panowały wręcz kazirodcze stosunki.

Zerknęłam na George'a, który patrzył na mnie z nieukrywaną ciekawością. Włożyłam klucz do kieszeni dżinsów, a listy do dużej koperty, którą wetknęłam pod ramię. Uśmiechnąwszy się szeroko, ruszyłam do drzwi frontowych.

— Bardzo ci dziękuję za zapiekankę i za pomoc przy zakupach — powiedziałam. — Naprawdę jestem ci wdzięczna. — Otworzyłam drzwi. — Zadzwonię, gdy będę czegoś potrzebowała. Obiecuję.

George otworzył usta i zamknął je jak złota rybka, która usiłuje złapać powietrze poza akwarium. Najwyraźniej próbował wymyślić coś, co pozwoliłoby mu wrócić do środka. Położyłam rękę na jego ramieniu i delikatnie wyprowadziłam go na zewnątrz.

Oparł dłoń na futrynie, sądząc, że dzięki temu nie zamknę mu drzwi przed nosem.

— Masz numer mojej komórki, prawda? Dzwoń, kiedy chcesz. W dzień i w nocy. Słyszysz? Gdybyś czegoś potrzebowała, wal do mnie jak w dym.

Skinęłam głową.

— Dobrze, George. Obiecuję. — Zaczęłam zamykać drzwi i z ulgą zobaczyłam, że zabrał rękę.

Zaniosłam kopertę do gabinetu, wysypałam jej zawartość na mahoniowe biurko i usiadłam przy nim. Rozcięłam jedną z mniejszych kopert dziadkowym nożem z rączką z kości słoniowej, ostrożnie wyjęłam grubą kartkę papieru listowego i przeczytałam:

30 września 1939 roku

Najdroższa Lillian!

Słowa nie wystarczą, ale nie mam innego sposobu, żeby się z Tobą skomunikować. Rozdzielił nas los, ale sumienie mi nakazuje, żebym przynajmniej spróbowała nawiązać z Tobą kontakt i prosić Cię o wybaczenie. Nie wiem, czy inaczej będę mogła dalej żyć, więc muszę chociaż podjąć próbę.

To, co się stało, to był wypadek. Byłaś przy tym i wiesz, że znajdowałyśmy się w dramatycznej sytuacji, choć to nic nie zmienia. Dlatego nie mogę sobie wybaczyć i muszę zdać się na Twoją dobroć, licząc, że uwolnisz mnie od poczucia winy, które dręczy mnie bezlitośnie co dnia. Wybacz mi, Lillian. Wybacz mi, że kochałam za mocno i za bardzo ufałam. Jeśli mi wybaczysz, to z łaską boską, może odzyskam nadzieję. „Dum vita est, spes est", pamiętasz?

Proszę, daj mi znać, czy dostałaś ten list. Możesz przesłać mi wiadomość przez Paula z kancelarii. Często się z nim widuję i wiem, że można na nim polegać.

Pamiętasz, jakie kiedyś byłyśmy szczęśliwe? Tyle się zmieniło, Lillian. Nie wiem, czy po tym, co się stało, jeszcze kiedykolwiek zaznam szczęścia. Ale jeśli uzyskam

31

Twoje przebaczenie, będę mogła spróbować. Josie zawsze nam mówiła, że im bardziej kochamy, tym bardziej się zatracamy. Myślę, że miała rację. Straciłam tyle, że nie wiem, czy kiedykolwiek odzyskam samą siebie.

Twoja przyjaciółka na zawsze,

Annabelle

Przeczytałam ten list trzy razy. Próbowałam usłyszeć w nim głos babci, ten, który pamiętałam z dzieciństwa, ale daremnie. Kim była Lillian? A Josie? I co takiego strasznego zrobiła babcia, że musiała błagać o przebaczenie? Gdyby nie to, że rozpoznałam jej pismo, nie uwierzyłabym, że te słowa wyszły spod jej ręki. Autorka listu była pełna pasji i silna. Kobieta, którą znałam, zupełnie jej nie przypominała.

Powoli otworzyłam drugą kopertę. Wyjęłam z niej list i zaczęłam czytać.

15 grudnia 1939 roku

Najdroższa Przyjaciółko!

Moje pierwsze trzy listy do Ciebie wróciły nieotwarte. Nie winię Cię, bo na nic lepszego nie zasłużyłam.

Ale kochałam Cię jak siostrę, tak jak Freddiego i Josie, i utrata Was wszystkich sprawiła, że coś we mnie umarło. Mam tylko nadzieję, że pewnego dnia potrafisz mi wybaczyć i znowu będziemy jak siostry. Do tego czasu nie spocznę, nie będę płakać, śmiać się ani kochać; nie umiałabym, bo do tego potrzebne jest serce.

Pamiętasz, jak byłyśmy młodsze i rozmawiałyśmy o mężczyznach, za których wyjdziemy, o córkach, które będziemy miały, o historiach, które im opowiemy, gdy będą już na tyle dorosłe, aby ich wysłuchać? Modlę się

32

o to, żebyś kiedyś miała córkę i żebym ja też ją miała. Wtedy mogłybyśmy opowiedzieć im naszą historię, żeby to, co się stało, nie przepadło w niepamięci i żebyśmy nie były same z naszym smutkiem. Tego pragnę dla nas obu.

Żegnaj, kochana Przyjaciółko,

Annabelle

Poczułam, że oczy pieką mnie od łez, których nie potrafiłam uronić dla znanej mi kobiety. Mój wzrok padł na niebieski sweterek, który złożyłam i zostawiłam na biurku. Podniosłam go do twarzy, ale poczułam tylko kurz i woń starych tajemnic. Po raz pierwszy w życiu uzmysłowiłam sobie, że moja smutna, cicha babcia może mieć jednak do opowiedzenia jakąś historię.

ROZDZIAŁ 3

Nie znosiłam zapachu, jakim przesiąknięte są domy opieki: mieszanki antyseptycznych środków do czyszczenia, rozgotowanych potraw oraz dawnych marzeń. Znienawidziłam go podczas długiego pobytu w szpitalu przed sześcioma laty, gdy zaczął mi się kojarzyć ze wszystkimi moimi straconymi nadziejami. Kiedy wpisałam się do księgi gości, wyszła po mnie dyżurna pielęgniarka i zaprowadziła do skrzydła dla chorych na alzheimera. Żeby otworzyć drzwi, musiała wystukać na małej klawiaturze szyfr. Babcia miała prywatny pokój, jeśli w domu opieki może być coś prywatnego. Znajdował się on na końcu korytarza, na tyłach budynku. Dwa olbrzymie okna wychodziły na ogród. To właśnie powiedział mi dziadek, gdy ją tu przenieśliśmy. Nigdy nie zwróciłam mu uwagi, że ilekroć ją odwiedzaliśmy, siedziała zwrócona do ściany.

Spała, kiedy weszłam, więc usiadłam na krześle przy łóżku i patrzyłam na nią, pogrążoną we śnie. Leżała na boku, z jedną ręką wsuniętą pod policzek, jak dziecko, a jej długie siwe włosy, zaplecione w warkocz, spoczywały na poduszce niczym pamiątka z minionego życia. Babcia zawsze wydawała mi się stara. Widziałam, oczywiście, jej zdjęcia z młodości, ale jakoś nie dostrzegałam podobieństwa między piękną panną młodą czy świeżo upieczoną matką z fotografii a tą smutną starą kobietą, którą znałam z dzieciństwa.

Poruszyła się, z jakimś zapomnianym słowem na ustach, zawieszona między jawą a snem, którego nie pamiętała i nie potrafiła opowiedzieć. Zastanawiałam się często, co jej się może śnić — czy przeżywa jeszcze raz dawne dobre czasy, zanim uśmiechnięta kobieta ze zdjęć stała się tą staruszką, czy jej sny są puste, martwe jak jej umysł obecnie.

Czekałam, aż otworzy oczy i oprzytomnieje. Jej wzrok spoczął na mnie i wstrzymałam oddech, ciekawa, czy tego dnia mnie rozpozna. Ale ona spojrzała dalej, za okno, jakbym była tylko meblem.

— Babciu? — odezwałam się cicho, żeby jej nie przestraszyć.

Brązowe oczy szybko spoczęły na mnie i rozszerzyły się gwałtownie, ale zorientowałam się, że wciąż nie wie, kim jestem.

— Babciu — spróbowałam jeszcze raz. — To ja. Piper. Przyjechałam do ciebie z wizytą. — Wstałam, pomogłam jej usiąść, a potem przetrzepałam jej poduszki.

— A tak, Piper — powtórzyła bez zrozumienia. — A gdzie jest Jackson? Powiedział, że przyjedzie. — Spojrzała na mnie podejrzliwie. — Widziałaś go?

— Nie, babciu. Dziadek nie żyje, pamiętasz? Pochowaliśmy go w sobotę, na Bonaventure Cemetery, tam gdzie leżą mama i tata. Włożyłaś swoją czarną sukienkę, a na szyi miałaś kameę po swojej matce.

Powoli zamrugała, patrząc na mnie w milczeniu. Ale w końcu jej wzrok znowu powędrował za okno.

— Jackson przynosi mi kwiaty. Wie, że najbardziej lubię złocienie. — Nagle zwróciła się ku mnie. — Widziałaś Jacksona? On zawsze przynosi mi kwiaty.

Wstałam, starając się widzieć w tej zamkniętej w swoim świecie kobiecie babcię, osobę, która nauczyła mnie ogrodnictwa. Czułam litość dla siedzącej przede mną staruszki, ale jej nie znałam. Jej obecność w moim życiu stała się jak ciepły wiatr, który rozwiewa włosy, a przy następnym oddechu zostaje zapomniany. Podeszłam do okna i spojrzałam na ładny ogród, który w czyimś zamierzeniu miał być w stylu angielskim, z geometrycznymi deseniami z kwiatów i przyciętymi żywopłotami. Duże zielone krzewy, okalające mały kwadrat ziemi, usiane były różami. Po treliażach pięły się glicynie, a między nimi stały białe drewniane ławki dla zmęczonych pensjonariuszy i ich gości. Zrobiło mi się smutno, gdy pomyślałam o niegdyś pięknym ogrodzie babci, który teraz spał pod zmęczoną ziemią.

Przypomniałam sobie o sweterku i kopercie, które miałam w torbie. Odwróciłam się w stronę łóżka i wyjęłam niebieskie ubranko. O klucz i listy zamierzałam spytać ją później, bo przekonałam się już, że jest w stanie skupić się tylko na jednej sprawie. Właściwie nie liczyłam na to, że rozpozna sweterek albo że coś mi wyjaśni. Kiedy jednak poprzedniego dnia stałam w gabinecie dziadka, uświadomiłam sobie, jak bardzo jestem samotna i ile lat minęło od czasu, gdy babcia napisała ostatni list. Pomyślałam, że muszę przynajmniej spróbować się czegoś od niej dowiedzieć.

— Babciu? Wczoraj znalazłam coś w domu, w twoim kufrze w gabinecie dziadka. Wygląda, jakbyś ty to wydziergała. Poznajesz?

Zamrugała szybko, jakby próbowała skupić swoje ciemne oczy na mojej twarzy, a potem powoli opuściła wzrok na trzymane przeze mnie ubranko i przestała mrugać. Podeszłam bliżej i usiadłam na brzegu łóżka, a ona wciąż wpatrywała się w sweterek. Wyciągnęła rękę, delikatną niczym suchy liść, który spadł z drzewa, i ujęła miękką tkaninę. Żyły na jej dłoniach przywodziły na myśl zaznaczone na mapie drogi życia. Powoli podniosła sweterek i przytuliła go do twarzy, tak jak ja. Ciekawa byłam, jakie wspomnienie przywołuje jej jego zapach.

— Wiesz, czyj był?

Nie odpowiedziała, wciąż wtulała twarz w sweterek. Po chwili zaczęły jej drżeć ramiona i z ust wyrwał się szloch, jakiego nigdy nie słyszałam — ten dźwięk obudził we mnie moje własne stracone nadzieje i marzenia.

Widząc ten wybuch emocji, do jakich zawsze wydawała mi się niezdolna, niepewnie dotknęłam jej barku. Choć czułam przerażenie, musiałam to zrobić.

— W porządku, babciu. Wszystko będzie dobrze. — Te słowa nic nie znaczyły, podobnie jak moje poklepywanie po kościstym ramieniu, które wystawało spod bawełnianej koszuli nocnej. Nic nie było w porządku. I przez krótką chwilę pożałowałam, że w ogóle trafiłam na ten sweterek w kufrze i przeczytałam listy, że wyrwało mnie to z mojej otępiałej egzystencji w pustym domu przy Monterey Square. Jednak znalazłam ubranko i przywiozłam je tutaj, żeby jej pokazać. I przypomniałam sobie słowa, które poprzedniej nocy prześladowały mnie we śnie, słowa, które babcia powiedziała mi dawno temu, a ja myślałam, że już je zapomniałam: „Każda kobieta powinna mieć córkę, której mogłaby opowiadać różne historie. W przeciwnym razie to, czego się nauczyła, staje się bezużyteczne, jak zapasowe guziki od wyrzuconej bluzki. I zostaje po niej tylko niknące imię, wspomnienie kształtu nosa, koloru włosów. Ludzie, którzy piszą książki historyczne, opowiedzą ci o bitwach i podbojach. Kobiety opowiadają historie ludzkich serc".

Pomyślałam o mamie, nieżyjącej już od ponad dwudziestu lat, i o tym, jak opuściła dom w wieku osiemnastu lat i nigdy do niego nie wróciła. Pamiętałam ją tylko ze starego zdjęcia, na którym stała z ojcem przed mostem Golden Gate — zawsze wydawało mi się, że miało ono pokazać światu, jak daleko chciała zajść.

Szlochy babci umilkły tak nagle, jak się zaczęły, i przez chwilę wydawało mi się, że zapomniała, dlaczego płacze. Ale kiedy zwróciła na mnie swoje zaczerwienione oczy, zobaczyłam coś, czego nie widziałam od lat — że są całkiem przytomne.

— On odszedł — szepnęła i zacisnęła w szponiastych palcach sweterek. Po jej pomarszczonych policzkach spłynęły łzy, ale nie zamrugała i nie oderwała ode mnie wzroku. Wypuściła z dłoni sweterek i chwyciła mnie za ręce. Palce miała zimne i szorstkie. Pochyliła się w moją stronę i bardzo cicho wyszeptała do mnie, tak że poczułam jej oddech na twarzy: — Każda kobieta powinna mieć córkę, której mogłaby opowiedzieć swoją historię.

Potem spojrzała w bok, wypuściła moje ręce z uścisku i wróciła do swojego świata. Opadła na poduszki i zamknęła powieki.

— Chce mi się spać — powiedziała, nie otwierając oczu.

Nie chciałam, żeby zasnęła. Pochyliłam się i zapytałam cicho:

— Kto to jest Lillian, babciu? Kim są Lillian, Josie i Freddie?

Jej gałki oczne poruszyły się szybko pod powiekami, których jednak nie otworzyła. Odwróciła ode mnie twarz, ale zauważyłam, że zacisnęła rękę w pięść, zanim wsunęła ją pod brodę.

— Babciu? — wyszeptałam.

Nie poruszyła się. Przez dłuższą chwilę siedziałam jeszcze na brzegu łóżka i z rosnącym niepokojem patrzyłam, jak jej pierś opada i wznosi się nieznacznie — podobne uczucie człowiek miewa, gdy wyjeżdża z domu w dłuższą podróż i wie, że czegoś zapomniał.

W końcu wstałam i pochyliłam się, żeby pocałować ją w policzek. Przestraszyłam się, gdy nagle chwyciła mnie mocno za nadgarstek i otworzyła oczy.

— Moje pudełko — powiedziała. — Wsadziłam to do pudełka, ale teraz nie mogę go znaleźć.

— Jakiego pudełka? — zapytałam. W tej samej chwili przypomniałam sobie jednak woń rozgrzanej trawy i ciemną ziemię w swoich dłoniach i nie musiałam czekać na odpowiedź. Zresztą Annabelle znowu zamknęła oczy. Zaczęła miarowo oddychać. Dotknęłam jej policzka, daremnie szukając porozumienia z kobietą, która mnie wychowała, i znowu pożałowałam, że przeczytałam jej listy i odkryłam w kufrze niebieski dziecięcy sweterek.

⁕

Po powrocie do domu nie przebrałam się ani nie zmieniłam butów. Przystanęłam tylko w kuchni, żeby połknąć dwie tabletki przeciwbólowe; nie zastanawiałam się nawet, czy robię to z przyzwyczajenia, czy aby na moment wygładzić zbyt ostre krawędzie rzeczywistości. Potem skierowałam się do szopy w ogrodzie, wyjęłam łopatę i ruszyłam przez ogród do miejsca, gdzie, jak pamiętałam, razem z dziadkiem zakopaliśmy babcine pudełko.

Pomyślałam, czy nie zadzwonić po George'a, ale odechciało mi się na myśl o jego radosnym uśmiechu i radach, abym zastanowiła się nad swoim życiem. Stwierdziłam, że jeśli ból w kolanie i plecach nie pozwoli mi wykopać pudełka, wezmę następną pigułkę i dopiero wtedy ewentualnie wezwę George'a na pomoc.

Rozpędziwszy muchy, które zaczęły krążyć wokół mojej szyi i kostek u nóg, podniosłam wysoko łopatę i wbiłam ją w ziemię, tak jak robił to kiedyś dziadek. Zacisnęłam zęby, gdy fala bólu przebiegła mi przez plecy. Nie byłam przyzwyczajona do wysiłku fizycznego, który by wykraczał poza chodzenie po domu czy pochylanie się nad biurkiem w stronę monitora w różnych bibliotekach, gdy prowadziłam badania genealogiczne, choć George, mój dziadek i fizykoterapeuta wciąż mi powtarzali, że powinnam być bardziej aktywna. Nacisnęłam łopatę zdrową nogą i wbiłam ją aż po trzonek w suchą ziemię. Lekko oszołomiona, co przypisałam działaniu proszków, poczułam, że ból trochę ustępuje, jest już mniej ostry, przypomina nadchodzącą falę, która spokojnie rozlewa się po brzegu. Otarłam kropelki potu, które zaczęły spływać mi po czole, a potem nabrałam ziemi na łopatę i rzuciłam za siebie.

Nie zajęło mi to wiele czasu; pudełko zostało zakopane dość płytko. Kiedy wreszcie metal uderzył o metal, bluzka i spodnie kleiły mi się do ciała od potu, a przed oczami zaczęły mi latać mroczki.

Przyklękłam wśród rzadko rosnących chwastów nad ziejącą raną w ziemi i ujęłam metalowe pudełko, drapiąc przy tym paznokciami wieczko oblepione czerwoną gliną. Niecierpliwie wyjęłam znalezisko, stwierdzając z ulgą, że nie jest ciężkie i dam sobie radę sama. Przetarłam pokrywkę, a potem ją uchyliłam; stare zawiasy nawet nie skrzypnęły.

Usiadłam z pudełkiem na kolanach pośród wykopanej ziemi i kamyków, które przykleiły mi się do spodni, po czym zajrzałam do środka. Zobaczyłam kartki z pamiątkowego albumu przykryte wytartą, popękaną okładką i przewiązane wystrzępioną czarną wstążką z rypsu. Na samej górze, jakby dodana po namyśle, leżała oprawiona w ramki fotografia w kolorze sepii, przedstawiająca trzy młode dziewczyny. Dwóch z nich nigdy wcześniej nie widziałam, trzecia, blondynka, wydała mi się znajoma. Początkowo nie byłam pewna. Ta dziewczyna na zdjęciu miała błysk w oku, jakby znała jakąś tajemnicę, i w jej uśmiechu było coś łobuzerskiego. Ale duże oczy i lekko zadarty nos z pewnością należały do mojej babci; rozpoznałam je, bo widziałam te same oczy i nos, gdy spoglądałam w lustro.

Podważyłam kartonowy tył ramki, nie czując nawet bólu, gdy złamał mi się paznokieć. Przysunęłam ramkę bliżej, aby zasłonić ją przed słońcem własnym ciałem, i spojrzałam na drugą stronę zdjęcia. Ktoś wypisał tam amatorską kaligrafią trzy nazwiska: Lillian Harrington, Josephine Montet i Annabelle O'Hare. Wzdrygnęłam się, bo rozpoznałam imię pierwszej z dziewcząt; to do niej babcia napisała listy z prośbą o wybaczenie. Potem przeczytałam słowa widniejące pod nazwiskami: *Dum vita est, spes est — Cicero*. Ściągnęłam brwi, gdy przypomniałam sobie, że ten cytat wisiał na ścianie w sali do łaciny w mojej szkole średniej i latynistka często się na niego powoływała. Patrzyłam na sentencję przez dłuższy moment; pamiętałam, że babcia napisała te słowa w jednym z listów do Lillian. „Dopóki trwa życie, dopóty jest nadzieja". Nie rozumiałam jednak, co to ma znaczyć — ani wtedy, ani teraz.

Wyjęłam kartki z albumu. Najpierw zaczęłam przeglądać je pobieżnie, potem coraz wolniej i dokładniej — zauważyłam poszarpane brzegi, jakby każda kartka została brutalnie wyrwana.

Na jedną ze stron padła kropla potu, więc wstałam, żeby zabrać pudełko do domu i tam obejrzeć jego zawartość. Ale musiałam podnieść się zbyt gwałtownie, bo zakręciło mi się w głowie i zobaczyłam ciemność przed oczami; upuściłam kartki i osunęłam się na kolana. Przycisnęłam brodę do piersi i zanim ponownie otworzyłam oczy, odczekałam, aż przejaśni mi się w głowie.

Kartki z albumu leżały porozrzucane na gołej ziemi, wśród chwastów, trzepocząc jak ćmy. Zaczęłam zbierać je na czworakach i otrzepywać przed złożeniem w jeden plik. Podniósłszy prawie przedartą na pół kartkę, zauważyłam wycinek z gazety, który przyczepił się do niej z tyłu. Sądząc po pożółkłym kleju ze strzępkami papieru, który pokrywał jego górny brzeg i wystawał z boku kartki, został on wklejony do albumu.

Oderwałam go ostrożnie i przeczytałam. Poczułam, że mimo letniego upału robi mi się coraz zimniej.

Wycinek pochodził z „Savannah Morning News" i nosił datę 8 września 1939 roku. Jego treść brzmiała:

Dziś, około ósmej rano, podczas swojego porannego obchodu, listonosz Lester Agnew wyciągnął z rzeki Savannah zwłoki niezidentyfikowanego murzyńskiego niemowlęcia płci męskiej. Ciało było nagie, pozbawione znaków, które umożliwiłyby identyfikację, i zostało przekazane lekarzowi sądowemu w celu ustalenia przyczyny śmierci.

Zrobiło mi się niedobrze — albo od leków przeciwbólowych, albo od gorąca. A może na skutek zetknięcia z przeszłością, która powinna była ulec zapomnieniu. Położyłam się, przytykając twarz do chłodnej gleby. Poczułam w ustach smak ziemi, chwastów i upartej trawy, ale nie miałam siły odwrócić głowy. Leżałam tak przez jakiś czas, aż przeszły mi mdłości i zawroty głowy. Otworzyłam oczy, podparłam się na łokciu i spojrzałam na blaszane pudełko, w którym coś błysnęło. Powoli wyciągnęłam rękę i przysunęłam je do siebie, nie bardzo wiedząc, na co patrzę.

Był to naszyjnik; gruby łańcuszek wykonano techniką filigranu i ozdobiono do połowy rozmaitymi wisiorkami, które zupełnie do siebie nie pasowały. Przypominały mi wisiorek w kształcie anioła, który dał mi pan Morton. Zaintrygowana, usiadłam, żeby lepiej im się przyjrzeć, ale musiałam na chwilę zamknąć oczy, żeby przestało mi się kręcić w głowie. Rozłożyłam wisiorki na dłoni i obejrzałam je, zastanawiając się, dlaczego połowa łańcuszka pozostała wolna. Przesunęłam po nich palcami jak czytająca brajlem niewidoma, próbując poznać kryjące się za nimi historie. I w ten sposób doszłam do ostatniej zawieszki.

Spojrzałam na dłoń i zobaczyłam maleńki wózek dziecięcy, o delikatnie zaznaczonych kółkach. Zaczęłam kombinować, co znaczyły te wszystkie wisiorki. Muchy kontynuowały atak, gdy tak oglądałam wykopany skarb, gryzły mnie bezlitośnie, dając mi się we znaki niczym stary ból.

Naszyjnik wysunął mi się z palców, spadł na kolana. Nagle zaczęłam płakać. Nie byłam pewna, czy wylewam łzy nad starą kobietą, która nie miała komu opowiedzieć swoich historii, czy nad dziewczyną, którą kiedyś byłam. Dziewczyną, która uważała się za niepokonaną, a wyrosła na kobietę pozbawioną wiary w cokolwiek.

ROZDZIAŁ 4

Lillian Harrington-Ross siedziała przy oknie w salonie i patrzyła na list, który trzymała w pokrytych starczymi plamami rękach. Starała się omijać wzrokiem swoje palce, bardziej przypominające sękate pnie dębów niż smukłe palce kobiety, która kiedyś była tak dumna ze swoich dłoni.

Kiedy usłyszała tętent kopyt na suchej ubitej ziemi, wyjrzała za okno na maneż, na który jej wnuk Tucker wyprowadził ostatnio uratowanego gniadego wałacha. Wyraźna blizna na boku konia wyglądała jak znak ostrzegawczy. Tucker wyciągnął szpicrutę do lonżowania i wprawnie prowadził niechętnie nastawionego wierzchowca wokół maneżu, wydobywając ciemne sekrety z jego nieznanej przeszłości.

Lillian rzadko odsuwała zasłony, przeważnie wolała ciemność, ale chciała popatrzeć na wnuka i nowego konia, aby sprawdzić dyskretnie, czy wykazują oznaki zdrowienia. Wyprostowała się na fotelu i spojrzała na Tuckera spod zmrużonych powiek, mając przed oczami innego mężczyznę w drgającym od upału powietrzu, kogoś, kto potrafił przemawiać do koni i nie tolerował połamańców. Potem zamknęła oczy, bo poczuła drżenie w starych rękach; wyobraziła sobie, że poprzez cugle czuje siłę konia. Ale to wszystko było już dawno za nią.

I znowu zaczęła się zastanawiać, jak to się stało, że tak łatwo wyrzekła się czegoś, co było dla niej tak cenne. Była niczym rodzic, który uświadamia sobie, że jego dziecko jest za duże, aby je nosić na rękach, choć nie pamięta, kiedy ostatnio to robił.

Dum vita est, spes est. List zadrżał w jej rękach, a słowa zawirowały przed oczami. „Dopóki trwa życie, dopóty jest nadzieja". Czy to możliwe, że kiedyś była młoda i wierzyła w coś takiego jak nadzieja? I że przyjaźń trwa do końca życia? Ale nie tylko upływ lat sprawił, że stała się cyniczną starą kobietą; ból po stracie kogoś bliskiego zatruwa bardziej niż czas.

Spojrzawszy przez dwuogniskowe okulary na list, Lillian przeczytała go po raz trzeci.

Szanowna Pani Harrington-Ross!

Nie wiem, czy dostała Pani moje trzy poprzednie listy. Jeśli nie, jestem Piper Mills, wnuczka Annabelle Mercer z domu O'Hare. Odkryłam niedawno kartki z należącego do niej pamiątkowego albumu i znalazłam wśród nich zdjęcie jej, Pani i dziewczyny imieniem Josephine.

Być może wiadomo Pani, że moja babcia umarła w zeszłym miesiącu po wieloletniej walce z chorobą Alzheimera. Jej album nasunął mi wiele pytań i bardzo chciałabym z Panią porozmawiać, żeby poznać odpowiedzi przynajmniej na niektóre z nich.

Poniżej zamieszczam swój numer telefonu. Chętnie porozmawiam z Panią przez telefon albo przyjadę do Asphodel Meadows, żebyśmy mogły spotkać się osobiście.

Nie miałam okazji Pani poznać, chociaż mieszkałam u dziadków przez wiele lat. Przypuszczam, że jeśli kiedyś przyjaźniła się Pani z Annabelle, to dawno się to skończyło. Proszę mi wierzyć, nie chcę znać przyczyny.

Po prostu chciałabym się dowiedzieć, kim była babcia przed moim urodzeniem, i być może znaleźć jakiś sens w śmierci kobiety, której chyba tak naprawdę nie znałam. Czekam na wiadomość od Pani.

Z poważaniem,

Piper Mills

Lillian westchnęła i poczuła ucisk w piersi. Więc Annabelle nie żyje, pomyślała. Jak fala przypływu wróciły do niej minione lata, wspomnienia przesuwające się przed oczami niczym podszywany rąbek, gdy każdy ścieg przynosi ból. Ale nie żal. Sądziła, że żyje tak długo, bo nauczyła się nie łączyć cierpienia z żalem.

Za jej plecami rozległo się ciche pukanie, chwilę później drzwi się otworzyły. Poczuła zapach pyłu, potu i konia, jeszcze zanim Tucker się odezwał. Może nie miała już tak mocnych kości ani tak dobrego wzroku jak kiedyś, ale nie straciła powonienia. Znowu przymknęła oczy, przypominając sobie mężczyznę, który kiedyś pachniał tak samo, i uśmiechnęła się mimowolnie.

Tucker pocałował ją w policzek, a ona spojrzawszy na niego, na jego oliwkową skórę i niemal czarne włosy, zobaczyła w nim raczej swojego zięcia niż córkę. Wzrost i szerokie ramiona odziedziczył po jej nieżyjącym mężu, a ciemnozielone oczy po niej. Ale żal, który go otaczał, który przygniatał jego ramiona jak źle skrojony płaszcz, wynikał już z jego własnej natury.

Podszedł do kredensu i nalał sobie mrożonej herbaty do wysokiej szklanki.

— Coś ci podać, Malily? — Tak zwracał się do niej od dzieciństwa, gdy Lillian uważała się za zbyt młodą, żeby nazywano ją babcią.

— Poproszę sherry — odparła i spojrzała mu w oczy.

Nie zatrzymał się ani na moment, gdy odkorkowywał karafkę i nalewał sherry aż po brzegi kieliszka.

— Zawsze gdzieś jest piąta po południu — zauważył filozoficznie.

Przeszedł przez salon i podał jej drinka, ale potem nie usiadł. Choć był już dawno dorosły, wiedział, że lepiej nie siadać na fotelach Lillian w brudnym roboczym ubraniu.

Pociągnąwszy duży łyk mrożonej herbaty, powiedział:

— Ten nowy koń to twarda sztuka. Ma osobowość i do tego siłę fizyczną. Kto wie przez co przeszedł.

Lillian upiła nieco sherry, myśląc już o tym, kiedy będzie mogła poprosić o następne, po czym odwróciła się do okna i spojrzała w dal za maneż i stajnie, za zielone pastwiska. Zobaczyła tam trzy dziewczyny siedzące na bramie płotu. Później spojrzała znowu na Tuckera. Zauważyła, że palce, którymi obejmował szklankę z mrożoną herbatą, nie są już palcami lekarza. Pomyślała o koniu ze szramą na boku i zaczęła się zastanawiać, czy nie lepiej mieć blizny na ciele niż na duszy, bo wtedy ludzie je widzą i mogą ich nie urażać.

— Chcę cię o coś prosić. — Lillian znowu upiła sherry, żeby nie patrzeć mu w oczy, i z zadowoleniem zauważyła, że przestaje czuć ból w czubkach palców.

Tucker stał się czujny.

— O co?

Zamilkła na chwilę, żeby starannie dobrać słowa.

— Musisz napisać za mnie list. Wnuczka mojej dawnej znajomej, Piper Mills, chce się ze mną spotkać, żeby porozmawiać o pewnych sprawach z życia swojej babci. — Spojrzała na Tuckera i ciągnęła: — Jak wiesz, wszystkie dokumenty przekazałam Susan i nie mam serca przeglądać ich na nowo. Nie oczekuję też, że ty się tym zajmiesz. Jest jeszcze za wcześnie... — Umknęła wzrokiem w bok, bo nie mogła patrzeć, jak zbladł. — Poza tym obawiam się, że pamięć mnie już zawodzi, a bez tych papierów nie dam rady przypomnieć sobie wszystkiego dokładnie. Więc wolałabym pozbyć się tej Piper.

Pomyślałam, że jeśli ty do niej napiszesz, uzna, że jestem zbyt chora, żeby z nią porozmawiać, i zostawi mnie w spokoju.

Tucker wrócił do kredensu i nalał sobie kolejną szklankę mrożonej herbaty z oszronionego dzbanka. Kropla wody spadła na mahoniową powierzchnię, więc szybko wytarł ją serwetką, zanim babcia zdążyła zwrócić mu uwagę.

— Piper Mills? Coś mi to mówi.

Lillian gwałtownie zaczerpnęła powietrza i zmięła list w dłoniach, które zacisnęła na kolanach.

— Z sześć lat temu uchodziła za bardzo obiecującą zawodniczkę, nawet przyszłą olimpijkę. Mówiono, że jej dziadek kupił już bilety lotnicze do Aten. — Uśmiechnęła się smutno. — Ale w Kentucky spadła z konia, a on się na nią zwalił. Nikt nie zna prawdy, choć krążyły plotki, że to była jej wina, podobno wiedziała, że coś jest nie tak, i mogła się jeszcze wycofać, ale skoczyła... Uszkodziła kręgosłup, złamała nogę i kilka żeber, miała przebite płuco. Musieli uśpić jej konia. Od tego czasu nie jeździ.

Tucker uważnie spojrzał na babcię.

— Teraz sobie przypominam. Myślałem, że zginęła.

Lillian opuściła wzrok i spojrzała na kielszek.

— Pewnie wolałaby, żeby tak się stało.

Tucker się odwrócił i Lillian pożałowała swoich słów. Ale tak trudno było go nie dotknąć. Od śmierci Susan rozmowa z nim przypominała chodzenie z połamanymi nogami: każdy krok powodował ból.

Wpatrywał się w pusty maneż.

— Jeśli przyjaźniłaś się z jej babcią, to dlaczego ty i Piper nigdy się nie spotkałyście?

Lillian podniosła kielszek, dając znak Tuckerowi, żeby jej jeszcze nalał.

— Bo jej babcia i ja przestałyśmy się przyjaźnić bardzo, bardzo dawno temu.

Wziął kieliszek, ale odstawił go na kredens i wiedziała, że lepiej z wnukiem nie dyskutować.

— To dlaczego odezwała się teraz? Dlaczego akurat teraz chce z tobą porozmawiać?

Lillian zamknęła oczy i odchyliła się do tyłu. Padające przez okno ciepłe promienie słońca parzyły ją niczym sumak jadowity.

— Bo Annabelle... jej babcia... właśnie zmarła. Nie ma w tym nic niezwykłego, że pozostali przy życiu krewni chcą poznać odpowiedzi na pytania, których nie zadali, gdy był jeszcze na to czas. — Kontynuowała, unikając zatroskanego wzroku Tuckera: — Te papiery... te, które dałam Susan... przysporzyły nam wiele cierpienia. Chyba nie zniosłabym, gdyby ktoś znowu zaczął się w nich babrać.

Tucker odstawił szklankę na kredens i kryształ zabrzęczał w zetknięciu z twardym drewnem.

— Zajmę się tym jeszcze dziś. — Przeszedł przez pokój i ponownie cmoknął Lillian w policzek. — Muszę już iść. Rano przywieźli siano i strużyny. Zanim je wyładują, chciałbym sprawdzić, czy są w porządku.

Kiedy się wyprostował, chwyciła jego rękę i ją uścisnęła. Miała nadzieję, że potraktuje to jako przeprosiny za to, że wypowiedziała imię Susan. Odwzajemnił uścisk, a potem wyszedł. Odprowadzając go wzrokiem, Lillian znowu pomyślała o poranionym koniu i jego nieufności. Uświadomiła sobie, jak bardzo okaleczony wałach i jej wnuk są do siebie podobni. Przesunęła palcami po złotym wisiorku, który nosiła na szyi od dziesiątego roku życia, i gdy słuchała oddalających się kroków Tuckera w holu, zaczęła się zastanawiać, czy jako jedyna widzi jego blizny, bo wie, gdzie patrzeć.

᪥

Dzwony u Świętego Jana zaczęły wybijać pełną godzinę. Wtuliłam twarz w zimną bawełnianą poduszkę. Straciłam rachubę, ale wydawało mi się, że uderzeń było więcej niż dziesięć. Przerażona, odrzuciłam kołdrę, bo przypomniałam sobie, że ciężarówka z Goodwill miała zajechać pod dom przed dwunastą, żeby zabrać rzeczy dziadka, których jeszcze nie wyjęłam i nie posortowałam. Ubrania babci przekazałam domowi opieki, w którym mieszkała w ostatnich latach swojego życia, ponieważ nie mogłam się zdobyć na to, by przejrzeć je wszystkie. Cenne przedmioty zostawiła w domu przed szesnastoma laty, a wśród rzeczy, które dostała albo kupiła później, nie było nic, co chciałabym zachować.

Gdy stawiałam stopy na podłodze, jedna z nich trafiła na kartkę. Pochyliłam się z jękiem i podniosłam list, który czytałam już kilkanaście razy. Moje rozczarowanie przeszło w dziki gniew. Napawałam się nim, bo od dawna nie czułam żadnych emocji.

Zbliżyłam zmiętą kartkę do oczu i przeczytałam ją jeszcze raz, ciekawa, czy jej lektura w świetle dziennym po przespanej nocy wzbudzi we mnie inne uczucia.

Szanowna Panno Mills!

Dowiedziałem się, że usiłuje Pani skontaktować się z moją babcią, Lillian Harrington-Ross, licząc na rozmowę z nią o swojej zmarłej babce, Annabelle Mercer.

Niestety, babcia bardzo źle się czuje i nie wstaje z łóżka. Nie przyjmuje też gości. W Pani imieniu spytałem ją o Jej babcię i dopiero po dłuższej chwili przypomniała sobie, że w ogóle ją znała.

Obawiam się, że nawet gdyby babcia była na tyle zdrowa, aby się z Panią spotkać, i tak nie mogłaby odpowiedzieć na Pani pytania.

Głębokie wyrazy współczucia z powodu Pani straty.

Z poważaniem,
William T. Gibbons

Przeniosłam wzrok z listu na gazetę, która leżała na szafce nocnej. Nie odwołałam jeszcze prenumeraty dziadka i czytałam każde wydanie od deski do deski, jakbym chciała w ten sposób nadrobić własny brak zaangażowania. Gazeta była otwarta na rubryce towarzyskiej — noszącej tę samą datę co list od Williama Gibbonsa — zamieszczono tam duże zdjęcie zrobione podczas charytatywnej imprezy jeździeckiej. Przedstawiało ono starszą kobietę, która nie wyglądała ani na słabą, ani na przykutą do łóżka — jedynym ukłonem w stronę starości była jej piękna laska z kości słoniowej. Stała wraz z młodszym mężczyzną i dziewczyną w stroju jeździeckim, która trzymała złoty puchar. Podpis głosił:

Pani Lillian Harrington-Ross z Asphodel Meadows i jej wnuk, doktor Tucker Gibbons, wręczają puchar zwycięstwa Katharine Kobylt z Milledgeville podczas zawodów dobroczynnych w Twin Oaks.

Położyłam list na gazecie, czując kolejny przypływ gniewu. Nadal nie przejrzałam starannie kartek z pamiątkowego albumu babci, choć nie bardzo wiedziałam, dlaczego tego nie robię. Ale właściwie na każdej stronie widziałam nazwisko Lillian Harrington i z tego, co mogłam się zorientować, okres ten obejmował niemal dziesięć lat z życia babci, mniej więcej odkąd skończyła trzynaście lat.

No i było to zdjęcie trzech dziewcząt siedzących na bramie, z pasącymi się końmi w tle. Przyjaciółki obejmowały się ramionami i wszystkie miały taki sam wyraz twarzy: radosny, rozbawiony, egzaltowany. Zamknęłam oczy, przyjmując wreszcie do wiadomości, że mój gniew jest w gruncie rzeczy wymierzony przeciwko mnie samej. Zła na siebie zaczęłam wiercić się na brzegu łóżka, bo zrozumiałam, że wszystkie odpowiedzi na niezadane pytania zostały pogrzebane razem z babcią w aluwialnej glebie Bonaventure Cemetery.

Poczułam też coś innego — nie gniew i nie rozczarowanie. Wyobrażałam sobie, że doznałabym podobnego uczucia, gdybym w poszukiwaniu odpowiedzi spojrzała w słońce i została przez nie oślepiona. Choć nie byłam na tyle naiwna, aby sądzić, że dowiedziałabym się tego, czego chciałabym się dowiedzieć.

Powlokłam się do łazienki, mimo że plecy i prawe kolano zabolały mnie od nagłego ruchu. Wzięłam szybki prysznic i ubrałam się w dżinsy wyciągnięte spod sterty prania, którego nie miałam siły zrobić. Energia, którą odkryłam w sobie, gdy postanowiłam nawiązać kontakt z Lillian Harrington, powoli się wyczerpywała — nikła jak bąbelki zbyt długo otwartej coca-coli. William Gibbons już się o to postarał, pisząc swój suchy list. Oczy mnie zapiekły, gdy ściągając włosy w surowy koński ogon, myślałam, co „ekscytującego" może wydarzyć się w moim życiu po przyjeździe i odjeździe ciężarówki Goodwill.

Pokuśtykałam do kuchni i przejrzałam szafki w poszukiwaniu dużych plastikowych toreb, a następnie wróciłam do gabinetu dziadka i otworzyłam szafę. Nie dopuszczając do tego, żeby sentymenty zakłóciły mi pracę, szybko spakowałam garnitury, krawaty, spodnie i paski. Zatrzymałam się tylko, gdy doszłam do słomkowego kapelusza. Zostawiłam go na półce, tam gdzie położył go dziadek, i niebawem stał się ostatnią jego rzeczą, niedobitkiem, jedyną pamiątką po długim życiu, w którym odegrałam jakąś rolę, choć nie bardzo wiedziałam jaką. Patrzyłam na niego przez chwilę — ja i on byliśmy ostatnim świadectwem pobytu dziadka na tej ziemi i trudno mi było powiedzieć, w które z nas on sam bardziej wierzył. Kapelusz przynajmniej chronił go przed słońcem. Ja tylko go zawiodłam.

Po namyśle wzięłam kapelusz i zamknęłam szafę. Żałując jedynie kruchej słomy, zdecydowanym ruchem wsadziłam go do worka.

Zerknąwszy na zegarek, pokuśtykałam z torbami do kuchni, pospiesznie wypisałam kartki z informacją o ich zawartości i je przykleiłam. Potem wyniosłam do ogrodu wszystkie pakunki po kolei i złożyłam, w miejscu, gdzie kiedyś babcia uprawiała zioła; większość kamieni wyznaczających jego granice zniknęła, a te, które pozostały, zbielały w słońcu i leżały porozrzucane jak nagrobki na opuszczonym cmentarzu.

Spocona i zdyszana, nachyliłam się, opierając ręce na kolanach. Poczułam, że coś wbija mi się w udo. Sięgnęłam do kieszeni i znalazłam staroświecki klucz, który George dał mi razem z listami babci do Lillian. Zapomniałam o nim aż do tej chwili i wkładając go z powrotem do kieszeni, odnotowałam w pamięci, żeby sprawdzić, czy pasuje do którychś drzwi w domu.

Ruszyłam w stronę kuchni. Gdy szłam zarośniętym chwastami chodnikiem, zerknęłam na tył domu. Dotarłam do werandy i przystanęłam, bo nagle coś uderzyło mnie w obrazie, który widziałam przed chwilą. Wróciłam po własnych krokach, stanęłam znowu w zapuszczonym ogrodzie i spojrzałam na ścianę.

Okna na piętrze, za którymi znajdowały się mój pokój i sypialnia dziadków, wyglądały jak zawsze: szereg prostokątów o wymiarach piętnaście na piętnaście centymetrów w ramach ze skazami w starych szybach.

Mój wzrok powędrował w stronę poddasza, gdzie widniały trzy niższe okna, otoczone przez dwa ceglane kominy po obu stronach dachu niczym nawiasy. Patrzyłam na nie przez dłuższą chwilę, a potem pod wpływem podniecenia, które wyparło inercję, pospiesznie weszłam do domu.

Wspięłam się po schodach, choć bolące kolano nakazywało mi zawrócić. Szłam jednak dalej, czując w kieszeni klucz i próbując sobie wyobrazić, jak to możliwe, że — zdaniem babci — ból miał czemuś służyć.

Na końcu korytarza na piętrze znajdowały się drzwi prowadzące do schodów na strych. Tak jak przypuszczałam, w zamku tkwił klucz, ale drzwi nie były zamknięte. Uchyliłam je, pyłki kurzu, gromadzące się tu od lat, zakręciły mi w nosie. Kichnęłam, szerzej otworzyłam drzwi i ruszyłam po schodach.

Niebawem znalazłam się wśród starych kufrów, uszkodzonych mebli i staroświeckich sprzętów gospodarstwa domowego. Był tam też wiktoriański dom dla lalek, który zrobił dla mnie tata i który dziadek zaniósł na strych, żeby nie odwracał mojej uwagi od jazdy konnej. Po przeciwnej stronie pomieszczenia, naprzeciwko komina z cegły, stała wielka szafa, w której znajdowały się zdobyte przeze mnie wstęgi i trofea jeździeckie. Do czasu mojego wypadku trzymano je w salonie, ale potem ubłagałam dziadka, żeby się ich pozbył. Nie wiedziałam, co z nimi zrobił, i byłam zbyt otępiała, aby mnie obchodziło, czy zostały wyrzucone, czy nie. Chciałam tylko, żeby zniknęły mi z oczu, bo przypominały o dziewczynie, która kiedyś oszukała śmierć i była na tyle głupia, aby sądzić, że nic złego więcej jej nie spotka.

Strych był moim ulubionym miejscem w czasach dzieciństwa, gdy miałam jeszcze wyobraźnię; potem życie nauczyło mnie, że marzenia są dobre dla najmłodszych, którzy nie znają prawdziwego życia. Ale wtedy, gdy się tu bawiłam, gdy grzebałam w kufrach, szukając za dużych na mnie pantofli na wysokich obcasach i staromodnych sukienek, uszytych z miękkich, lejących się materiałów, nigdy nie zauważyłam, że są tu dwa okna, choć z ogrodu widać trzy.

Podeszłam do ściany, za którą powinno być trzecie okno. Ściany poddasza otynkowano i pomalowano na biało. Ta nie różniła się niczym od pozostałych poza tym, że stała pod nią wielka szafa. Przycisnąwszy głowę do ściany, zajrzałam w wąską szczelinę za meblem i zobaczyłam drzwi — tak jak się spodziewałam.

W pierwszej chwili pomyślałam, żeby zadzwonić do pana Mortona i zamiast odsuwać szafę, zapytać go, co znajduje się za drzwiami. Ale był w podróży, zresztą wyraźnie dał mi do zrozumienia, że powiedział wszystko, co miał do powiedzenia.

Czy chciał w ten sposób chronić mnie, czy moich dziadków, nie miałam pojęcia.

Po wyjęciu z szafy większych trofeów i odstawieniu ich na podłogę oparłam się plecami o jej bok, wbiłam pięty w deski podłogowe i zaczęłam pchać mebel, ale osiągnęłam tylko tyle, że zatrzeszczał, a ja poczułam ból w plecach i kolanie.

Wzdychając z rezygnacją, zeszłam do swojego pokoju i zadzwoniłam do George'a pod numer telefonu kancelarii. Powiedziałam mu tylko, że potrzebuję jego pomocy w przesunięciu ciężkiego mebla. Potem zeszłam do holu i stanęłam na ostatnim stopniu schodów, czekając na dzwonek. I w końcu otworzyłam drzwi.

Bez wstępów zaprowadziłam George'a na strych.

— To szafa, o której ci mówiłam. Jest pusta, ale mimo to nie mogę jej przesunąć. Pomyślałam, że może ustąpi, jeśli oboje na nią naprzemy.

George zmierzył spojrzeniem potężną szafę, a potem zdjął marynarkę z kory i powiesił ją na starym wieszaku na kapelusze, który wystawał spomiędzy kartonów.

— Spróbuję sam, Earlene. Nie chcę, żebyś nadwerężyła sobie kręgosłup.

Przygryzłam wargę, żeby nie powiedzieć czegoś, czego nie powinnam.

— Nie rozśmieszaj mnie, dobra? Jestem pewna, że sam nie dasz rady.

Marszcząc brwi, oparł się plecami o szafę tuż obok mnie i jego ramię prawie zetknęło się z moim; wtedy się uśmiechnął, bo uświadomił sobie, że znalazł się bliżej mnie, niżbym mu na to pozwoliła w innych okolicznościach.

Zaparliśmy się nogami, policzyłam do trzech i oboje z całych sił naparliśmy na szafę, jednak udało nam się przesunąć ją zaledwie o dwa, trzy centymetry. Moje plecy i kolano znowu dały o sobie znać, ale poczułam się zachęcona rezultatem. Zwróciłam się do George'a:

— Spróbujmy jeszcze raz. To nie powinno potrwać długo. Ze zdwojoną energią pchaliśmy szafę, za każdym razem odsuwając ją o kilka centymetrów, aż w końcu odsłoniliśmy drzwi, takie same jak wszystkie inne w domu.

George uniósł brwi.

— Wiedziałaś, że tam są?

— Od jakichś czterech godzin — wyjaśniłam.

Wyjęłam klucz z kieszeni i wsadziłam go do zamka. Był stary, nieużywany od lat, i musiałam mocno nacisnąć, żeby go przekręcić, ale w końcu usłyszałam zgrzyt. Zatrzymałam się, położyłam rękę na drzwiach i odwróciłam się do George'a.

— Cokolwiek zobaczymy w tym pomieszczeniu, to zostanie między nami... rozumiesz?

Gestem pokazał, że będzie trzymał buzię na kłódkę. Otworzyłam drzwi. Zawiasy poskarżyły się głośno.

Pokój był mały i miał ścięty sufit. Mieściły się w nim tylko pojedyncze łóżko, umywalka i komódka. Stanęłam na środku i powoli obróciłam się wokół siebie, próbując sobie wyobrazić, jakie tajemnice kryją te cztery ściany. W koszyku pod oknem leżały wyblakłe sfatygowane czasopisma. Spojrzałam na pierwsze od góry — „Good Housekeeping" z czerwca 1939 roku.

George przesunął się, żeby zamknąć drzwi, i wszedł do środka.

— Po drugiej stronie nie ma gałki — zauważył.

Spojrzałam na niego i zrobiło mi się niedobrze.

— Tylko ich nie zatraśnij... — Głos zamarł mi w gardle, bo zauważyłam wiklinowe łóżeczko dziecięce, które stało za drzwiami. Podeszłam do niego małymi krokami, wstrzymując oddech.

— Jest puste, Earlene.

Wypuściłam powietrze z płuc, zajrzałam do środka i przed oczami zawirowały mi małe plamki. Na dnie leżał starannie złożony, robiony na drutach niebieski kocyk.

ROZDZIAŁ 5

Tej nocy po raz pierwszy od wielu miesięcy przyśnił mi się wypadek. Fitz i ja biegliśmy po torze, zbliżaliśmy się do przeszkody numer pięć, kosza z kwiatami. Oficjalnie stwierdzono, że to zła ocena odległości nie pozwoliła Fitzowi unieść kopyt wyżej. Dla mnie powód nie miał znaczenia. Bo w efekcie straciłam wszystko.

W rzeczywistości wypadek wydarzył się w ciągu kilku sekund, ale we śnie trwało to dłużej, znacznie dłużej. We śnie widziałam szczegóły, których nie mogłam widzieć naprawdę. Zbliżamy się do przeszkody, która nie jest uważana za najtrudniejszą na torze, i czuję, że coś jest nie tak. Ale Fitz biegnie, więc uznaję, że damy radę, że dogonimy innych i wszystko się uda. Uświadamiam sobie jednak, iż Fitz pędzi za szybko i nie unosi się tak wysoko, jak powinien, nie skacze czysto. Obraca się w powietrzu, a ja wylatuję z siodła. Przez ułamek sekundy widzę, że koń znajduje się zupełnie poziomo w powietrzu, i wiem, że jeśli upadnie, to na mnie. Ale nie mogę nic zrobić; rozpadam się na milion kawałeczków i niemal przez wieczność trwam ze swoim pięknym wierzchowcem w groteskowym tańcu. Ogarnia mnie zdumienie i niedowierzanie, że najgorsza rzecz, jaką przeżyłam, zdarza mi się po raz drugi.

Ale tym razem we śnie czuję pot pod kaskiem, słyszę trzeszczenie skóry, gdy pochylam się w siodle, czuję uspokajający zapach konia i trawy, gdy zbliżam się do przeszkody. A kiedy Fitz wznosi się nad nią, widzę wszystko z bardzo wysoka i w leżącej na murawie lalce nie rozpoznaję siebie. Koń upada na lalkę, odbija się od niej i ląduje na ziemi, potem podskakuje na wysokość metra i znowu upada. Próbuje wstać z wysiłkiem, pokonuje kilka kroków, chwieje się i przewraca na bok. Zarówno on, jak i amazonka leżą w dziwnym bezruchu, ale ja nic nie czuję.

Wzlatuję za barierkę nad widownią i widzę dziadka. Nie krzyczy ani nie biegnie do mnie. Zamiast tego marszczy czoło z wyraźnym niezadowoleniem i mówi coś do stojącej obok kobiety. Zbliżywszy się, widzę, że tą kobietą jest moja babcia i że obok niej stoją moi rodzice. Ich twarze są zamazane, ale je rozpoznaję. Mają na sobie bożonarodzeniowe bluzy, które nosili, gdy widziałam ich po raz ostatni. Lecę dalej nad torem, patrzę na szmacianą lalkę i nieruchomego konia, oboje leżą tak spokojnie, jakby spali. Nagle wszystkie dźwięki zagłusza helikopter, jego warkot pulsuje mi w uszach.

Spoglądam w dół i widzę, że babcia została sama. Wydaje mi się to dziwne, bo w rzeczywistości jej tam nie było, od dłuższego czasu nie jeździła już z nami na zawody. Ale jest tam teraz i porusza ustami, choć nie wychodzą z nich żadne dźwięki. Powoli zniżam się do niej i gdy jestem już na tyle blisko, aby usłyszeć, co mówi, dostrzegam w jej zaciśniętych dłoniach niebieski kocyk dla dziecka. Wciąż porusza ustami i kiedy wreszcie słyszę jej słowa — brzmią jak bełkot albo coś w obcym języku — ogarnia mnie frustracja, że nie rozumiem, co chce mi powiedzieć. A potem wracam do swojego ciała na ziemi, czuję potworny ból i krzyczę, krzyczę, krzyczę.

Gdy otworzyłam oczy w pokoju w domu dziadków, bolało mnie gardło; moje krzyki jeszcze osiadały w czterech ścianach jak duchy. Usiadłam na łóżku, drżąc mimo ciepła letniej nocy. Trwałam tak w mroku przez długi czas; słuchałam warkotu przejeżdżającego samochodu i patrzyłam, jak światła reflektorów omiatają przeciwległą ścianę. Gdy znowu zasypiałam, uświadomiłam sobie, co babcia mówiła do mnie we śnie. *Dum vita est, spes est.* I gdy słońce rano zaczęło przeświecać przez szpary w zasłonach, niemal uwierzyłam, że życie się jeszcze nie skończyło i że zdążę usłyszeć, co babcia chciała mi powiedzieć.

⁂

W połowie czerwca w ogrodzie Lillian przez ziemię przebiły się asfodele i sterczały ku niebu niczym jaskrawożółte włócznie. To nigdy nie były jej ulubione kwiaty, ale uważała, że powinna je hodować ze względu na przodków, którzy nazwali plantację ich imieniem — a także imieniem mitologicznych łąk, na które po śmierci zsyłano pospolite, niewrażliwe dusze.

Powietrze falowało od upału. Na dźwięk hamujących na żwirze opon Lillian zmrużyła oczy pod szerokim rondem słomkowego kapelusza. Patrzyła, jak jeep Tuckera zbliża się aleją porośniętą dwustuletnimi dębami, i wyprostowała się, kiedy skręcił na okrężny podjazd i zatrzymał się przed wielkim zegarem słonecznym, który od 1817 roku wskazywał czas w Asphodel Meadows. Z tylnego siedzenia samochodu wygramoliły się Lucy i Sara, w identycznych letnich sukienkach na ramiączkach. Starsza, Lucy, miała demonstracyjnie ponury wyraz twarzy i mocno trzymała siostrę za rękę.

Sara zaczęła podskakiwać i wokół jej nóżek w skarpetkach i białych lakierkach w stylu Mary Jane podniósł się pył.

— Malily! Tata powiedział, że możemy dziś wieczorem zjeść kolację z tobą i ciocią Helen.

Lillian uśmiechnęła się do dziewczynek i gdy podszedł do niej Tucker, pomasowała dolną część pleców. Coraz trudniej było jej się poruszać i od początku wiosny wiedziała, że to będzie jej ostatni sezon prac ogrodniczych. Mimo pomocy Helen zaczęły one przekraczać jej możliwości fizyczne. Nie mogła utrzymać sekatora w powykręcanych, obrzmiałych palcach, nie była też w stanie klęczeć ani kucać przez dłuższy czas i żałowała, że będzie musiała porzucić swój ogród niczym księżyc, który o wschodzie słońca rozpacza, że musi opuścić nocne niebo. Ale, jak przekonała się w ciągu minionych dziewięćdziesięciu lat, cierpienie stanowi taką samą część życia jak oddychanie, gorycz czy żal. I wyrzuty sumienia, o których wolała już nie myśleć. Zwłaszcza teraz, po otrzymaniu listu od Piper Mills. Gdyby tylko umiała pozbyć się poczucia winy, tak jak pozbyła się samego listu. Ale poczucie winy, wiedziała, było jak drzewo: potrafiło przetrzymać wszystko, a po jakimś czasie twardniało, zamykając w swoim pniu niczego niepodejrzewające stworzenia.

Tucker stanął przed nią i spojrzał z troską.

— Nie powinnaś pracować w taki upał. O połowę młodsze od ciebie kobiety mogłyby dostać udaru.

Uśmiechnęła się do niego, widząc cienie pod jego oczami i stwierdzając, że powinien się ostrzyc.

— Ja jestem z tych twardych. Potrzeba czegoś więcej, żeby mnie powalić. — Pogładziła go po policzku swoimi guzłowatymi knykciami, jakby chciała wymazać bruzdy, które nie powinny szpecić twarzy trzydziestodwuletniego mężczyzny. Powiedziała łagodnie: — Wiesz, że uwielbiam gościć u siebie dziewczynki. Ale miło by było, gdybyś zawiadomił mnie odrobinę wcześniej.

Umknął spojrzeniem w bok.

— Tak, wiem, przepraszam. Po prostu... nowa niania... Emily... chodzi na kursy wieczorowe i nie może dłużej zostać. Miałem nadzieję, że ty i Helen zajmiecie się małymi.

Lillian spojrzała na grządki słodko pachnącej lawendy angielskiej, którą udało jej się wyhodować wzdłuż niskiego płotka przy podjeździe.

— Dziewczynki powinny spędzać więcej czasu ze swoim ojcem. — Wyczuła, że stężał. — Możesz się do nas przyłączyć, wiesz o tym.

Wyciągnął rękę w stronę Lucy i założył jej za ucho pasmo włosów. W odpowiedzi ona zwróciła się ku niemu jak stokrotka ku słońcu i pociągnęła za sobą siostrę.

— Mam swoje plany.

Lillian odchyliła głowę, żeby spojrzeć mu w twarz.

— Plany?

Zacisnął usta.

— Tak, plany. W których nie ma miejsca dla dzieci. Ale jeśli nie możesz zaopiekować się prawnuczkami, znajdę inne rozwiązanie.

Lillian patrzyła, jak Sara przykuca, aby powąchać lawendę; kokarda przy jej sukience się rozwiązała i wlokła po ziemi. Lucy nadal stała przy ojcu z tą samą nieprzeniknioną miną co poprzednio, była blada jak wybielone słońcem muszelki na plaży.

Lillian ściszyła głos, bo wiedziała, że Lucy im się przysłuchuje.

— To nie będzie konieczne. Z radością zajmiemy się dziewczynkami. — Położyła rękę na głowie Lucy i poczuła ciepło przebijające przez jedwabiste włosy. — Tylko... nie wracaj zbyt późno. Może po powrocie napiłbyś się z nami kawy.

— Może — odparł i odwrócił wzrok. Cmoknął ją w policzek, a potem sztywno objął córki.

Tylko Sara nie wyczuła panującego skrępowania. Wyciągnęła w stronę ojca gałązkę lawendy.

— Dla ciebie, tatusiu — powiedziała i podsunęła mu ją pod nos, a potem pocałowała go serdecznie w policzek.

— Dziękuję, Kwiatuszku — odrzekł czule, po czym wyprostował się i wetknął lawendę do kieszeni wykrochmalonej koszuli.

Przez moment spojrzenia jego i Lillian się spotkały i oboje uświadomili sobie, że nie zwracał się do Sary tym pieszczotliwym określeniem od śmierci Susan, czyli od ponad roku. Można by odnieść wrażenie, że to wydarzenie pozbawiło ich dawnych imion i nauczyło innego języka.

— Miłego wieczoru, Lucy — powiedział do starszej córki.

Dziewczynka nie podniosła głowy, przyglądała się grządce lawendy.

Tucker odwrócił się i ruszył w stronę jeepa, ale po chwili przystanął.

— Och, zanim zapomnę... Helen i ja wynajęliśmy domek zarządcy pewnej kobiecie, która zajmuje się genealogią. Zamierza prowadzić badania dotyczące historii miejscowych rodów.

Lillian starała się zachować spokój.

— Ale myślałam, że... — Stłumiła przypływ gniewu. — Wydawało mi się, że teraz, gdy nie ma już Susan, która zajmowałaby się wynajmem, moglibyśmy skończyć z... — Urwała, bo dotarło do niej, że już nieraz to mówiła.

Tucker zacisnął pięści w kieszeniach.

— Wiem — uciął krótko. — Ale gdy zadzwoniła ta kobieta i Helen powiedziała mi, że jest genealogiem, poczułem, że w imieniu Susan powinienem się zgodzić.

Lillian spochmurniała niczym moczary o zmierzchu; poczuła rozpacz, jakby nagle spowiły ją kompletne ciemności.

— Tucker... a co z twoją praktyką? I z dziewczynkami? Dlaczego nie spędzasz z nimi więcej czasu?

Wpatrywał się w nią przez moment, a potem przeniósł wzrok na córki, które stały obok siebie w milczeniu, trzymając się za ręce.

— Nie sądzę, żebym miał teraz na kogoś dobry wpływ.

Mimo bólu w krzyżu i pragnienia, aby usiąść, uniosła głowę.

— Może masz rację. Ale nie zwlekaj zbyt długo. Żebyś później nie żałował.

Popatrzył na nią z niechęcią, ale nie ugięła się pod jego spojrzeniem.

— Miłego wieczoru, Malily.

We trzy obserwowały, jak Tucker wsiada do jeepa i odjeżdża żwirowym podjazdem. Spod kół samochodu unosił się pył i pryskały kamyki.

Lillian wiedziała, że dziewczynki nie zechcą wziąć jej za ręce, więc zaczekała, aż obie z dwóch stron ujmą ją pod ramię, i zaprowadziła je do wejścia pod półkolistymi schodami prowadzącymi z dwóch stron do drzwi frontowych. Przed pięcioma laty kazała zainstalować na dole windę, bo nie dawała już rady wspinać się po schodach. Gdy drzwi odcięły potok światła słonecznego za nimi, poczuła żal, że nie może wchodzić do własnego domu głównym wejściem, między czterema starymi, poczciwymi doryckimi kolumnami, które zawsze — wydawało jej się — witały ją i obejmowały.

Gdy wyszły z windy, powitał je głośny dźwięk włączonego telewizora. Sara pomknęła naprzód, bo rozsadzała ją energia, ale Lucy przywarła do Lillian, która poczuła się starsza i bardziej krucha niż w rzeczywistości. Miała wrażenie, że schyłek jej życia nadszedł za szybko, że tyle mogłaby zrobić. A teraz jeszcze umarła Annabelle. Po raz pierwszy od wielu lat Lillian zapragnęła być znowu młoda. Chciała krzyczeć, kopać, wierzgać, wyrzekać i przeklinać niesprawiedliwość losu. Ale nawet gdy była młoda, miała zdrowie i energię, nie dawała wyrazu takim emocjom. Mimo tkwiących w niej pragnień Lillian Harrington-Ross nigdy nie zrobiła niczego, co by nie uchodziło dobrze wychowanej damie z Południa.

Helen siedziała w salonie na starej kanapie z Mardim, żółtym labradorem Susan, u stóp. Stary pies przez kilka tygodni był w żałobie po swojej pani, nie chciał jeść, snuł się bez celu po stajniach i domu, jakby jej szukał. I z rezygnacją przywiązał się do Helen. Może odbierał ułomność Helen jak większość ludzi, uznających, że będąc niewidomą, jest ona równie bezradna jak ci, których zostawiła Susan.

Helen poklepała otaczające ją poduszki, dając dziewczynkom znak, że chce, aby przy niej usiadły. Sara podbiegła do ciotki i wskoczyła na kanapę, podczas gdy Lucy podeszła spokojnie i usiadła powściągliwie na brzegu. Helen wyłączyła pilotem telewizor, chyba *Jerry Springer Show*, i lekko poklepała obie dziewczynki po głowach.

— Coś mi się wydaje, że Malily i ja mamy dziś wieczorem towarzystwo. Dobrze, że włożyłam nową kieckę.

Lillian obrzuciła wzrokiem czerwoną jedwabną sukienkę koktajlową, którą Helen miała na sobie — tradycyjnie zbyt strojną jak na kolację w domu. Pięć lat starsza od Tuckera, była wysoką, szczupłą i wciąż piękną kobietą, miała tak samo ciemne włosy jak w dzieciństwie, i to bez clairolu. To, że od czternastego roku życia nie widziała, nie wpłynęło na jej urodę czy siły witalne. Sama Helen pragnęła, aby wszyscy sądzili, że jedno i drugie odziedziczyła po babce. Tylko Lillian wiedziała, ile z tego jest prawdą.

Lillian usadowiła się ostrożnie na swoim ulubionym wyścielanym fotelu.

— Masz śliczną sukienkę, Helen. Gdzie ją znalazłaś?

Helen uśmiechnęła się, sięgając po papierośnicę, która leżała na stoliku przed nią.

— Dziękuję. Mnie też się podoba. Emily, nowa niania, zabrała mnie dziś przed południem do miasta i pomogła mi ją wybrać. Chciałam czerwoną i zapewniła mnie, że to najczerwieńsza czerwień, jaką kiedykolwiek widziała.

— Tak, jest zdecydowanie czerwona — potwierdziła Lillian, starając się ukryć dezaprobatę w głosie.

Sukienka była naprawdę śliczna, a jedwab — doskonałej jakości. Lillian przez długi czas nie mogła zrozumieć, jak Helen wybiera swoje stroje, ale w końcu pojęła, że kieruje się dotykiem. Jakby po stracie wzroku wzmocniły jej się nie słuch czy smak, lecz wrażliwość palców.

— Nie powinnaś palić, ciociu Helen — poważnie zwróciła jej uwagę Lucy. — Tata mówi, że przez to twoje płuca staną się czarne i umrzesz. A jest lekarzem, więc się na tym zna.

Dziewczynka naprawdę się przeraziła, gdy Helen sięgnęła po zapalniczkę. Wciąż z uśmiechem zapaliła ją i przytknęła do niej czubek papierosa.

— Kochanie, może i tak by było w przypadku większości ludzi. Ale nie w moim, bo piorun nie uderza dwa razy w to samo miejsce. Myślę, że ślepota wystarczy, aby ręka opatrzności mnie ominęła, rozdając kłopoty.

Lucy spojrzała na ciotkę ciemnymi oczami, które wydawały się wręcz czarne, zwłaszcza w zestawieniu z jasnymi włosami.

— Mama mówiła co innego. Że dobrym ludziom stale przydarzają się nieszczęścia.

Helen wydmuchnęła obłok dymu i objęła Sarę ramieniem.

— Wobec tego musimy uważać, żebyśmy nie były za dobre.

— Helen — upomniała ją Lillian ostro. — Proszę cię.

Uśmiech zniknął z twarzy wnuczki, ale błysk w jej niewidzących oczach nie zgasł.

— Saro, możesz mi podać popielniczkę?

Sara zrobiła, o co ją poproszono. Umieściła popielniczkę w lewej dłoni ciotki, a ta prawą ręką zgasiła papierosa i wyprostowała się na kanapie, wzdychając ciężko.

— Podsłuchałam twoją rozmowę z Tuckerem — powiedziała do Lillian.

Założyła nogę na nogę i wygładziła sukienkę.

— To ja odebrałam telefon od kobiety, która zamieszka

65

w domku zarządcy. Nazywa się Earlene Smith. Co moim zdaniem brzmi bardzo dziwnie.

— Jak to? — Lillian poprawiła się na fotelu, starając się znaleźć wygodną pozycję, tak żeby nie bolały ją kości. Słyszała, że Odella w kuchni przygotowuje kolację, ale jakoś nie miała apetytu. Od bardzo dawna go nie czuła.

— Earlene to imię dla starszej pani. A ja odniosłam wrażenie, że jest całkiem młoda.

— To musi być imię rodzinne. W naszych stronach często nadaje się je dzieciom, Helen.

— Wszystko na to wskazuje. Ale większość młodych ludzi przybiera sobie wtedy inne, bardziej do nich pasujące. Jak choćby Tucker. Więc to, że ta kobieta używa takiego imienia, wydało mi się dziwne i tyle.

Lillian ujęła w palce wisiorek, który miała na łańcuszku.

— Ty zawsze na wszystko patrzysz inaczej, Helen. Czy ta kobieta jest stąd?

Helen opadła na oparcie kanapy, cały czas obejmując swoimi smukłymi ramionami bratanice. Na paznokciach miała lakier pasujący do szminki i do sukienki, a na nogach pantofle ze skóry węża na wysokich obcasach, które bardziej nadawały się do tańca niż do gry w chińczyka.

— Wiesz co, Malily, to kolejna rzecz, która wydała mi się dość dziwna. Mówiła z akcentem z Savannah, a twierdziła, że pochodzi z Atlanty. Chociaż powiedziała, że jej matka urodziła się w Savannah, co być może to wyjaśnia. Ale mimo wszystko... — Nie dokończyła i zmarszczyła podejrzliwie czoło.

Lillian znowu zmieniła pozycję na fotelu.

— Zapytałaś ją o nazwisko matki?

— Nie przyszło mi to do głowy. Moje pokolenie nie ma takiej obsesji na punkcie pochodzenia jak wasze, Malily. — Uśmiechnęła się do babci. — Poza tym musiałam odpowiedzieć na jej pytania dotyczące koni i tego, jak blisko domku się znajdują. Najwyraźniej biedaczka śmiertelnie się ich boi i nie chce mieć z nimi nic wspólnego. Wyjaśniłam, że od czasu do czasu będzie je widywała na pastwiskach, ale wszystkie stajnie i maneże są za domem. To ją uspokoiło.

Lillian z roztargnieniem pogładziła wisiorek i uświadomiła sobie, jak bardzo bolą ją ręce. Spojrzała przez wąskie szpary w okiennicach na ciężkie szare chmury, które napływały od strony nizin. Wiedziała, że pastwiska i ogrody rozpaczliwie potrzebują deszczu, ale nie znosiła letnich burz. Może, jeśli dopisze szczęście, to będzie tylko orzeźwiający deszcz, który nawodni zeschłą ziemię, nie przywołując bolesnych wspomnień. Te zresztą dałoby się jeszcze odpędzić, gdyby nie błyskawice przecinające niebo.

— To naprawdę dziwne — stwierdziła Lillian. — Skoro tak się boi koni, dlaczego wybrała akurat dom na terenie stadniny, żeby prowadzić te swoje badania?

Helen pokiwała głową.

— Zapytałam ją o to samo. A ona wyjaśniła, że Rossowie to główna gałąź rodu, który bada, więc uznała, że dzięki temu będzie miała bliżej do cmentarza i wszelkich dokumentów, które zechcemy jej udostępnić.

Lillian nagle zaczęła słuchać uważniej.

— Co jej powiedziałaś o dokumentach rodzinnych?

— Wytłumaczyłam, że niektóre z nich mają prywatny charakter... miałam na myśli twój pamiątkowy album... ale że resztę będzie mogła przejrzeć. Nie martw się, Malily. Nie będę was angażować, ani ciebie, ani Tuckera. Sama się wszystkim zajmę. — Helen poruszyła kostką i wężowa skórka zalśniła w szarym świetle wpadającym przez okiennice. — Przyda mi się rozrywka. Kobieta w moim wieku nie może stale przegrywać w chińczyka. Muszę znaleźć sobie jakieś zajęcie, żeby nie podupaść na duchu. — Przyciągnęła do siebie siedzące po obu jej stronach bratanice, które zachichotały.

Do pokoju energicznym krokiem weszła Odella Pruitt; jej pielęgniarskie buty na miękkich podeszwach zaskrzypiały na twardych sosnowych deskach. Była z piętnaście lat starsza od Helen i równie szczupła jak ona, ale z powodu suchej, pergaminowej cery i siwiejących włosów wyglądała na znacznie starszą. Trzy razy zamężna, wychowała ośmioro dzieci i pewnie dlatego zwykle miała zmęczony wyraz twarzy. Ale w całym Lowcountry nie było lepszej od niej kucharki ani osoby o czulszym sercu, co starała się pokrywać oschłością i chłodem. Lillian to zupełnie nie przeszkadzało. Uważała, że to niewielka cena za doskonałą kuchnię i pomoc w prowadzeniu domu, szczególnie gdy sama stawała się coraz słabsza.

— Kolacja gotowa i sama się nie zje — oznajmiła Odella, po czym delikatnie wzięła Lillian pod ramię i pomogła jej wstać. — Dziewczynki, weźcie ciocię Helen za ręce i zaprowadźcie ją do jadalni, dobrze? Nie chcę, żeby coś potrąciła. Mam dość do roboty i bez dodatkowego bałaganu.

— Tak, proszę pani — odpowiedziały dziewczynki unisono z szeroko otwartymi oczami. Nie odkryły jeszcze, jaka naprawdę jest Odella, zresztą ku jej skrytemu zadowoleniu. Bo gdyby się dowiedziały, jaka jest miękka, owinęłyby ją sobie wokół małego palca.

— Będę uważać, Odello — odezwała się Helen zwodniczo potulnym głosem. — Wiesz, jaka ze mnie niezdara.

Lillian uśmiechnęła się na to, bo Helen poruszała się z gracją baletnicy i z wyjątkiem pierwszego trudnego roku po utracie wzroku nigdy niczego nie strąciła.

Ale uśmiech szybko zniknął z twarzy Lillian, gdy usłyszała grzmot. Ścisnęła złoty wisiorek i pozwoliła się zaprowadzić do jadalni. Patrzyła przed siebie i starała się nie wzdrygać przy każdym błysku, który zdawał się oświetlać ciemne zakamarki jej pamięci, wydobywając z mroku to, czego nie chciała widzieć.

ROZDZIAŁ 6

GPS, który przykleiłam do szyby dziadkowego buicka, już dawno poinformował mnie, że znalazłam się poza zasięgiem. Najwyraźniej byłam w miejscu, gdzie nie mogły mnie namierzyć nawet satelity, i jechałam nie wiadomo dokąd.

Zatrzymałam się na starej bitej drodze. Wiedziałam na podstawie prawie białej mapy na ekranie GPS-u, że po prawej stronie musi być rzeka Savannah, a po lewej duże pole golfowe. Gdzieś między nimi leżała posiadłość Asphodel Meadows, niegdyś królowa wśród plantacji ryżu, a obecnie niewielka stadnina z prywatną rezydencją. Część ziemi zabrała wdzierająca się w ląd rzeka, część sprzedano pod nowe budownictwo. Na dawnych polach ryżowych grano teraz w golfa.

Kiedy już uznałam, że powinnam zawrócić, dostrzegłam tabliczkę wetkniętą w krzaki przy drodze. Informowała, że jestem na terenie Asphodel Meadows. Był to brązowy znak National Trust, ale tak dobrze ukryty, że nasunęło mi to podejrzenie, iż zrobiono to celowo.

Gdy tylko skręciłam w tę drogę, poczułam zapach koni. Może nie samych koni, ale świeżo skoszonej trawy, siana i skóry. Mimo gorąca wyłączyłam klimatyzację, starając się odciąć źródło woni, która budziła we mnie podniecenie i strach jednocześnie. Zaczęłam się pocić w dusznym wnętrzu samochodu, podczas gdy żwir chrzęścił pod powoli obracającymi się kołami. Droga skończyła się nagle, przed stromym zielonym wałem. Oddychając z trudem, opuściłam szyby; miałam nadzieję, że dostrzegę gdzieś ślady cywilizacji.

Po prawej stronie zauważyłam dalszy ciąg traktu, a także skręt, który musiałam przeoczyć, gdy patrzyłam prosto przed siebie, żeby uniknąć widoku pastwisk. Ujęłam mocno kierownicę, wycofałam buicka, zawróciłam i nagle znalazłam się pod sklepieniem dębów, które tworzyły aleję. Zatrzymałam auto i spojrzałam na stare drzewa, ledwie przypominały dęby na placach Savannah, mimo obfitej warstwy mchu hiszpańskiego, który je porastał. Te tutaj były ciemne i zniszczone, choć miały liście, co świadczyło o tym, że żyją. Ale pnie były powykręcane i sękate, a zgrubienia na konarach przywodziły na myśl przygarbione ramiona żałobników na pogrzebie.

Wdychając stojące, wilgotne powietrze, pochwyciłam zapach rzeki i ruszyłam krótką alejką w kierunku kremowego domu z kolumnadą, który czekał na mnie na jej końcu.

Kiedy dotarłam do okrężnego podjazdu przed budynkiem, zdjęłam ręce z kierownicy i wytarłam spocone dłonie o białe lniane spodnie, a potem sięgnęłam do kieszeni na drzwiach po serwetkę z baru szybkiej obsługi. Siedziałam dłuższy moment, przyciskając serwetkę do twarzy, słuchając, jak bije mi serce, i patrząc na stojący przede mną dom.

Nie był to przykład typowej przedwojennej architektury w stylu klasycystycznym, jaki można zobaczyć w książkach historycznych o plantacjach nad rzeką Savannah. Budynek w stylu angielskiej regencji miał wysoki parter, płaski dach i podwójne schody z piaskowca, okalające dolne wejście. Stopnie prowadziły na podest z czterema doryckimi kolumnami, które jakby stały na straży podwójnych drzwi frontowych. Byłaby to piękna rezydencja, gdyby nie dziwna aleja starych, przepełnionych bólem dębów, która do niej prowadziła.

W drgającym powietrzu, oprócz wilgoci i niepokojącej atmosfery, jaką stwarzały drzewa za moimi plecami, można było wyczuć coś jeszcze. Nie wynikało to z pewnego zaniedbania ani nawet z mroku panującego w alei mimo letniego palącego słońca. Nie chodziło o brak światła. Nie wierzyłam w duchy, ale pomyślałam, że ten dom może być prześladowany przez swoją własną przeszłość, że wśród murów i kolumn z piaskowca kryje się smutek.

Weselsze wrażenie sprawiał ogród od frontu. Rozpoznałam w nim kolcorośl, lantanę oraz drzewko herbaciane, które kiedyś, dawno temu, zdobiło dom dziadków w Savannah. Ale chociaż ogród babci od frontu był zadbany, miał równe rabaty i klomby, lantana na tyłach rosła swobodnie, aż zaczęła zaglądać w okna. Nie umiałam sobie wyobrazić, aby coś w tym ogrodzie mogło rosnąć dziko. Przycisnęłam rękę do nosa, bo słodki intensywny zapach stał się duszący w upale letniego popołudnia.

— Dzień dobry.

Głos dobiegł ze szczytu schodów i musiałam wysiąść z samochodu, żeby zobaczyć, do kogo należy. Osłoniłam dłonią oczy od słońca i uniosłam głowę. Przy balustradzie, opierając na niej smukłe dłonie, stała piękna kobieta z długimi, ciemnymi, lekko falującymi włosami, na oko trzydziestokilkuletnia. Mówiąc, patrzyła gdzieś ponad moją głową, w stronę dębowej alei. Przez chwilę miałam wrażenie, że zwraca się do kogoś innego.

— Dzień dobry. Jestem... Earlene Smith. Wynajęłam na kilka miesięcy domek zarządcy. Powiedziano mi, żebym zgłosiła się po klucz do Helen Gibbons w rezydencji.

Kobieta się uśmiechnęła, a jej twarz nabrała blasku.

— To ja jestem Helen... Rozmawiałam z panią przez telefon. Znalazła nas pani bez trudu? Może wejdzie pani do środka i napije się mrożonej herbaty? Poznamy się lepiej, a potem dam pani klucz, dobrze?

Z poczuciem, że stare dęby obserwują mnie z tyłu, ruszyłam po schodach, starając się nie krzywić z powodu lekkiego bólu w zesztywniałych plecach i kolanie. Zauważyłam, że żółta jedwabno-szyfonowa sukienka, którą miała na sobie Helen, byłaby bardziej odpowiednia na przedpołudniowy ślub niż popołudnie w domu.

Znalazłszy się na górze, wyciągnęłam rękę.

— Miło mi panią poznać, Helen. I dziękuję, że tak szybko zgodziła się pani wynająć mi domek.

Helen nie podniosła ręki, ale wciąż się uśmiechała, wpatrując się w jakiś punkt na moim czole.

— Zwróciła pani uwagę na nasze drzewa? Początkowo wywołują niepokój. Pewnie dlatego Malily nie otworzyła Asphodel Meadows.

Opuściłam rękę i przyjrzałam się kobiecie uważnie, zastanawiając się, co jest z nią nie tak. Potem niechętnie podążyłam za wzrokiem Helen i ponownie spojrzałam na stare drzewa.

— Nigdy nie widziałam takich dębów.

— Są wyjątkowe, prawda? — zapytała poważnie. — Kiedyś było ich czterdzieści osiem. Mój prapradziadek i jego rówieśnicy mówili na nie „starsi panowie". Ta aleja uchodziła za najdłuższą i najpiękniejszą na Południu.

Usiłowałam to sobie wyobrazić, ale bez skutku.

— Co się z nią stało?

Gdy odpowiedziała, w jej oczach odbiły się niebo i drzewa.

— Kiedy przed kilkudziesięciu laty zbudowano tamę, rzeka zmieniła bieg i zalała część plantacji... oraz trzydzieści dwa drzewa. Przyszli ludzie, którzy je wycięli i porąbali, a potem wywieźli rzeką na barkach. Mama kazała zrobić sobie biurko z drewna jednego z nich, ale gdy przy nim pracuje, ma potem koszmary. Oczywiście wypłacono nam za nie rekompensatę, ale pozostałe dęby źle przyjęły tę masakrę. Zmieniły się w ciągu jednej nocy i widzi pani, jak teraz wyglądają... jak starzy ludzie.

Wzdrygnęłam się i ponownie spojrzałam na Helen.

— Czy wiadomo, dlaczego tak się stało?

Helen skrzywiła usta, cały czas wpatrując się w moje czoło.

— Podobno wstrząs, jakim był wjazd koparek i usunięcie tamtych drzew, w jakiś sposób spowodował uszkodzenie korzeni tych, które pozostały. — Skrzyżowała ręce na piersi i uniosła brodę. — Oczywiście są tacy, którzy w tę wersję nie wierzą.

Chciałam ją zapytać, co ma na myśli, gdy wyciągnęła rękę i wskazała drzwi wejściowe.

— Utyka pani, więc pewnie chciałaby pani usiąść. Może wejdziemy do środka?

Na końcu języka miałam już niemiłą odpowiedź, gdy nagle zauważyłam, że Helen trzyma w lewej ręce długą, cienką metalową laskę. Szybko spojrzałam na jej oczy i zobaczyłam to, czego szukałam od początku. Oczy koloru moczarów spoglądały na świat martwo, nie reagowały na światło, jakby przesłoniła je jakaś kotara. Ale wzrok kobiety wędrował po otoczeniu tak, jakby widziała coś zupełnie innego niż wszyscy inni — i znacznie ciekawszego.

Odchrząknęłam i kiwnęłam głową, a potem dodałam pospiesznie:

— Oczywiście. Dziękuję pani. — I weszłam do domu.

Hol obejmował dwa piętra. Przy zewnętrznej ścianie biegły okrężne schody, ozdobione portretami przodków o surowych obliczach. Ciekawa byłam, czy oni wszyscy uśmiechali się kiedyś, zanim powyrywano stare dęby, i dopiero potem — jak „starsi panowie" — zwrócili się ku wieczności, przybierając smutne miny.

Idąc za Helen na tył domu, zauważyłam marmurowe posadzki, ciemne boazerie, kryształowe żyrandole oraz obrazy olejne przedstawiające konie i jeźdźców. Na obu piętrach znajdowały się wprawdzie szeregi wysokich okien, ale gdy przechodziłyśmy przez mroczne pokoje, pod ścianami niczym meble czaiły się głębokie cienie, bo światło zasłaniały ciężkie draperie.

Helen zaprowadziła mnie do salonu o wysokim suficie i kunsztownych sztukateriach. W jednym jego rogu stał fortepian, a w drugim ozdobny kredens. Po obu stronach pustego kominka znajdowały się kanapy, a nad nim wisiało antyczne zmatowiałe lustro. Okiennice z ciemnego drewna były zamknięte, tak że do pokoju wpadało niewiele światła słonecznego, które by wypędziło cienie. Mimo że było to eleganckie wnętrze, poczułam ten sam niepokój, który ogarnął mnie na zewnątrz — miałam wrażenie, jakby silny wiatr przyniósł zapach deszczu.

Helen oparła laskę o kredens i zapytała:

— Czym mogę panią poczęstować? Mamy mrożoną herbatę i lemoniadę domowej roboty. Albo, jeśli pani woli, zrobię pani coś mocniejszego. Jak mówi mój brat Tucker, zawsze gdzieś jest piąta po południu.

— Poproszę herbatę. Dziękuję.

Patrzyłam, jak Helen sprawnie manewruje karafkami i butelkami, jak starannie przykrywa wiaderko z lodem po wrzuceniu kilku kostek do dwóch wysokich kryształowych szklanek. Potem odkorkowała karafkę z czerwonym płynem i nalała z niej do małego kieliszka prawie po brzeg. Wzięła jedną szklankę i wyciągnęła ją w moim kierunku, a potem podniosła własną.

— Może usiądzie pani i trochę odpocznie? Babcia... nazywamy ją Malily, choć tak naprawdę ma na imię Lillian... pewnie przyjdzie do nas za chwilę. Potrafi wyczuć sherry, jak rekin wyczuwa krew w wodzie.

Przyjęłam szklankę, mamrocząc podziękowanie i próbując ukryć przypływ podniecenia na wzmiankę o Lillian. Usiadłam na miękkim fotelu z bocznymi zagłówkami, który stał przy fortepianie, i natychmiast poczułam, że coś miękkiego i wilgotnego trąciło mnie w rękę. Przestraszona, spojrzałam w dół i zobaczyłam dużego żółtego labradora, któremu najwyraźniej zakłóciłam sen. Pies znowu trącił nosem moją rękę, więc posłusznie podrapałam go za uchem.

— To Mardi — wyjaśniła Helen i elegancko usadowiła się na identycznym fotelu naprzeciwko mnie. — Wyobraża sobie, że jest moim psem przewodnikiem, więc nie wyprowadzam go z błędu. To urocze stworzenie. Poza tym, jak pani widzi, jest prawdziwym psem podwórzowym, zawsze ostrzega nas przed obcymi. — Upiła łyk herbaty, a potem uniosła brwi. — Macie ze sobą coś wspólnego... on także boi się koni.

Przyjrzałam jej się, ale na jej twarzy malowała się szczerość, bez śladu uszczypliwości.

— Wobec tego — zauważyłam ostrożnie — powinniśmy się polubić.

— Umowa wynajmu przewiduje możliwość korzystania ze stajni. Dlatego większość osób woli latem mieszkać tu, a nie przy plaży. Ale to chyba nie dla pani.

— Nie — odparłam i poczułam, że znowu ogarniają mnie podniecenie i strach. — Ma pani rację.

Moją uwagę przykuł jakiś ruch przy drzwiach i uświadomiłam sobie, że Helen już zwróciła głowę w tamtą stronę. Na progu stanęła starsza pani, której zdjęcie widziałam w gazecie. Trzymała się framugi i miała powykręcane palce. Nosiła pasiastą jedwabną bluzkę oraz pasującą do niej spódnicę, była dyskretnie umalowana i starannie uczesana. Wiedziałam, że Lillian Harrington-Ross ma dziewięćdziesiąt lat, ale wyglądała na najwyżej siedemdziesiąt. Skrzywiłam się, bo na chwilę stanęła mi przed oczami babcia ze swoją zmęczoną pooraną twarzą i z długimi, nieprzycinanymi włosami.

— Czyżbyś nalewała drinki, Helen?

— Tak, Malily. Twój już czeka na blacie. — Helen mrugnęła do mnie i przez moment zapomniałam, że jest niewidoma.

Wstałam, żeby się przywitać, i zauważyłam, że drży mi ręka. Lillian podeszła do mnie z kieliszkiem i przyjrzała mi się badawczo szmaragdowymi oczami.

— Malily, to Earlene Smith. Wynajmuje na kilka miesięcy domek zarządcy, bo zamierza prowadzić w okolicy badania genealogiczne. Earlene, to moja babcia i właścicielka Asphodel Meadows, Lillian Harrington-Ross.

Lillian powoli pociągnęła łyk sherry.

— Tak. — Przystanęła na moment. — Pamiętam, że mi o pani mówiłaś. — Objęła wzrokiem moje sandały, pomięte lniane spodnie, różową zapinaną na guziki bluzkę z plamą po kawie, którą oblałam się rano na Abercorn Street przez kretyna jadącego przede mną. Potem spojrzała mi w twarz i zastygła na chwilę w bezruchu, podczas gdy ja wstrzymałam dech. — Czy my się już nie spotkałyśmy?

Pokręciłam głową.

— Nie. Nie sądzę.

Stara kobieta wpatrywała się we mnie jeszcze przez chwilę.

— Wobec tego kogoś mi pani przypomina. — Podeszła do kanapy i dodała jakby po namyśle: — Miło panią poznać, panno Smith.

— Wzajemnie — odparłam łamiącym się głosem i usiadłam. Zerknęłam na Helen i zobaczyłam, że utkwiła we mnie swój niewidzący wzrok. Mardi szturchnął mnie w rękę, więc spojrzałam na niego i podrapałam go po dużym łbie. — Proszę mówić mi po imieniu.

Lillian usiadła prosto i małymi łykami popijała sherry. Była dopiero pierwsza po południu, ale żałowałam, że nie poprosiłam o coś mocniejszego.

— Helen mówiła mi, że pani rodzice pochodzą z Savannah, ale wychowała się pani w Atlancie.

Próbowałam zyskać na czasie, upijając duży łyk herbaty. Byłam porażona swoją niefrasobliwością. Podczas tych wszystkich pospiesznych przygotowań do przyjazdu tutaj nie pomyślałam o tym, żeby przygotować sobie historyjkę o Earlene Smith. Był taki okres w moim życiu, gdy spontaniczność wychodziła mi na dobre, ale tamte czasy dawno minęły i musiałam przestać myśleć jak startujący w zawodach jeździec, którym już nie byłam.

Odstawiłam szklankę na stół, ale nie trafiłam w podkładkę i poczułam, że Lillian patrzy na mnie zimno. Wstałam szybko, prawie nadeptując psa, i wzięłam z kredensu serwetkę, żeby wytrzeć z blatu skroplony szron.

— Tak — odpowiedziałam wreszcie. Starałam się myśleć trzeźwo i zapamiętać wszystko, co powiem. — Wychowałam się w Atlancie. Mój ojciec był tam lekarzem.

— W którym szpitalu? — Lillian znowu upiła łyczek sherry, nie spuszczając jednak wzroku z mojej twarzy. — Mój wnuk skończył medycynę na Emory University i robił specjalizację w Piedmont Hospital.

Skupiłam wzrok na wilgotnej serwetce, którą trzymałam w rękach.

— Ja... właściwie nie pamiętam. On... cóż, moi rodzice zginęli, gdy miałam sześć lat. Później przeniosłam się do Savannah, żeby zamieszkać u krewnych.

— Przykro mi — odparła bezbarwnym tonem, jakby wzmianka o śmierci nie robiła na niej wrażenia. — U kogo pani mieszkała w Savannah?

Spojrzałam na Helen, szukając u niej wsparcia, ale ona sprawiała wrażenie skupionej na swojej mrożonej herbacie.

— U wujostwa mojego ojca. Wuj pracował w jednym z banków przy Bull Street, a ciocia była gospodynią domową. — Pociągnęłam kolejny łyk ze szklanki, próbując pozbyć się kluski, która nagle wyrosła mi w gardle. Nigdy w życiu tak okropnie nie kłamałam. — Harold i Betty Smithowie. Pochodzili z Augusty.

Uniosła wyniośle brew.

— Z Augusty? Chyba nie znam nikogo stamtąd.

„I nie chcę znać" — miałam ochotę dokończyć za nią. Od pierwszej chwili poczułam niechęć do tej starej kobiety, i to nie z powodu jej arystokratycznego sposobu bycia. Miało to więcej wspólnego z listem od jej wnuka. „W Pani imieniu spytałem ją o Jej babcię i dopiero po dłuższej chwili przypomniała sobie, że w ogóle ją znała".

— Hm, cóż, oni sami już nie żyją. — Podniosłam szklankę do suchych ust i zdałam sobie sprawę, że nie ma w niej już ani kropli herbaty.

Helen wstała.

— No cóż, jeśli mogę przeprosić was na chwilę, pójdę przeszukać moje biurko w bibliotece, żeby dać pani klucz do domku.

— Tak, dziękuję bardzo — odrzekłam, choć miałam ochotę ją zatrzymać, żeby nie znaleźć się sama w pokoju z jej babcią. Nawet Mardi mnie opuścił, odszedł tak szybko, jak pozwalał mu na to upał.

— Jak rozumiem, jest pani jedną z tych osób, które lubią grzebać się w sprawach innych ludzi.

Gapiłam się na Lillian przez chwilę, nie pojmując, o czym mówi.

— Ach, ma pani na myśli pracę genealoga? Tak, chyba tak. W pewnym sensie ma pani rację. Ale grzebię tylko tak głęboko, jak pozwolą mi klienci.

— A dla kogo pani teraz pracuje?

Desperacko potrzebowałam jeszcze herbaty, choćby dlatego, że pijąc ją, mogłam zastanowić się nad odpowiedzią. Zerknęłam na kredens, a potem znowu na Lillian i uznałam, że się nie odważę.

— Obawiam się, że to sprawa poufna. Obowiązuje mnie tajemnica. Czasami to warunek umowy.

— Rozumiem — odparła Lillian, choć widać było, że to nieprawda. Przyglądała mi się spokojnie, bez mrugnięcia okiem, i nagle dotarło do mnie, że niewiele uchodzi jej uwagi. Chociaż była tylko trzy lata młodsza od mojej babci, Lillian Harrington-Ross miała niewiele wspólnego z Annabelle O'Hare Mercer. Serce ścisnęło mi się z bólu i umknęłam przed spojrzeniem oczu, które zdawały się widzieć wszystko.

Żeby zmienić temat, wypaliłam:

— Podziwiałam pani ogród przed domem. Co to za kwiaty, te wysokie, żółte?

Lillian pociągnęła duży łyk sherry.

— To asfodele... kwiaty, od których plantacja wzięła swoją nazwę. Dlatego je zresztą hoduję.

— Chyba nigdy wcześniej ich nie widziałam.

— To rzeczywiście mało prawdopodobne. Można je spotkać w Grecji, gdzie rosną dziko. Przeważnie kojarzy się je ze śmiercią. — Napiła się sherry i przeniosła wzrok na zamknięte okiennice. — Zna pani mitologię grecką, Earlene?

Przełknęłam ślinę, bo zaschło mi w gardle.

— Nie. Obawiam się, że nie. — Niespokojnie poruszyłam się na fotelu, obserwując cienie, które — miałam wrażenie — rozprzestrzeniały się po pokoju. Ten dom i jego właścicielka sprawiały, że czułam się tak, jakbym usiłowała otworzyć zamknięte okno na piętrze, nie wiedząc, czy ustąpi pod moim naciskiem, czy też przez nie wypadnę.

Nie powinnam była tu przyjeżdżać, pomyślałam. Patrzyłam, jak drobiny kurzu wnikają do środka przez okiennice, i przypomniałam sobie o pamiątkowym albumie, który zostawiłam w samochodzie. Przeglądając jego kartki, napotkałam imiona Josie i Lily, a także jakiejś Loli. A potem trafiłam na zdanie napisane dziewczęcym pismem babci: „Najlepsze przyjaciółki na zawsze". Ale nie widziałam żadnego podobieństwa między tą zimną starą kobietą, którą miałam teraz przed sobą, a drobną jasnowłosą dziewczyną z tamtego wyblakłego zdjęcia o pozaginanych rogach, siedzącą razem z moją babcią i jeszcze inną przyjaciółką na ogrodzeniu pastwiska. Nie powinnam była tu przyjeżdżać.

— Kwiaty są piękne — stwierdziłam. Bałam się, że zaraz wyrzucę z siebie prawdę, jeśli nie powiem czegoś innego. Spojrzałam w kierunku drzwi, bo miałam nadzieję, że Helen wróci i będę mogła stąd wyjść.

— Moi przodkowie mieli poczucie humoru — ciągnęła Lillian, jakby mnie nie słyszała. Mówiła trochę niewyraźnie i pomyślałam, że chyba się upiła. — A może myśleli, że jeśli za życia urządzą sobie czyściec, to po śmierci pójdą od razu do nieba.

Kolano mnie bolało i czułam, że głowa też zaraz zacznie. Nie powinnam była tu przyjeżdżać. Zaczęłam się zastanawiać, dlaczego nie dałam się odwieść George'owi od tego zamiaru, dlaczego w ogóle poczułam potrzebę, żeby się tu zjawić. Powiedziałam mu wszystko, pokazałam album i wycinek prasowy, on usiłował mnie przekonać, że przyjazd do Asphodel to zły pomysł. Zresztą sama miałam co do tego wątpliwości. Zdawałam sobie sprawę, że nawet jeśli poznam dzieje babci, to nie odzyskam jej samej ani nie dostanę drugiej szansy. A może puste łóżeczko na strychu i niebieski kocyk nie miały z nią nic wspólnego. Może lepiej, żeby pozostały zagadką.

Otworzyłam usta, żeby się pożegnać, przeprosić starszą panią za to, że zajęłam jej tyle czasu, i podziękować za herbatę, a potem szybko wyjść, gdy zauważyłam błysk złota pod dekoltem jedwabnej bluzki.

Był to wisiorek w kształcie anioła z rozłożonymi skrzydłami, który trzymał książkę; miał dwie dziurki, przez które przechodził łańcuszek. Nie zwróciłabym na niego uwagi, gdyby nie to, że nosiłam na szyi taki sam, na szczęście ukryty pod koszulką.

Wreszcie pojawiła się Helen, więc szybko wstałam. Nagle poczułam, że ciężko mi się oddycha w tym ciemnym, dusznym pokoju.

— Przepraszam, ale muszę już iść. Jeśli mi pani powie, gdzie jest domek, na pewno znajdę go bez problemu.

Nie ruszając się z miejsca, Helen wyciągnęła w moją stronę kółko z pojedynczym kluczem.

— W porządku. Zadzwonię albo wyślę kogoś, żeby sprawdził, czy czegoś pani nie potrzebuje.

Wzięłam klucz, starając się za szybko nie wyrwać go z ręki Helen. Wysłuchawszy wskazówek, które mi podała, podziękowałam jej i pożegnałam się z obiema kobietami, a potem wyszłam, nie zważając na ból w kolanie i zapominając o wątpliwościach dotyczących sensu mojego przyjazdu tutaj. Powodem było nie to, że Lillian Harrington-Ross miała taki sam wisiorek, jaki zostawiła mi babcia, ale raczej to, że stara kobieta, która twierdziła, iż w ogóle nie pamięta mojej babci, nosiła go na szyi.

Dum vita est, spes est. „Dopóki trwa życie, dopóty jest nadzieja". Z ponurą determinacją, której nie czułam od lat, niezgrabnie zeszłam ze schodów i minęłam ogród dziwnie podobny do ogrodu Annabelle. Gdy otworzyłam drzwi samochodu, kartki pamiątkowego albumu zafurkotały na tylnym siedzeniu; ten dźwięk był jak szept zmarłego. Uruchomiłam silnik i ruszyłam podjazdem. Koła wozu zabuksowały na żwirze i poczułam, że chłodny złoty wisiorek wbija mi się w ciało. Był jak dawne wspomnienie, zimne i uparte.

Zniecierpliwiona, otarłam rękawem twarz i odjechałam w cieniu starych dębów, zerkając na GPS i widząc znowu, że jestem poza zasięgiem satelity. Ja i samochód dziadka na wielkim pustkowiu.

ROZDZIAŁ 7

Zza okna saloniku w domku zarządcy dochodził śpiew cykad. Upał nie zelżał po zachodzie słońca, a w sypialni jedyną klimatyzację stanowiło okno. Kolejny raz odsunęłam od ciała wilgotną różową dzianinową koszulkę i spojrzałam na zniszczony blat stolika do kawy, na którym leżały kartki z albumu. Opuściłam rękę na pierwszą z nich i sunąc wzrokiem po linijkach pisma młodej kobiety, z precyzyjnym „A" i oznaczonym kropką „i", jakby za sprawą czarodziejskiej różdżki przeniosłam się w przeszłość. Kaligrafia była staranna, typowa dla babci, którą znałam, ale mimo to nie potrafiłam sobie wyobrazić dziewczyny pochylonej nad tą stroną, z piórem sunącym po grubym papierze. Spojrzałam na fotografię trzech przyjaciółek. Stała przy lampce, którą umieściłam na stoliku, żeby mieć więcej światła. Dziewczęta patrzyły na mnie z nadzieją, czekając, abym poznała ich historię. Wciągnęłam głęboko powietrze i wróciłam do albumu. Odchyliłam sfatygowaną okładkę i zaczęłam czytać pierwszą kartkę.

4 lutego 1929 roku

Dziś jest pierwszy dzień z reszty mojego życia.
W każdym razie tak mówi Josie, a ponieważ jest bardziej
twórcza ode mnie, zapożyczam jej słowa, aby rozpocząć

nasz album Loli. To imię wymyśliła Josie, w ogóle to ona wpadła na pomysł wspólnego prowadzenia albumu, ale ja zaczynam, ponieważ jestem najstarsza.

Zobaczyłyśmy Lolę na wystawie sklepiku przy Broughton Street. Justine, matka Josie, wysłała ze sprawunkami tylko Josie i mnie, ale po drodze przyłączyła się do nas mała Lily Harrington, bo podobno mój tata musiał koniecznie porozmawiać z jej tatą w sprawie jakiegoś konia. Próbowałam nie podsłuchiwać, ale sądzę, że w przyszłym miesiącu na trzynaste urodziny dostanę klacz.

Na wystawie stały obok siebie dwa manekiny, a właściwie ich biusty. Nie wiem, dlaczego nasza trójka zatrzymała się przed nimi. Może dlatego, że słońce oświetliło łańcuszek na pierwszym z nich i zalśnił, jakby był z brylantów, a może nie on, tylko ten drugi, z wisiorkami. Josie pierwsza zauważyła, że oba były takie same, tylko ten drugi ozdabiały wisiorki. Przypuszczam, że to właśnie zwróciło naszą uwagę — wszystkie pomyślałyśmy, jakie możliwości stwarza taki goły łańcuszek.

Josie musiała zaczekać na zewnątrz, podczas gdy Lily i ja weszłyśmy do środka, żeby spytać o cenę. Myślałam, że zemdleję, gdy ją usłyszałam. Wiedziałam, że to nie jest złoto wysokiej próby, więc myślałam, że będzie tańszy. Ale ponieważ wszystkie tak go pragnęłyśmy, cena nie miała znaczenia.

To Josie — jakżeby inaczej! — wpadła na pomysł, by nadać naszyjnikowi imię Lola. I wymyśliła, że razem uzbieramy na niego pieniądze i kupimy go wspólnie, a potem każda z nas będzie go nosić przez cztery miesiące w roku. Lily próbowała nam powiedzieć, że jako jedynaczka do tej pory z nikim niczym się nie dzieliła i nie wie, czy będzie umiała. Jej ojciec ma dość pieniędzy, aby go dla niej kupić, więc opadłam na kolana, jak moja

mama, gdy miała mi coś ważnego do powiedzenia,
i zwróciłam jej uwagę, że w tym wypadku chodzi o przyjaźń
i lojalność. Że ten naszyjnik połączy nas trzy na zawsze, tak
jak kiedyś braterstwo krwi łączyło wojowników.

Oczywiście Lily nie byłaby sobą, gdyby nie zaczęła się
spierać. To dla niej typowe i zawsze działa ludziom na
nerwy, ale ja szanuję ją za to, że ma swoje zdanie, że nie ze
wszystkim się zgadza. Powiedziała mi, że nie musimy
składać przysięgi na krew, bo jesteśmy tylko dziewczynkami
i nikt od nas nie oczekuje, że pójdziemy na wojnę.

Wtedy zdradziłam jej coś, co powiedziała mi tuż przed
śmiercią mama: że my zamiast walczyć, zbieramy historie,
które potem nosimy głęboko w sercu, tam gdzie nie mogą
dostrzec ich mężczyźni, i które nasze wierne przyjaciółki,
siostry i córki przechowają na zawsze.

Potem Josie zaskoczyła nas obie, bo powiedziała, że aby
nasza więź stała się ważna, każda z nas musi zapisywać
w albumie wszystkie ważne momenty ze swojego życia
w czasie, gdy będzie nosić naszyjnik. I powinna dodawać
do łańcuszka nowy wisiorek, symbolizujący te cztery
miesiące, podczas których do niej należał. Miałyśmy
zacząć razem, to znaczy wybrać wspólnie jeden wisiorek,
który nosiłybyśmy zawsze, z wyjątkiem okresu, gdy Lola
przejdzie na którąś z nas.

Wybór Josie padł na anioła stróża, ze względu na to, że
trzymał w dłoniach księgę, ja natomiast wymyśliłam
maksymę, która miała się znaleźć na jego skrzydłach:
Perfer et obdura; dolor hic tibi proderit olim. Nauczyłam
się jej na lekcji łaciny i mamie tak się spodobała, że
zaczęła wyszywać ją na makatce. Ale umarła, zanim
skończyła, więc pomyślałam, że to będzie po niej jakaś
pamiątka, że w ten sposób zakończę jej historię. Słów jest
niewiele, więc się zmieściły, a przecież nie ma znaczenia,

czy da się je przeczytać, czy nie. My wszystkie wiemy, co tam jest napisane, a to najważniejsze.

Lola przypadła mi pierwszej. Przypięłam do łańcuszka swojego aniołka i będę go nosić przez następne cztery miesiące. Lily ma aparat Brownie i powiedziała, że sfotografuje Lolę, gdy przejdzie na nią. Ale ja naszkicowałam naszyjnik na następnej stronie, żeby wszyscy wiedzieli, jak wygląda, już na początku naszej historii.

Odwróciłam kartkę i zobaczyłam ołówkowy rysunek naszyjnika, który znalazłam w pudełku zakopanym przez dziadka na podwórku. Ten miał tylko jeden wisiorek w kształcie anioła trzymającego książkę, z dziurkami w skrzydłach, żeby dało się przeciągnąć przez nie cienki łańcuszek. Postukałam palcami w tę stronę. Dźwięk poniósł się po cichym pokoju. Coś mi mówiło, że jeśli dotknę naszyjnika ponownie, wejdę na drogę, z której nie będę mogła zawrócić. Ale przypomniał mi się mój sen, a potem niebieski sweterek z kufra babci, i uświadomiłam sobie, że to od początku była droga bez powrotu.

Odsunęłam album, wstałam i pokuśtykałam do sypialni. Wyciągnęłam spod łóżka pudełko, które wcześniej tam wsadziłam. Nie bardzo wiedziałam, dlaczego uznałam, że powinnam je ukryć. Jedyną osobą, której jego zawartość by coś mówiła, była Lillian Harrington-Ross, a jakoś nie mogłam sobie wyobrazić, by starsza pani była zdolna wkraść się do domku i w nim myszkować. Może chciałam je schować przed samą sobą.

Rzuciłam pudełko na przykryte kapą łóżko i powoli zdjęłam pokrywkę. Spojrzałam na naszyjnik, niegdyś błyszczący, a teraz już zmatowiały i poczerniały. Wzięłam go do ręki i jak paciorki różańca, którego słów nie pamiętałam, przesunęłam w palcach wisiorki o dziwnych kształtach. Dostrzegłam dzwonek, nutę, pantofelek na wysokim obcasie, serce, wierzgającego konia i węzeł marynarski. Straciłam ostrość widzenia i pozostałe wisiorki zatarły mi się przed oczami.

— Więc ty jesteś Lola — powiedziałam w ciszy, delikatnie budząc zatarte wspomnienia i uśmiechając się na myśl o niewinności trzech dziewcząt. Zaczęłam się zastanawiać, czy ja sama byłam kiedyś taka naiwna.

Odłożyłam Lolę z powrotem do pudełka i metal zastukał o metal jak niecierpliwe palce. Ale uśmiech szybko zniknął z mojej twarzy, gdy dostrzegłam pożółkły wycinek z gazety. Moja dłoń zawisła nad nim na moment. Potem delikatnie ujęłam go w dwa palce, podniosłam i przeczytałam ponownie.

Dziś, około ósmej rano, podczas swojego porannego obchodu, listonosz Lester Agnew wyciągnął z rzeki Savannah zwłoki niezidentyfikowanego murzyńskiego niemowlęcia płci męskiej. Ciało było nagie, pozbawione znaków, które umożliwiłyby identyfikację, i zostało przekazane lekarzowi sądowemu w celu ustalenia przyczyny śmierci.

Odłożyłam wycinek na dawne miejsce i sięgnęłam po pokrywkę, żeby zamknąć pudełko, gdy moją uwagę zwrócił wisiorek, który zauważyłam już wcześniej. Przyjrzałam się maleńkim jak łebek od szpilki kółkom wózka, budce i uchwytowi ze złota, i zrobiło mi się niedobrze.

Szybko zamknęłam pudełko i schowałam je pod łóżko, a potem wyłączyłam światło w pokoju i wyszłam. Ujmując w palce złotego aniołka, którego miałam na szyi, wróciłam do salonu i zatrzasnęłam album. Patrzyłam na niego przez chwilę. Miałam wrażenie, jakbyśmy z Fitzem podeszli do ostatniego skoku i lecieli ponad czasem w przestrzeni, czekając na upadek.

❦

Helen słuchała pobrzękiwania medalików przy obroży Mardiego, żeby trafić do starego domu, choć nie potrzebowała przewodnika. Przez całe życie mieszkała w Asphodel Meadows i znała drogę. Ze względu na psa udawała jednak, że sobie nie radzi, bo labrador zdawał się wierzyć, że jego pomoc jest jej niezbędna.

Machając przed sobą laską, szła powoli, ale pewnie w stronę georgiańskiego budynku, który stanowił główną siedzibę Harringtonów, dopóki w latach siedemdziesiątych XIX wieku nie zbudowano obecnego domu. To tu przez krótki czas mieszkali jej rodzice, gdy próbowali osiąść gdzieś na stałe i gdy urodziła im się dwójka dzieci, a także przy tych nielicznych okazjach, kiedy wracali z podróży w dalekie zakątki ziemi, które usiłowali cywilizować. Malily przebudowała dom i wyposażyła go we wszystkie nowoczesne urządzenia, ale nawet to nie zachęciło jej córki, aby w nim zostać.

To właśnie tu wprowadził się Tucker razem z Susan i dziewczynkami, gdy dwa lata wcześniej zrezygnował z praktyki lekarskiej w Savannah, żeby pomóc żonie. Żadnemu z nich nie przyszło do głowy, że jej nie można pomóc, tak jak do końca nie można było zrozumieć przyczyn jej śmierci.

Stanąwszy na ceglanym chodniku prowadzącym do domu, Helen uniosła twarz, wyobrażając sobie dwa kominy i ładny portyk, które dobudowano do fasady w ostatnim stuleciu. Pamiętała, że z zewnątrz był to piękny dom, ale gdy jako dziecko mieszkała w nim z rodzicami, wyczuwała atmosferę samotności i zawodu, i nawet teraz starała się do niego nie wchodzić, jeśli nie musiała.

Nie skorzystała z kołatki w kształcie lwiego łba i nie zapukała. Po prostu przekręciła gałkę i weszła do środka, a potem ruszyła za Mardim po schodach na piętro. Na moment przystanęła przed drzwiami do pokoju Tuckera, zanim je otworzyła. Jedną z nielicznych zalet ślepoty, myślała zawsze, jest to, że ludzie wybaczają człowiekowi złe zachowanie. Mogli też się nie krępować, jeśli leżeli w łóżku całkiem nadzy.

— Cholera, Helen. Dlaczego stale to robisz? — Tym słowom towarzyszył szelest pościeli.

Wyczuła w pokoju zapach alkoholu i zebrało jej się na wymioty. Idąc do okna, żeby rozsunąć zasłony i otworzyć okiennice, zapytała:

— Jesteś sam?

W odpowiedzi dostała poduszką w plecy.

— Nie powinieneś rzucać w ślepych. To podłe.

Za pierwszą poduszką poleciała następna, która trafiła ją w tył głowy, gdy zwracała się w stronę łóżka.

— Idź do diabła — wymamrotał Tucker stłumionym głosem, który wskazywał, że schował twarz w pościeli.

Podeszła do niego i założyła ręce na piersi, podczas gdy Mardi wskoczył na łóżko.

— Mogłabym pójść za twoim przykładem, prawda? Wcześnie zacząłeś.

Ponieważ nie odpowiedział, odwróciła się i po omacku poszła do łazienki, włączyła prysznic i wróciła do pokoju, a potem zaczęła otwierać resztę okien.

— Śmierdzi tu, jakby ktoś wylał burbona na popielniczkę. Ale przynajmniej jesteś sam.

Łóżko skrzypnęło i wyobraziła sobie, że Tucker siada. Jednocześnie usłyszała odgłos, jakby przecierał rękami zarost.

— Tego bym nie zrobił. Przecież są tu dziewczynki.

— Naprawdę? Więcej czasu spędzają w dużym domu niż tutaj i zeszłej nocy też ich tu nie było. Mógłbyś się pofatygować i przynajmniej zjeść z nimi śniadanie. Malily właśnie zasiadła do stołu, więc jeśli się pospieszysz, to jeszcze zdążysz.

Tucker wstał z niechętnym pomrukiem i powlókł się do łazienki. Helen poszła za nim i stanęła w drzwiach.

— To Susan umarła, Tucker. Nie ty.

Ciszę, która zapadła między nimi, wypełnił szum wody spływającej po kafelkach.

— To nie jest tak, Helen. I nigdy nie było.

— Myślisz, że nie wiem? Niezależnie od tego, co sądzą ludzie, całkiem dobrze widzę. Ale na poczuciu winy daleko nie zajedziesz. Poza tym jesteś potrzebny dziewczynkom.

Usłyszała, że przekręcił kurek przy umywalce i cisnął do niej zakrętkę od pasty do zębów, ale nic nie powiedział.

— To do zobaczenia przy śniadaniu — rzuciła.

W odpowiedzi zatrzasnął jej drzwi przed nosem.

— Ja też cię kocham! — zawołała, a potem odwróciła się i odeszła, pozwalając Mardiemu prowadzić.

Podczas drogi powrotnej ceglaną ścieżką usłyszała na żwirze kroki, zbliżały się do niej. Przystanęła i przywołała uśmiech na twarz.

— Earlene?

Kroki się zatrzymały.

— Skąd wiesz?

— Jesteś jedyną osobą na terenie posiadłości, która utyka.

— A tak. Rzeczywiście, rozumiem. — Głos Earlene brzmiał powściągliwie, przypominał tamę blokującą wypływ słów.

Helen uśmiechnęła się łagodnie. Szczyciła się tym, że potrafi wyobrazić sobie poznawanych ludzi, słuchając, jak mówią i jak się poruszają. Earlene Smith stanowiła jednak dla niej zagadkę. Kiedy próbowała ją sobie wyobrazić, widziała tylko puste płótno.

— Przepraszam, jeśli cię uraziłam. Ale to, że jestem niewidoma, pozwala mi zauważać rzeczy, których inni nie dostrzegają. — Szybko zmieniła temat, czując skrępowanie Earlene. — Jesteś zdyszana. Pokonałaś pieszo całą drogę z domku?

— Uhm. Odległości wydają się mniejsze na mapie, którą mi dałaś. — Zaszeleściła płachtą, którą trzymała w ręce. — Szukałam starego rodzinnego cmentarza. Miał być blisko tego domu.

Helen pokiwała głową.

— Jest bardzo blisko. Tu była siedziba rodziny, dopóki nie zbudowano rezydencji. Niestety, po przeprowadzce okazało się, że będzie potrzebny cmentarz. Wybuchła epidemia ospy. Zabrała dwoje najmłodszych dzieci i kuzyna, który przyjechał z wizytą. — Wyciągnęła rękę. — Jeśli podasz mi ramię, żebym nie potknęła się na jakimś korzeniu czy kamieniu, zaprowadzę cię tam.

Earlene ujęła chłodnymi palcami jej rękę i przełożyła ją przez ramię. Skóra kobiety była ciepła i gładka, ale wrażliwa dłoń Helen wyczuła długą, wypukłą bliznę w zgięciu łokcia.

— Dzięki. Cieszę się, że cię spotkałam. Zapomniałam cię wczoraj poprosić o zadatek. Mogłabyś dać mi dzisiaj czek?

Earlene milczała przez chwilę, gdy Helen pociągnęła ją w stronę domu.

— A przyjmiesz gotówkę?

— Tak, oczywiście. Zazwyczaj nawet tego nie sugeruję, bo mało kto ma przy sobie taką sumę.

— Rozumiem. Wolałabym jednak załatwić to w ten sposób, jeśli nie masz nic przeciwko.

Helen kiwnęła głową. Pomyślała, że to dziwne, ale jakoś pasuje do tajemniczej Earlene Smith.

— Skręcimy teraz w prawo i przetniemy trawnik, aż dojdziemy do dębu, pod którym stoi opona. Mój brat w zeszłym roku zrobił z niej huśtawkę dla dziewczynek, ale jeszcze jej nie zawiesił.

Helen usłyszała, że obok nich przebiegł Mardi, prawdopodobnie gonił wiewiórkę. Zaśmiała się.

— Cieszę się, że nie muszę polegać na nim jak na psie przewodniku. Mogłabym skończyć na drzewie.

Earlene również się roześmiała.

— Kiedyś też miałam psa. Ale dawno. — Zamilkła na chwilę, a potem dodała: — Już zapomniałam, jak to jest.

Helen zwróciła głowę w stronę swojej towarzyszki, bo usłyszała w jej głosie żal i coś jeszcze. Jakby wymuszony chłód i bezbronność. Pomyślała o bliźnie na ramieniu Earlene i jej utykaniu. Zaczęła się zastanawiać, czy kobieta ma również wewnętrzne blizny, a jeśli tak, to czy są one permanentne.

Earlene się zatrzymała.

— Doszłyśmy do drzewa. Co dalej?

— W lewo. Za jakieś dziesięć metrów zobaczysz wąską ścieżkę, która zaprowadzi nas między drzewa. Potem przy ścieżce pojawią się polana i żelazna furtka. Stamtąd już będzie widać nagrobki.

Earlene przyciągnęła Helen do siebie.

— Uważaj. W trawie jest dużo kamieni i patyków.

— Dzięki. Pamiętaj, nie przychodź tutaj po zmroku. Są tu różne owady. Te dranie potrafią kąsać. I nie zawracaj sobie głowy żadnym środkiem odstraszającym. To dla nich jak pożywka. Stają się po nim jeszcze większe i bardziej żarłoczne, tak mi się przynajmniej wydaje.

Szły dalej. Helen słyszała pobrzękiwanie medalików przy obroży Mardiego i jego ciężkie susy, gdy biegał wokół nich. Teren naokoło cmentarza był jej ulubioną częścią posiadłości. Najlepiej pamiętała stąd kolory: błękit nieba, soczyste zielenie i brązy pni ambrowców amerykańskich oraz hikory, maślane żółcie asfodeli, które wyrastały samowolnie za bramką cmentarza niczym płonące strzały wypuszczane przez bogów. Wspomnienie twarzy z czasem zbladło, ale wspomnienie kolorów pozostało, przypominało błyski światła w wiecznej ciemności. Po tym jak Earlene zwolniła uścisk na jej ramieniu, Helen zorientowała się, że doszły do polany. Powoli wędrowały wokół ogrodzenia, aż dotarły do furtki, przy której Earlene się zatrzymała.

— Jak tu pięknie. Światło jest takie... sama nie wiem... delikatniejsze.

— Wiem. Kiedy byłam mała, mawiałam, że słońce prześwieca przez skrzydła aniołów. — Helen się zaśmiała. — Lubię tu przychodzić i malować, jeśli uda mi się znaleźć kogoś, kto ma na tyle cierpliwości, aby przynieść mi sztalugi i farby, przyprowadzić mnie, a potem odprowadzić.

— Malujesz? — Helen wyczuła, że w Earlene toczy się walka między zaciekawieniem a dobrym wychowaniem.

— Nie jestem niewidoma od urodzenia. Straciłam wzrok w wieku czternastu lat na skutek wysokiej gorączki. Uwielbiałam malować i nie widzę powodu, dla którego miałabym teraz z tego zrezygnować. — Zorientowała się, że Earlene patrzy na nią z wahaniem. — Co się stało?

Earlene zaczerpnęła powietrza.

— Tak sobie myślę... Dom twojej babci. jest taki ciemny. Tu, w tym pięknym świetle, zaczęłam się zastanawiać...

Helen wyciągnęła rękę i dotknęła chłodnej barierki z kutego żelaza, a potem przesunęła palcami po czubkach strzał, skierowanych w niebo, i nacisnęła jedną z nich kciukiem.

— Zawsze tak było, nawet gdy Tuck i ja byliśmy dziećmi. Dlaczego pytasz?

Poczuła, że Earlene się wzdrygnęła.

— Z powodu mojej... ciotki. U niej też tak było. Gdy przenieśliśmy ją do domu opieki, obeszłam cały dom, odsuwając zasłony. Może gdy się starzejemy, nasze oczy stają się wrażliwsze na światło.

Helen jeszcze mocniej przycisnęła kciuk do ostrza, aż poczuła zgrubienie farby.

— A może za sprawą wspomnień widzimy sprawy z taką jasnością, że musimy osłonić oczy.

Earlene odsunęła zasuwkę.

— Może. — Zawiasy skrzypnęły, gdy otworzyła furtkę i wprowadziła za nią Helen.

Rano przeszedł kapryśny deszczyk, który tylko poznęcał się nad wyschniętą trawą, i Helen poczuła zapach wilgotnej ziemi i liści, które zebrały się przy ogrodzeniu. Pomyślała, że będzie musiała przypomnieć Tuckerowi, aby je stąd wyniósł, choć wiedziała, że sam tego nie zrobi. Nawet jako dziecko nie lubił tu przychodzić i kiedyś powiedział jej, że to miejsce przypomina mu usta potwora — białe kamienie są jak ostre zęby, które tylko czekają, żeby go złapać. Przypuszczała, że teraz, gdy był już dorosły, bał się tego jeszcze bardziej.

Oparła się o zamkniętą furtkę.

— Czego konkretnie tu szukasz? — zapytała.

— Ja tylko... miałam nadzieję... — Earlene zamilkła.

Aha, pomyślała Helen i zaproponowała:

— Jeśli mi powiesz, o jakie nazwisko chodzi twojemu klientowi, może będę w stanie ci pomóc. Moja rodzina mieszkała w okolicach Savannah jeszcze przed wojną o niepodległość. Znam wszystkie koligacje rodzinne wśród miejscowych rodów na przestrzeni co najmniej dwustu lat wstecz. Mam to we krwi.

Earlene znowu się zatrzymała.

— Chyba że mi powiesz, czego naprawdę szukasz — dodała Helen.

Gałązki i liście zachrzęściły, gdy Earlene przestąpiła z nogi na nogę. Kiedy wreszcie się odezwała, w jej głosie brzmiała niemal ulga:

— Właściwie robię to w ramach przysługi. Dla przyjaciółki. — Urwała znowu. — Nazywa się Lola. Pisze historię Asphodel Meadows i Harringtonów. Próbowała skontaktować się z twoją babcią, ale ona wyraźnie dała jej do zrozumienia, że nie chce z nikim rozmawiać.

— A ponieważ jesteś genealogiem, który wie, jak szukać, przyjechałaś tutaj, aby sprawdzić, czy uda ci się czegoś dowiedzieć. — Trzymając się ogrodzenia, Helen szła wokół cmentarza. — Nie jestem zdziwiona, że Malily nie chciała pomóc twojej przyjaciółce. Nigdy nie mówi o przeszłości... nawet nam. Nie jest zimną kobietą, za jaką lubi uchodzić.

Nigdy byś się nie domyśliła, co kryje się za tą upudrowaną fasadą. Wiesz, że była znaną amazonką? Dawno temu, oczywiście. Powiedziała mi kiedyś, że gdy była mała, chciała być dżokejką i mieszkać w stajni ze swoim koniem. — Helen zatrzymała się, aby sprawdzić, czy Earlene jej słucha. — Trudno uwierzyć, prawda?

— Tak — odparła powoli Earlene. — Rzeczywiście. Nigdy bym nie przypuszczała.

— To świadczy, że tak naprawdę jesteśmy inni, niż sądzi otoczenie. — Helen zwróciła twarz w stronę Earlene. — Skrywamy się pod wieloma pancerzami, z których każdy coś o nas mówi. — Zatrzymała się, bo przypomniała sobie coś, co powiedziała jej babcia. — Mojej matki nie ma w Asphodel już od pięciu lat. Kiedy wyjeżdżała, babcia powiedziała jej prawie to samo: że pod pancerzami, którymi się otaczamy, kryje się wiele historii. I że córka powinna znać historię matki, aby przekazać ją swoim córkom.

— Ale sama nie dzieli się tą historią z tobą.

Helen wzruszyła ramionami.

— Zawsze sądziłam, że muszę poczekać na swoją kolej, że najpierw usłyszy ją mama. Ale nie sądzę, aby mama przyjechała tu w najbliższym czasie, a Malily nie młodnieje.

Earlene odezwała się słabym głosem, tak że jej słowa były ledwie słyszalne:

— Powinnaś porozmawiać z babcią, zanim będzie za późno. Poprosić, aby opowiedziała ci o sobie.

Helen odparła z wymuszoną wesołością:

— Prosić o coś Malily to jak spróbować przesunąć górę. Ale może przyjdzie taki dzień...

Earlene znowu przestąpiła z nogi na nogę, bo pod jej stopami trzasnęły gałązki i zaszeleściły liście.

— A co było potem?

Helen wzruszyła ramionami.

— Mama wyjechała. Powiedziała Malily, że wie wszystko, co chce wiedzieć.

— I od tego czasu nie przyjechała? — Earlene ruszyła na środek cmentarza, w stronę pomnika w kształcie piramidy.

— Nie. Ale nie ma w tym nic niezwykłego. Rodzice są misjonarzami. Mieszkaliśmy tutaj, gdy oni ratowali świat.

— Przykro mi. — Earlene zawróciła. — Musiało wam być ciężko. — Wzięła głęboki oddech. — Moi rodzice zginęli w wypadku samochodowym, gdy miałam sześć lat. Nie pamiętam ich zbyt dobrze, ale wciąż za nimi tęsknię. Przez jakiś czas byłam zła, że zostawili mnie samą.

Helen dotknęła jej ramienia i znowu wyczuła bliznę.

— To stąd ją masz?

Earlene gwałtownie wciągnęła powietrze.

— Nie.

Helen opuściła rękę, bo uświadomiła sobie, że uraziła Earlene, i ujrzała przed oczami filiżankę z chińskiej porcelany, która chwieje się na brzegu stołu. Chciała wyjaśnić, że w jej świecie, bez światła i barw, granice między nią samą a innymi ludźmi się zacierają. Tucker powiedział jej kiedyś, że zamiast zaglądać ludziom w twarze, zagląda im prosto w serca.

Wyciągnęła ponownie rękę.

— Hm, jeśli chcesz poznać Lillian Harrington-Ross, to dobre miejsce, żeby zacząć. Leżą tu jej prapradziadkowie i wszyscy inni, również mąż, Charles Ross. Ten pomnik pośrodku to jego grób.

Palce Earlene były znowu zimne, gdy chwyciła dłoń Helen i położyła ją sobie na przedramieniu, a potem ruszyła w stronę wysokiej, wąskiej piramidy. Helen wolną ręką dotknęła marmurowego nagrobka i przesunęła palcami po wyrytych literach.

— Sam zaprojektował ten nagrobek, babcia kazała tylko wykuć napis.

— Ale tu są jedynie nazwisko oraz daty: urodzenia i śmierci.

Helen ponownie dotknęła liter.

— Wiem. Moja bratowa, Susan, powiedziała to samo. Obu nam wydało się dziwne, że nie ma żadnych wyrazów uczucia. Moi dziadkowie w końcu byli małżeństwem ponad pięćdziesiąt lat i mieli dwoje dzieci. Można by pomyśleć, że babcia miała do powiedzenia więcej niż tylko to, że się urodził i umarł.

— Dwoje dzieci? Więc twoja mama nie jest jedynaczką?

— Miała brata, ale zginął w Wietnamie. Jest pochowany obok swojego ojca.

Earlene oddaliła się i Helen poczuła, że kobieta klęka.

— To tu, największy pomnik. I ktoś ostatnio złożył przy nim kwiaty.

Sunąc dłońmi po nagrobku, Helen uklękła obok niej.

— Tak, Malily, jak należy, przychodzi tu raz w miesiącu i składa kwiaty. Zawsze dbała o pozory.

— Co chcesz przez to powiedzieć?

Helen wstała i odwróciła się, wyobrażając sobie mniejsze nagrobki, wystające z ziemi niczym słupki w miejscach historycznych i wskazujące okresy epidemii, które odebrały życie dzieciom i pozostawiły rodzicom tylko zimne płyty na cmentarzu. Potem znów zwróciła się do Earlene, nie bardzo wiedząc, dlaczego akurat przy tej nieznajomej zebrało jej się na zwierzenia. Może dlatego, że obie były niemal sierotami. A może sprawiło to jej wyznanie, iż śmierć rodziców odebrała jako porzucenie, które budziło w niej gniew. A Helen coś o tym wiedziała.

— Gdy Malily przyprowadziła mnie tu po raz pierwszy, miałam siedem czy osiem lat. Może myślała, że jestem za młoda, żeby to zapamiętać czy zrozumieć, ale gdy położyła kwiaty dla dziadka Charliego, nie powiedziała nic romantycznego. Nic w rodzaju: „Kocham cię" czy „Kiedyś znowu będziemy razem".

— A co powiedziała?

Helen pokręciła głową.

— Coś w stylu: „Przepraszam", a potem „Dziękuję". Malily nie jest szczególnie sentymentalna, ale pamiętam, jak dziwnie zabrzmiały te słowa w odniesieniu do człowieka, którego żoną była przez tyle lat. Słuchaj, Earlene... — Urwała, niepewna, czy chce kontynuować, ale przypomniała sobie, co niedawno powiedziała kobieta. „Moi rodzice zginęli w wypadku samochodowym, gdy miałam sześć lat. Nie pamiętam ich zbyt dobrze, ale wciąż za nimi tęsknię. Przez jakiś czas byłam zła, że zostawili mnie samą". Wciągnęła powietrze w płuca. — Chciałabym ci pomóc w twoich poszukiwaniach. Jeśli ci to odpowiada. Pomagałam Susan, zanim... umarła. Znalazła na strychu jakieś stare listy dziadków i inne papiery. Myślę, że to obudziło w niej zainteresowanie genealogią. Malily nie powinna mieć nic przeciwko temu, żebyś przejrzała te dokumenty... W każdym razie porozmawiam z nią o tym. I jeśli sądzisz, że to coś da, zaproszę cię do domu, żebyście mogły poznać się lepiej. Może sama zacznie mówić ci o sobie, gdy się z tobą oswoi. A jeśli nie, ja spróbuję odpowiedzieć na twoje pytania.

Ciszę zakłócił trzepot skrzydeł w górze.

— To bardzo wspaniałomyślne z twojej strony, Helen, ale ja...

— Nie odmawiaj. Będę miała zajęcie oprócz pomagania Malily w prowadzeniu posiadłości i malowania. Brat nie jest ostatnio dobrym towarzystwem i przyda mi się trochę rozrywki.

Earlene milczała przez chwilę, jakby rozważała, czy bardziej zależy jej na zdobyciu informacji, czy zachowaniu prywatności. W końcu odparła:

— Dobrze. Dziękuję ci. Obiecuję jednak, że nie będę nadużywać twojej życzliwości, bo nie chciałabym cię skłócić z babcią.

— Chętnie ci pomogę. Twoje pojawienie się to najciekawsza rzecz, jaka mi się przydarzyła od... cóż, od dłuższego czasu.

— Tak? To jest nas dwie. Bo od dawna nikt nie uznał mojego pojawienia się za coś ciekawego.

Obie się roześmiały, ale Earlene nagle zamilkła. Sądząc po szeleście liści na ziemi, ruszyła na drugą stronę cmentarza.

— Czy to powój księżycowy?

— Tak. Ale nie chce kwitnąć. Myślę, że Lillian już się poddała, jeśli o to chodzi, ale powiedziała mi kiedyś, że przychodziła tu w nocy, żeby zobaczyć, czy kwitnie. Jednak nigdy nie zakwitł.

Earlene nic na to nie odpowiedziała. Helen usłyszała, że kobieta robi kilka kroków naprzód.

— Tu jest grób... ale po drugiej stronie ogrodzenia, poza cmentarzem, i leżą na nim świeże kwiaty. Nie mogę przeczytać napisu. Wiesz, kto tu leży i dlaczego?

Helen zaczęły drżeć usta, jak zawsze, gdy przypominała sobie tę historię. Czuła nawet zapach deszczu, kiedy przyszli im powiedzieć, że znaleźli Susan w rzece. Słyszała, jak Tucker wykrzykuje imię żony, gdy jej szukał. I pamiętała smak łez na swoich ustach. Dziwne, pomyślała, że coś, czego nie widziała, zapamiętała wszystkimi pozostałymi zmysłami.

— To grób Susan. Babcia nie pozwoliłaby, żeby została pochowana na poświęconej ziemi.

Earlene nie odpowiedziała od razu, ale zaczęła oddychać szybciej, jakby rozważała, co to może znaczyć.

— Dlaczego? — zapytała w końcu.

Helen przełknęła ślinę.

— Bo się zabiła.

Earlene zachłysnęła się powietrzem.

— Och. Przepraszam... nie chciałam wchodzić z butami...

— W porządku. I tak byś się dowiedziała. To bardzo smutne, zwłaszcza ze względu na dzieci.

— Miała dzieci?

— Dwie córeczki. Lucy i Sarę. Teraz mają osiem i pięć lat.

98

Były małe, ale już na tyle duże, żeby ją pamiętać. — Helen przerwała. Miała wrażenie, jakby śpiew cykad zawisł w letnim powietrzu, a potem umilkł. — Ale już chyba się z tym pogodziły. Susan nie była... szczęśliwa, tak chyba można to określić. Dla dziewczynek to w pewnym sensie ulga.

Helen usłyszała, że Earlene znowu się zbliża.

— Biedny ten twój brat — powiedziała i się zatrzymała. — A ten nagrobek? Mały anioł z kamienia, stoi samotnie w rogu... — Zawiesiła głos i Helen wyobraziła sobie, że pochyla się, aby lepiej mu się przyjrzeć. — Nie ma żadnej inskrypcji.

— Obawiam się, że to jakaś zagadka. Nikt nie wie, co to jest ani od jak dawna tu stoi. Susan miała na tym punkcie obsesję. Chyba właśnie dlatego Tucker postanowił ją pochować w pobliżu.

Wyciągnęła rękę i poczuła uspokajający uścisk dłoni Earlene, gdy ta położyła sobie jej dłoń w zgięciu łokcia — tego drugiego, bez blizny.

— Bardzo ją kochał, prawda? — Earlene poprowadziła ją w stronę bramy.

Helen nadepnęła na coś małego i miękkiego, więc zatrzymała się, żeby to podnieść. Podała ten przedmiot Earlene.

— Czy to rękawiczka?

Earlene ją wzięła.

— Tak. Męska rękawiczka do jazdy konnej.

— Na pewno Tuckera. Przychodzi tu czasami, żeby powyrywać chwasty i złożyć kwiaty na grobie Susan. Mieszka w starym domu, właśnie stamtąd wracałam, gdy spotkałyśmy się na ścieżce. Mogłabyś włożyć ją do skrzynki pocztowej, gdy będziemy obok niej przechodzić? — Mardi trącił pyskiem jej rękę. — Musi być wpół do dwunastej... pora na jego przekąskę. Nie lubi, gdy o tym zapominam.

— Mądry pies — zauważyła Earlene. — Odprowadzić cię do domu?

— Nie, nie, tylko do drogi, jeśli możesz. Mardi i ja już stamtąd trafimy.

W milczeniu ruszyły z powrotem i Helen przypomniała sobie o pytaniu Earlene. Nadal nie bardzo wiedziała, jak na nie odpowiedzieć. Kiedy doszły do skrzynki pocztowej, Earlene wsadziła do niej rękawiczkę i zamknęła klapę.

Helen zwróciła twarz w stronę domu i uśmiechnęła się lekko.

— Kiedy Tucker i ja mieszkaliśmy tu z rodzicami, mieliśmy dużo swobody. Tucker był największym łobuziakiem, jakiego znałam, doprowadzał rodziców do szału. Wciąż chował jakieś rzeczy do skrzynki pocztowej... na przykład szczoteczkę do zębów czy jeden but. Kiedyś schował nowe kociątko mamy, ale miauczało i wszystko się wydało. Dostał wtedy za swoje, pamiętam. — Uśmiech na jej twarzy zbladł. — Ale bardzo bał się burz. Gdy tylko zaczynało padać, wkradał się do mojego pokoju i spał ze mną w jednym łóżku. Kiedyś tata go u mnie zastał, więc mu powiedziałam, że przestraszyłam się piorunów i poprosiłam Tuckera, żeby do mnie przyszedł. Nie chciałam, żeby tata się na niego rozzłościł.

— Wciąż jesteście sobie tak bliscy?

Helen wzruszyła ramionami.

— Tak bliscy, jak mi na to pozwala, czyli nie za bardzo. Chyba się obawia, że mogłabym dostrzec, co było między nim a Susan, ale sama nie wiem... — Przerwała nagle, bo przypomniała sobie, że rozmawia z zupełnie nieznajomą osobą. Uśmiechnęła się szeroko. — Ale dość już o naszych rodzinnych dramatach. Na pewno masz sporo własnych problemów i nie chcesz słuchać o naszych.

Earlene milczała chwilę, zanim odpowiedziała.

— Tak, cóż, jeszcze raz dziękuję ci za propozycję pomocy. Moja przyjaciółka będzie wdzięczna za wszelkie informacje, jakie uda mi się uzyskać.

Helen przechyliła głowę na bok.

— Nie pasuje do ciebie imię Earlene. Naprawdę tak się nazywasz?

Earlene odpowiedziała po krótkiej chwili.

— Tak. Choć znajomi zwykle mówią do mnie inaczej. — Na tym ucięła wyjaśnienia.

No proszę, pomyślała Helen.

— Wobec tego będę mówiła do ciebie Earlene, dopóki nie powiesz mi, jak inaczej mam się do ciebie zwracać.

— Dziękuję — odparła kobieta, delikatnie uwalniając ramię z uścisku Helen. — Zgłoszę się do ciebie, gdy uporządkuję notatki. Wtedy usiądziemy i porozmawiamy.

— Dobry pomysł. A może przyjdziesz do nas jutro na kolację? O siódmej? Mam nadzieję, że przyłączy się do nas mój brat. Będziesz mogła go poznać.

— Bardzo dziękuję. Przyjdę.

— Tylko włóż sukienkę albo spódnicę i pomaluj szminką usta. Malily nie przepada za kobietami w dżinsach.

— Skąd wiesz, że noszę dżinsy i się nie maluję?

Helen uśmiechnęła się z satysfakcją.

— Gdy idziesz, słyszę, jak ociera się materiał. A jeśli chodzi o szminkę, cóż, po prostu strzeliłam.

— Dobra jesteś — zauważyła Earlene ze śmiechem w głosie. — Choć to trochę przerażające.

— Potraktuję to jako komplement. Wobec tego do zobaczenia jutro o siódmej.

— Do widzenia.

Helen została z Mardim i słuchała, jak Earlene oddala się w przeciwnym kierunku. Kobieta utykała wyraźniej niż poprzednio. Wyciągnąwszy przed siebie laskę, Helen ruszyła w stronę domu. Teraz już była pewna, że cokolwiek sprowadzało Earlene do Asphodel Meadows, nie była to prośba przyjaciółki, i że dziewczyna ma blizny nie tylko na ciele.

ROZDZIAŁ 8

Lillian obudziła się nagle. Resztki snu jeszcze unosiły się w powietrzu jak duchy. Jęknęła, bo przeniknął ją ból w plecach i rękach, gdy stare kości uderzyły o siebie. Ale nie była pewna, czy ze snu wyrwał ją ból, czy koszmar, który śniła. Tabletki przyniosłyby jej ulgę, ale też wywołałyby senność. A senność znowu sprowadziłaby koszmary. Zdecydowała się więc na ból, który pobudził jej zmęczone ciało do błogosławionej aktywności.

Podciągnęła się sztywno w wielkim łóżku z wysokimi narożnymi słupkami i płaskorzeźbami symbolizującymi plantację ryżu, w którym została poczęta i w którym miała umrzeć. Spała w nim razem z Charlesem przez pięćdziesiąt pięć lat małżeństwa, podczas których, gdy leżał przy niej, nic jej się nie śniło. Można by pomyśleć, że wymazał przeszłość, postawił tamę, a kiedy odszedł, zalały ją wspomnienia, jakby zeszła z brzegu rzeki Savannah i powoli ruszyła jej jedwabistym dnem.

Podeszła do dużego okna od frontu budynku, gdzie kiedyś lubiła w świetle dnia patrzeć na swój ogród i zegar słoneczny, które stanowiły część jej samej, jak zielone oczy czy kształtny nos. Za na wpół zaciągniętymi zasłonami widniał jasny, piękny księżyc w pełni, który śmiał świecić na biedne dęby w alei.

Tucker próbował ją przekonać, że trzeba je wyciąć i posadzić w ich miejsce młode drzewa, ale ona nie chciała o tym słyszeć. Znała te dęby od urodzenia, patrzyła, jak się zmieniają, i widząc ich opuszczone konary i sękate gałęzie, czuła, że wiele ją z nimi łączy. Czas nie obszedł się łaskawie ani z nimi, ani z nią, choć, jak pomyślała, one nie zrobiły nic złego, żeby zasłużyć sobie na swój los.

Oparła ręce na parapecie. Wciąż czuła ból, ale powoli przeniknął on w inne części jej ciała, aż w końcu ustąpił. Koszula nocna przykleiła się jej do skóry mimo klimatyzacji, którą kazała zainstalować, gdy remontowała stary dom; upał letniej nocy i koszmarne sny były nie do pokonania. Przygryzając wargę, rozsunęła zasłony, a potem otworzyła okno i rozwarła okiennice. W twarz uderzyło ją wilgotne ciepłe powietrze. Powitał ją zapach bukszpanu rosnącego przy drzwiach frontowych; zawsze kojarzył jej się z domem. Gdzieś między dębami zaśpiewał lelek krzykliwy. Dawno temu Josie opowiedziała jej legendę o lelku, o tym, że te ptaki to zagubione dusze, które wracają na ziemię, aby przypominać żyjącym, jak cienka linia oddziela jednych od drugich.

Lelek zawołał znowu i Lillian zadrżała mimo gorąca. W stajniach zarżał koń i przypomniała sobie o wierzchowcu, którego na maneżu szkolił Tucker — była ciekawa, który z nich zdobywa przewagę. Miała nadzieję, że Tucker. Coś powinno mu się w końcu udać.

Lillian ułożyła się na wyścielanym szezlongu, który Odella ustawiła dla niej pod oknem, i poczuła, że mimo bólu opadają jej powieki. Była bardzo zmęczona. Zaczęła się zastanawiać, dlaczego Bóg wciąż trzyma ją przy życiu, i przypuszczalna odpowiedź nie przypadła jej do gustu. Jak ktoś, kto zgrzeszył tak dawno, i to przeciwko ludziom, którzy już nie żyją, ma odkupić swoją winę? Lillian zawsze sądziła, że kiedy Annabelle umrze, jej wyrzuty sumienia ucichną, opuszczą ją niczym nieproszony gość, który przyjechał z wizytą. Ale zostały, z walizką pełną wspomnień.

Pomyślała o wnuczce Annabelle, o jej listach, i ogarnęły ją wątpliwości. Może źle zrobiła, odrzucając jej prośbę? Poruszyła się na szezlongu i stare kości zatrzeszczały w zwiotczałym ciele. Zabawne, w duszy wciąż była młodą Lillian Harrington, piękną i smukłą, dumą swojego ojca. Dopiero gdy patrzyła w lustro, uzmysławiała sobie prawdę. Widziała staruszkę, którą się stała, z pomarszczoną twarzą i powykręcanymi palcami — to była cena tych wszystkich sekretów.

Zamknęła oczy i oparła głowę o poduszkę, gdy smutek jak ćma usiadł jej na piersi i już tam został. Bezużyteczne palce odnalazły wisiorek w kształcie anioła, który wciąż nosiła na szyi, i zaczęły okręcać łańcuszek, aż poczuła, że wbił się w jej ciało jak pętla ze straconych szans i złamanych przysiąg.

Kiedy Lillian obudziła się znowu, przez okiennice przeświecało już słońce, a nocne krzyki lelka zastąpił poranny chór cykad i wróbli. Nie otworzyła oczu, bo chciała zatrzymać dający wytchnienie spokojny sen. Przez chwilę wyobrażała sobie, że znowu jest młodą dziewczyną, która jeszcze nie wie, że starzenie się oznacza rezygnację z tego, co się kochało, i że skutki dokonanych wyborów sięgają dalej niż kolejny dzień. Zaczęła drażnić się z samą sobą, dopuszczając do siebie myśl, że tego dnia zdradzi sekret, że wreszcie się od niego wyzwoli. Ale przypomniała sobie o Tuckerze i cierpieniu, które mu towarzyszyło, a także o Helen, która ją kochała i widziała w niej nieobecną matkę — i wtedy zrozumiała, że jest już za późno. Ból Tuckera był ostry jak ułamek szkła, a miłość Helen nie pozwalała jej utopić przeszłości w alkoholu.

Jej ciężkie powieki opadły i znowu odpłynęła w sen, ale tylko na chwilę, obiecała sobie. Gdy całkiem zamknęła oczy, już grała muzyka, a ona tańczyła z Charliem; śmiali się, bo w jej karnecie przy czterech pierwszych tańcach widniało jego

imię. Kiedy potem odemknęła oczy, poczuła łzy na policzkach. Przypomniała sobie, gdzie jest i to, że nawet najgorsza
rzecz, jaka przydarzyła się komuś w życiu, może go spotkać
drugi raz.

❧

Włożyłam bawełniane kremowe szorty, sprawdziłam, czy są
dostatecznie długie, aby zakryć pokryte bliznami kolano, a potem wsunęłam stopy w sandały. Wzięłam torebkę oraz note-
booka i spojrzałam na ręcznie wyrysowaną mapę, którą dała
mi Helen, bo chciałam sprawdzić, jak wyjechać z posiadłości.
Przyjrzałam się starannie wytyczonym liniom i napisom, które
nie wyglądały wcale na odręczne, i zaczęłam się zastanawiać,
czyim są dziełem.

Odnalazłam trasę, którą przyjechałam; wyglądało na to, że
GPS poprowadził mnie okrężną drogą. Zerknąwszy na zegarek,
obliczyłam, ile będę miała czasu w bibliotece w centrum
Savannah do kolacji w Asphodel Meadows. W oddziale przy
Bull Street znajdowała się sala poświęcona genealogii oraz
lokalnej historii i wiedziałam, że jedno przedpołudnie i popołudnie pewnie nie wystarczą na znalezienie wszystkich informacji,
których potrzebowałam. Musiałam jednak od czegoś zacząć.

Wrzuciłam wszystkie rzeczy na miejsce dla pasażera w buicku, a potem wsunęłam się na rozgrzany winylowy fotel za
kierownicą i nawet przez spodnie poczułam, że parzy mi nogi.
Po uruchomieniu silnika włączyłam klimatyzację i opuściłam
szyby, a potem wystawiłam twarz na zewnątrz, żeby wciągnąć
w płuca świeże powietrze. Dawne znajome zapachy, które
zawsze mi przypominały, kim mogłam być, wystraszyły mnie
i uświadomiły mi, kim jestem. Poprawiłam się na fotelu
i poczułam ściskanie w sercu; moja porażka była jak kończyna
fantomowa albo stara wojenna rana, która dawała o sobie znać
podczas zimnej pogody; przy czym pobyt w stadninie oznaczał

105

w moim wypadku przeprowadzkę w rejony arktyczne. Zasunęłam szyby i ruszyłam.

Powoli jechałam trasą, którą tu przybyłam; po lewej stronie miałam pole golfowe, a po prawej aleję powykręcanych dębów. Ignorując zalecenie GPS-u, żeby zawrócić, skręciłam w bitą drogę zaznaczoną na mapie Helen. Niebawem przeszła ona w dwie koleiny w rudym błocie, otoczone wysoką trawą, która wyrastała z bagnistej wody. Nie zdziwiło mnie to, wiedziałam, że Asphodel Meadows, ze swoimi żyznymi ziemiami nad rzeką, to dawna plantacja ryżu. Choć niegdysiejsze pola nie zostały zaznaczone na mapie, pomyślałam, że to one — było to pierwsze historyczne odkrycie, jakiego dokonałam od przyjazdu tutaj.

Przejechałam niecałe dwa kilometry, gdy droga urwała się nagle w kępie wysokich sosen. Zatrzymałam samochód i ponownie przestudiowałam mapę, ale nie mogłam się zorientować, gdzie jestem. Zirytowana, wrzuciłam wsteczny bieg i wcisnęłam pedał gazu. Koła zabuksowały w błocie, ochlapując nim tylną szybę, ale nie ruszyłam z miejsca.

Wrzuciłam pierwszy bieg i powoli wcisnęłam gaz. Samochód wyjechał z błota, ale potem stoczył się do niego z powrotem, jakby było mu tam dobrze. Kilka razy próbowałam wrzucać wsteczny i pierwszy bieg, ale bez skutku, i w końcu musiałam pogodzić się z klęską.

— Cholera! — przeklęłam błoto, sosny i własną głupotę, waląc dłońmi o kierownicę. Wysiadłam z wozu i moje sandały zagłębiły się w lepkiej mazi. — Cholera! — powtórzyłam i pewnie kopnęłabym samochód, gdybym nie wiedziała z doświadczenia, że potem nie mogłabym chodzić przez dzień albo dwa.

Zajrzałam do auta, gdzie na desce rozdzielczej leżał mój bezużyteczny telefon komórkowy. Nie znałam numeru plantacji ani nikogo, kto znajdowałby się w pobliżu. Przez chwilę zastanawiałam się, czy nie zadzwonić do George'a, ale uznałam, że gdybym wezwała go na ratunek aż z Savannah, zaciągnęłabym u niego dług, którego nie mogłabym spłacić.

Przekląwszy kolejny raz, zostawiłam w buicku wszystkie rzeczy, wydobyłam sandały z błota i przeszłam kilka metrów w stronę suchszego gruntu. Od wysiłku rozbolało mnie kolano i ze złości zaczęłam zgrzytać zębami.

Wokół mojej głowy i kostek zaczęły latać chmary owadów, ale żaden z nich nawet nie próbował mnie ukąsić. Dziadek zawsze żartował, że mam dla nich zbyt gorzką krew. Jedna z moich rywalek powiedziała mi kiedyś, że w moich żyłach zamiast krwi, jak u innych śmiertelników, płynie stal. I przez długi czas, aż do wypadku, sądziłam, że tak jest naprawdę.

Przeszedłszy jeszcze dziesięć metrów, zobaczyłam ogrodzenie zbudowane z podkładów kolejowych. Przy słupach rosły wysokie chwasty, co utwierdziło mnie w przekonaniu, że znajdował się tu nieużywany padok. Poczucie kierunku podpowiadało mi, że gdybym pokonała ogrodzenie, krótszą drogą dotarłabym do starego domu, gdzie mogłabym poprosić o pomoc.

Bardzo ostrożnie podciągnęłam się na ogrodzenie, przerzuciłam przez nie prawą nogę i podniosłam lewą. Potem, opierając się na rękach, delikatnie osunęłam się na trawę po drugiej stronie.

Ruszyłam skosem w prawo, bo wydawało mi się, że tędy dojdę do końca padoku. Liczyłam, że ogrodzenie po tej stronie biegnie równolegle do alei dębowej. Przez większą część drogi patrzyłam, gdzie stawiam stopy, i ocierając pot z twarzy brzegiem koszulki, prawie starłam cały makijaż.

Uszłam ze dwadzieścia metrów, gdy usłyszałam znajomy dźwięk. Zatrzymałam się i stanęłam bez ruchu, a potem znowu zaczęłam nasłuchiwać. Miałam nadzieję, że przez upał i pulsujący ból w kolanie mam omamy. Ale nie, usłyszałam to

107

znowu, odgłos żucia, jakby jakieś potężne szczęki miażdżyły trawę.

Powoli odwróciłam się w lewo i zobaczyłam gniadego wałacha, który patrzył na mnie niepewnie wielkimi pięknymi oczami, wciąż przeżuwając. Był to duży koń rudobrązowej maści z czarnymi cętkami. Przyglądając mi się, machnął czarnym ogonem, żeby opędzić się od muchy.

Chciałam się cofnąć, ruszyć dalej na poszukiwanie płotu i podjazdu, ale nogi odmówiły mi posłuszeństwa. Poczułam zapach konia, jego potu, trawy, rozgrzanej sierści. Zakręciło mi się w głowie i z przerażeniem pomyślałam, że zaraz zemdleję. Ale wówczas wierzchowiec się odwrócił i znieruchomiałam, bo zobaczyłam dużą bliznę na jego boku, tak wyraźną i świeżą jak moja własna.

Prawie zapomniałam o strachu, zahipnotyzowana okrucieństwem, jakie musiało spotkać to zwierzę, i przez krótką chwilę odniosłam wrażenie, że jesteśmy pokrewnymi duszami, ciężko rannymi weteranami, którzy jakoś wrócili między żywych.

Wałach uniósł łeb i zarżał cicho, a potem zaczął się zbliżać.

— Nie! — wykrzyknęłam. Wiedziałam, że to nierozsądne i głupie, ale jego zapach przywołał wspomnienia i przestałam myśleć racjonalnie. — Nie! — zawołałam znowu ostrym głosem, na skraju paniki. Chciałam się cofnąć i udało mi się wydobyć stopę z błota, ale zawadziłam sandałem o coś twardego, co wystawało z ziemi. Zamachałam rękami, żeby odzyskać równowagę, ale upadłam na mokrą trawę. Zastygłam w pozycji leżącej i czekałam, aż Fitz zwali się na mnie, bo z powodu złamań nie mogłam przetoczyć się na bok.

Koń się przestraszył, ale po chwili znowu zaczął się zbliżać. Gdy tak leżałam rozciągnięta w trawie, jego masywny łeb wydał mi się jeszcze potężniejszy. Odwróciłam głowę, kiedy trącił mnie pyskiem w biodro i złapał zębami za spodnie. Wiedziałam, że po prostu szukał czegoś do jedzenia, ale za zamkniętymi powiekami zobaczyłam potężnego Fitza, który zasłonił słońce nade mną na jedną trwającą wieczność chwilę, a potem poczułam okropny ból i zapadłam w ciemność, mając nadzieję, że już się nie obudzę.

Z kierunku, gdzie według mnie powinien znajdować się płot, dobiegł cichy gwizd i męski głos zawołał:

— Hej, mały! Chodź tu! Mam dla ciebie marchewkę.

Leżałam dalej, zawstydzona, że zostałam przyłapana na tak dzinnym, nieracjonalnym zachowaniu. Na moją twarz padł cień, więc odwróciłam głowę i otworzywszy oczy, zobaczyłam wysokiego mężczyznę w butach do jazdy konnej i dżinsach. Pochylał się nade mną.

— Jest pani cała i zdrowa? Nic się pani nie stało?

O Boże. Wiedząc, że jedynym rozwiązaniem byłoby udawanie martwej, podparłam się na łokciach i spod zmrużonych powiek spojrzałam na swojego wybawcę, który tymczasem wyciągnął do mnie rękę. Po chwili wahania przyjęłam ją i z jego pomocą wstałam. Opuściłam głowę i popatrzyłam na ubłocone sandały, na pobrudzone trawą szorty i wyobraziłam sobie, jaki muszę stanowić widok. Kiedyś, dawno temu, byłam kimś, kogo podziwiano. Zawodniczką światowej klasy. Kim stałam się potem, nie wiedziałam, ale na pewno nie przypominałam dawnej siebie. Wzdrygnęłam się pod wpływem badawczego wzroku nieznajomego, wiedząc, że nie oceni mnie najlepiej.

— Nic mi nie jest — wymamrotałam. Otrzepałam spodnie i próbowałam wytrzeć sandały z błota w wysokiej trawie. Wściekła na siebie, że zachowałam się tak głupio, wyładowałam gniew na najbliższym obiekcie. Oskarżycielskim gestem wskazałam gniadosza, który znowu zaczął się paść.

— Nie powinien pan puszczać konia wolno, żeby się tak szwendał. Jeszcze coś by mu się stało... jemu albo niewinnemu przechodniowi. A może właśnie w ten sposób nabawił się tej blizny na boku?

Zobaczyłam w zielonych oczach mężczyzny gniewny błysk, ale potem zastąpiło go coś, co wyglądało na rozbawienie.

— Nie żebym się z panią nie zgadzał, ale to pani przeszła przez ogrodzenie, nie on. Więc to pani tu się szwenda, w dodatku, jeśli wolno mi zauważyć, wkroczyła pani na teren prywatny.

Przepełniły mnie zakłopotanie i złość, nie zostawiając miejsca na skruchę ani wstyd. Wyprostowałam się i spojrzałam mężczyźnie w roześmiane oczy.

— Wobec tego nie będę dalej narażać się na niebezpieczeństwo. — Starając się zachować godność, mimo że moja duma cierpiała, ruszyłam w stronę, w którą zmierzałam, zanim natknęłam się na konia.

Nie uszłam daleko, gdy usłyszałam, że mężczyzna biegnie za mną. Potem stanowczym gestem chwycił mnie za ramię i zatrzymał.

— Pani utyka. Musiała się pani zranić.

Odwróciłam się do niego, mając na końcu języka ostrą odpowiedź, ale się powstrzymałam. Zobaczyłam wyraźnie oczy mężczyzny i zastanowiło mnie, dlaczego wcześniej tego nie zauważyłam; czaił się w nich mrok, który świadczył o cierpieniu, i to tak niedawnym, że nie nauczył się go jeszcze maskować.

Odwróciłam wzrok i delikatnie wyswobodziłam ramię, czując, że się rumienię.

— To po dawnym wypadku. Nic mi się nie stało. — Chciałam odejść, świadoma, że kuleję i że mężczyzna wciąż na mnie patrzy.

Zawołał za mną:

— Jeśli chce pani dotrzeć do drogi, to idzie pani w złym kierunku!

Pokonana, nie mogąc odejść z godnością, zwróciłam się w jego stronę. Wyraźnie starał się powściągnąć uśmiech, wskazując mi, gdzie powinnam iść. Gdy ruszyłam w tamtym kierunku, dodał:

— Jeśli poprawi to pani samopoczucie, po raz pierwszy od czasu, gdy go uratowałem, ten koń pozwolił komuś podejść do siebie na tak bliską odległość.

— Nie poprawia! — odkrzyknęłam przez ramię. — Ale to miłe z pana strony!

Przez moment zastanawiałam się, czy nie poprosić go o pomoc w wydobyciu samochodu z błota, ale szybko odrzuciłam ten pomysł. Nie zamierzałam jeszcze bardziej się poniżać, wdając się z nim w rozmowę i zacieśniając znajomość.

Nie odwracając się, szłam dalej w kierunku ogrodzenia i dopiero gdy znalazłam się bezpiecznie po jego drugiej stronie, przypomniałam sobie chwilę, gdy spojrzałam w oczy konia i zobaczyłam na jego boku straszliwą szramę. Wtedy po raz pierwszy od dłuższego czasu poczułam, że nie jestem już sama na tym świecie.

W końcu przeszłam całą drogę do domku na piechotę. Kolano rozbolało mnie tak bardzo, że musiałam obłożyć je lodem i odpocząć przez godzinę. Potem zadzwoniłam do Helen, która wysłała kogoś, żeby ściągnął mój samochód, i przeprosiła mnie za mapę. Podobno narysowała ją Susan, gdy wpadła na pomysł, żeby wynajmować część budynków gospodarczych, ale droga, którą zaznaczyła na mapie, nie była używana od czasów budowy pola golfowego, czyli od lat siedemdziesiątych. Podczas rozmowy zamilkłyśmy na chwilę, bo obu nam przyszło do głowy pytanie, po co Susan narysowała drogę prowadzącą donikąd.

Postawiłam laptopa na blacie sosnowego stołu kuchennego i otworzyłam go, pogodzona z myślą, że będę musiała poczekać z wizytą w bibliotece do następnego dnia. Miałam jednak internet bezprzewodowy, więc mogłam przynajmniej poszukać w sieci informacji o domu moich dziadków, a także innych notatek prasowych o martwym dziecku, które znaleziono w rzece Savannah.

Mimo to zawahałam się przed uruchomieniem komputera, bo moją uwagę zwróciły kartki z albumu ze sfatygowaną okładką, które położyłam na brzegu stołu, aby mi przypominały, po co tu jestem. Miałam aż nadto czasu, żeby je wszystkie przeczytać, ale wstrzymywałam się z tym, jak ktoś na diecie wstrzymuje się ze zjedzeniem ciasta, bo wprawdzie marzy o tym, lecz nie wie, czy okaże się to warte spożytych kalorii. Mimowolnie bałam się, że otworzę w ten sposób puszkę Pandory. Chociaż, przekonywałam samą siebie, ta puszka została otwarta już w chwili, gdy po odsunięciu szafy na strychu ukazały się ukryte drzwi.

Zdecydowanym ruchem zamknęłam laptopa, odsunęłam go od siebie i przyciągnęłam kartki. Znalazłam tę, którą przeczytałam dzień wcześniej. Zanim przeszłam do następnej strony, jeszcze raz przyjrzałam się rysunkowi naszyjnika ze znajomym mi wisiorkiem w kształcie anioła i uzmysłowiłam sobie, że nie widziałam tego elementu na łańcuszku znalezionym w pudełku. A potem zaczęłam czytać dalej.

29 marca 1929 roku

Miałam rację. Ojciec kupił mi na urodziny klacz. Jest gniada i ma czarne prążki na nogach. Nazwałam ją Lola Grace. Pierwsze imię to taki żart, o którym wiemy tylko ja, Lily i Josie, bo będę nazywać swoją piękną klacz po prostu Grace. Zawsze chciałam mieć siostrę i takie właśnie wybrałabym dla niej imię, ale musiałam w końcu nadać je koniowi, bo mama umarła już dawno temu, a tata chyba nie zamierza się ponownie ożenić.

Umieściliśmy Lolę Grace w Asphodel Meadows, co jest dla mnie niewygodne, bo muszę czekać, aż ktoś mnie tam zabierze, żebym mogła na niej pojeździć. Tata stale przyjmuje pacjentów i zawozi mnie do niej tylko w niedziele, chyba że odbiera poród. W pozostałe dni muszę o to prosić starszego brata Josie, Freddiego. Ich mama, Justine, prowadzi nam dom i stara się zajmować mną od czasu, gdy moja mama odeszła, a ponieważ Freddie po przyjeździe ze szkoły na lato pracuje w Asphodel, wszystko dobrze się składa.

Freddie chyba nie był zachwycony takim układem, dopóki nie przekonał się, że potrafię dochować sekretu. Pierwszych kilka razy, gdy jechaliśmy starym powozem taty — którego po tym, jak kupił sobie szykowny nowy automobil, już nie używa — Freddie zawiózł mnie bezpośrednio do Asphodel Meadows. Ale później zaczął zatrzymywać się po drodze, żeby odwiedzać znajomych — w okolicach, które przyprawiłyby tatę o zawał serca, gdyby wiedział, że w ogóle się do nich zbliżam. Nie rozumiem jednak, jak można przyjaźnić się z takimi ludźmi. Po pierwsze, to Murzyni, a Freddie jest biały tak jak ja, choć kolor skóry Justine i Josie przypomina moją poranną kawę z mlekiem, z dużą ilością mleka. Naprawdę trudno nazwać go czarnym, choć w mieście jest wielu takich, którzy lubią dzielić ludzi na lepszych i gorszych, i w ich oczach Justine i Josie nigdy nie będą białe. Mimo to Freddie najwyraźniej się z tamtymi przyjaźni. Pewnie dlatego wysłano go na naukę do Anglii.

W każdym razie zaczął składać wizyty tym swoim znajomym w drodze do Asphodel. Czasami przywozi im coś w torbach, a czasami tylko gazety i tym podobne. Nie powiedziałam o tym Justine ani tacie, bo przecież, gdy każą mu mnie odwieźć, nie wspominają, że ma to zrobić bez zatrzymywania się. Poza tym wiem, że Freddie mnie testuje, i nie chcę go zawieść. Freddie wyrósł na naprawdę przystojnego młodzieńca i ma doskonałe maniery, których *musiał nauczyć się na uniwersytecie, więc to chyba naturalne, że pragnę zrobić na nim jak najlepsze wrażenie. Czasami jedzie z nami Josie; zauważyłam, że wtedy Freddie zawozi nas prosto do Asphodel. Może przyjmuje inne zasady, bo to jego młodsza siostra. A może robi tak dlatego, że gdyby powiedziała o tym matce, musiałby skończyć z tymi swoimi wizytami. Więc, Josie, jeśli to czytasz, buzia na kłódkę!*

Jeżdżę konno już prawie codziennie i całkiem dobrze skaczę. Pan Harrington, ojciec Lily, powiedział, że jeśli dalej będę tak dobra, to powoła do życia pierwszą jeździecką drużynę kobiecą w dziejach olimpiady. Wiem, że tylko przekomarza się ze mną i nigdy czegoś takiego nie zrobi, ale traktuję to jako komplement i czasami marzę, że zostanę amazonką. Chciałabym być w czymś dobra i kiedy siedzę na grzbiecie Loli Grace, mam poczucie, że mogę wszystko i że świat stwarza miliony możliwości.

Jeśli więc chodzi o pierwszy wisiorek dla Loli, wybrałam konia, który symbolizuje Lolę Grace i wszystkie inne wierzchowce w Asphodel sprawiające nam tyle radości.

Przesunęłam wzrokiem na dół kartki. Przyklejono tam dwie pożółkłe fotografie, z podwiniętymi jak paluszki dziecka rogami. W gniadoszu z prążkami na nogach rozpoznałam Lolę Grace. Na niej siedziała okrakiem w bryczesach i wysokich butach dziewczynka o długich jasnych włosach, wystających spod kasku. Na podstawie innych zdjęć, które kiedyś widziałam, zorientowałam się, że to moja babcia. Dziewczynka nie miała nic wspólnego ze znaną mi kobietą. Jej roześmiana twarz i blask w wesołych oczach były mi zupełnie obce.

Annabelle śmiała się i patrzyła na młodego mężczyznę, który trzymał wodze. Był bardzo wysoki i szczupły, miał proste

114

błyszczące włosy z przedziałkiem z boku i gładką twarz oliwkowej barwy. Pomyślałam, że to Freddie. Uśmiechał się do aparatu, ale jednocześnie patrzył na dziewczynkę i jakby starał się zachować powagę.

Następne zdjęcie przedstawiało tego samego konia, ale już z innym jeźdźcem. Była nim Lillian ze swoim prostym, smukłym nosem, który musiał zwracać uwagę nawet wtedy, gdy była bardzo młoda. Uśmiechała się łobuzersko spod uniesionych brwi, jakby właśnie powiedziała coś zuchwałego, ale udawała niewiniątko. Cugle też trzymał młody mężczyzna — prawdopodobnie Freddie — ale tym razem stał bliżej konia, z ręką na bucie drobnej amazonki, jakby chciał mieć pewność, że nic jej się nie stanie.

Pod tymi dwiema fotografiami babcia napisała: „Najlepsze przyjaciółki na zawsze".

Na pierwsze zdjęcie spadła łza, otarłam ją z roztargnieniem rąbkiem koszulki. Dopiero gdy zamknęłam album i odsunęłam go od siebie, uświadomiłam sobie, że mam mokre policzki. Zaskoczona, przytknęłam dłonie do oczu, a potem zrozumiałam, co doprowadziło mnie do płaczu. Babcia kochała jazdę konną i miała własną klacz imieniem Lola Grace. W ciągu mojej szesnastoletniej kariery jeździeckiej nigdy o tym nie wspomniała. A mnie nie przyszło do głowy zapytać.

ROZDZIAŁ 9

Helen zarzuciło w wózku golfowym na wirażu. Mardi zaczął drapać pazurami na winylowym siedzeniu, żeby znaleźć podparcie. Odella prowadziła w typowym dla siebie stylu: jechała szybko, na wprost, żeby nie tracić czasu, i nie przejmowała się zakrętami.

Zahamowała gwałtownie przed domkiem zarządcy, a potem wyskoczyła z wózka i obeszła go, żeby pomóc Helen wysiąść, a następnie podejść po stopniach ganku do drzwi. Helen nie potrzebowała pomocy, ale już dawno odkryła, że gotowość Odelli, aby służyć innym, ma swoje źródło w czasach jej młodości, którą spędziła z dala od domu, wśród ludzi zapewne niecieszących się aprobatą rodziny. Kiedyś powiedziała Helen, że pewnego dnia obudziła się obok swojego drugiego męża w mieszkaniu w Berkeley, w którym przebywali na dziko, i postanowiła odejść. Wróciła więc do rodzinnej Georgii, po drodze znalazła Jezusa oraz trzeciego męża i od tego czasu usiłowała odpokutować grzechy młodości.

Earlene dopiero po dłuższej chwili otworzyła drzwi, a gdy stanęła na progu, była zdyszana.

— Przepraszam. Przyjechałaś wcześniej i musiałam... trochę posprzątać. — Mardi, ocierając się o jej nogi, wbiegł do środka.

— Wracaj, łobuzie! — zawołała za nim Odella.

— Nic nie szkodzi — uspokoiła ją Earlene. — Lubię psy.

Helen usłyszała drapanie jego pazurów na podłodze, gdy przeszukiwał pokój po pokoju.

— Szuka Susan. Gdy domek nie był jeszcze wynajmowany, urządziła sobie w nim gabinet do pracy i przyprowadzała ze sobą Mardiego.

— Biedak. — Earlene cmoknęła ze współczuciem. — Moja babcia też miała pieska. Uwielbiał ją. I kiedy... odeszła, tak za nią tęsknił, że przestał jeść. — Zawiasy skrzypnęły, gdy otworzyła szerzej drzwi. — Wejdziesz do środka? Jeszcze nie jestem całkiem gotowa.

Helen poczuła, że Odella popycha ją przez próg, za którym wzięła ją pod rękę Earlene.

— Przepraszam, że przyjechałyśmy wcześniej. Nigdy nie wiem, ile czasu zajmie nam podróż, gdy Odella prowadzi. Pamiętasz Odellę Pruitt, prawda? To ona tak naprawdę rządzi w Asphodel Meadows. — Helen uśmiechnęła się w stronę kobiety. — Z przyjemnością poczekamy, aż będziesz gotowa do wyjścia.

— Jeszcze tylko minuta. Muszę przeczesać włosy i znaleźć buty.

Earlene zaprowadziła je do saloniku i zaczekała, aż Helen usiądzie. Mardi wrócił do swojej pani i usadowił się u jej stóp.

— I co stało się z psem twojej babci? — zapytała Helen.

— Zdechł. Niespełna miesiąc po jej odejściu. To było dziwne, bo...

Czekając na dalszy ciąg relacji Earlene, Helen poczuła, że Odella siada na kanapie obok.

— Bo co? — zapytała.

Nastąpiła dłuższa chwila ciszy.

— Bo ja ledwie odnotowałam, że jej nie ma — dokończyła cicho Earlene, jakby jej słowa nie były adresowane do nikogo z obecnych w pokoju. — Zaraz wrócę — rzuciła już normalnym głosem i Helen usłyszała jej oddalające się kroki na plecionym dywaniku, a potem na parkiecie prowadzącym do sypialni.

Gdy tylko Earlene znalazła się poza zasięgiem słuchu, Helen zwróciła się do Odelli.

— Co widzisz? — zapytała.

Usłyszała, jak Odella wyciera dłonie o spodnie z poliestru.

— Wszędzie porządek, na stole leży tylko jedna podkładka, więc wiadomo, że jada sama. — Urwała, cmokając. — Ma taki mały składany komputer, stoi na stole kuchennym, ale jest tam coś jeszcze. Nie wiem co, ale wygląda jak stare metalowe pudełko.

Earlene zawołała z sypialni:

— Zachlapałam bluzkę pastą do zębów, muszę się przebrać! Jeszcze moment!

— Nie spiesz się! — odpowiedziała Helen. Ściszając głos, rzuciła do Odelli: — Nie bądź za bardzo wścibska, ale zajrzyj tam, dobrze?

Poczuła, że Odella wstaje i przecina pokój lekkim krokiem.

— W głowie mi się nie mieści, co muszę dla ciebie robić z powodu twojej ślepoty. I robię to wcale nie dlatego, że się nad tobą lituję. Jesteś sprawniejsza niż większość znanych mi ludzi, którzy widzą.

Helen, zadowolona, że Earlene jeszcze nie skończyła się przebierać, zwróciła twarz w stronę, w którą skierowała się Odella.

— Co tam widzisz? — zapytała cicho.

— Tak jak mówiłam, metalowe pudełko... takie, jakie widuje się w bankach. No wiesz, jak sejf. Ma pokrywkę.

— Zajrzyj do środka, Odello. Tylko szybko.

— Jezu, Helen. Jeśli pani Lillian się dowie, żywcem obedrze mnie ze skóry. Poza tym nie mam czasu. Powinnam wstawić do pieca chleb kukurydziany, jeśli mamy o siódmej zasiąść do stołu. Wiesz, jak twoja babcia się złości, gdy kolacja się opóźnia.

— Pospiesz się! — syknęła Helen.

Lęk, że zostaną przyłapane, przypomniał jej epizod z dzieciństwa, kiedy z Tuckerem schowali się w bagażniku samochodu rodziców, licząc, że w ten sposób zostaną zabrani w jedną z ich podróży. Wyobrażali sobie, że gdy rodzice odkryją ich na lotnisku, będzie już za późno na powrót. Ale nie odjechali nawet spod domu, bo matka otworzyła bagażnik, żeby wsadzić do niego jeszcze jedną torbę, i znalazła ich zlanych potem i bliskich uduszenia. Nie było dla nich ważne, że prawdopodobnie uratowała im życie; byli rozczarowani i nie mogli pogodzić się z tym, że zostaną w domu.

Odella zatrzymała się na chwilę.

— W środku są kartki ze starego pamiątkowego albumu i zniszczona okładka. Wyglądają jak psu z gardła wyjęte. — Coś brzęknęło o metal. — I jeszcze naszyjnik. Taki z dyndającymi ozdóbkami, jakie ty nosisz przy bransoletce.

— Masz na myśli wisiorki?

— Uhm, tak. Jak anioł, którego pani Lillian nosi na łańcuszku.

Helen zacisnęła dłonie w pięści, bo usłyszała, że Earlene otwiera drzwi szafy w sypialni.

— Zajrzyj do tych kartek i przeczytaj coś.

Westchnieniu Odelli towarzyszył szelest papieru.

— Jest tu kupa starych zdjęć... wszystkie czarno-białe. Przeważnie są na nich jakieś dziewczynki... jedna z nich przypomina twoją babcię z dawnych czasów. I dużo koni.

— Ale co tam jest napisane?

Orientując się po głosie Helen, że musi się spieszyć, Odella odparła:

— Och, na wewnętrznej stronie okładki coś takiego: „Ta księga należy do Annabelle O'Hare, Lillian Harrington i Josephine Montet. Każdy, kto bez upoważnienia zajrzy do środka, straci życie". — Odella prychnęła. — Jest tu oddzielne zdjęcie tych trzech dziewczynek... siedzą na płocie wokół północnego pastwiska, jeśli się nie mylę. Z tyłu wypisano te same nazwiska i coś w obcym języku, czego nie rozumiem.

— Potrafisz to przeczytać? — Helen zwróciła ucho w stronę pokoju Earlene i z ulgą usłyszała szum wody dochodzący z łazienki.

Odella ze swoim wyraźnym akcentem z południowej Georgii przeczytała poszczególne słowa, kalecząc je wszystkie. Gdy dotarła do czwartego czy piątego, Helen wyprostowała się na poduszce, bo rozpoznała sentencję Cycerona. *Dum vita est, spes est.* Nauczyła się jej od babci, gdy jako dziecko leżała w łóżku chora, z gorączką, tego dnia, kiedy zrozumiała, że traci wzrok.

Usłyszała, że okładka opadła na kartki albumu i że pudełko zostało zamknięte. Odella usiadła na kanapie w chwili, gdy rozległy się kroki Earlene. Mardi na wszelki wypadek szczeknął ostrzegawczo.

Earlene weszła do salonu, wnosząc ze sobą zapach mydła.

— Przepraszam, że kazałam wam tak długo czekać.

Helen uśmiechnęła się, gdy Odella pomogła jej wstać.

— Nie ma sprawy. To ja przepraszam, że zjawiłyśmy się przed czasem. — Zwróciła się do Odelli: — Och, zanim zapomnę... przywiozłyśmy ci trochę rzeczy, papierowe ręczniki i płyn do mycia naczyń... bo zauważyłam, że się kończą, gdy uzupełniałyśmy lodówkę przed twoim przyjazdem. Zostawiłyśmy wszystko w wózku, więc musimy to jeszcze wyładować. Pamiętaj, żeby co poniedziałek przekazywać Odelli swoją listę zakupów. We wtorki jeździ do miasta, żeby uzupełnić zapasy, więc przy okazji może ci kupić to, czego będziesz potrzebowała.

— Świetnie, dzięki. Po tym porannym wypadku nie mam ochoty siadać za kierownicą. Odello, gdy odprowadzi pani Helen do wózka, to może weźmie pani te siatki i je przyniesie?

— Dobrze pomyślane — odparła Odella. Wzięła Helen pod rękę i wyprowadziła ją za próg, a potem sprowadziła po schodach.

Kiedy Earlene rozpakowywała siatki w domku, Helen odwróciła się do Odelli, zaintrygowana jej wcześniejszą uwagą.

— Dlaczego robisz dla mnie rzeczy, których normalnie byś nie zrobiła, jeśli nie ze względu na moją ślepotę?

Odella mruknęła szorstko:

— Bo jesteś taka sama jak twoja babcia. Lepiej ci się nie sprzeciwiać.

Helen uśmiechnęła się z roztargnieniem, bo przypomniała sobie coś, co Earlene powiedziała jej na cmentarzu. „Powinnaś porozmawiać z babcią, zanim będzie za późno. Poprosić, aby opowiedziała ci o sobie". Te słowa gnębiły ją od tamtego czasu. Życie Lillian stanowiło zawsze temat tabu, powiedziała jej to własna matka. Teraz jednak, myśląc o albumie i zdjęciach trzech dziewcząt, Helen zaczęła się zastanawiać, czy niechęć babci, aby opowiadać o sobie, na pewno wynikała z potrzeby zachowania prywatności i czy mrok panujący w jej domu nie odzwierciedlał jakiegoś mrocznego sekretu z przeszłości.

Earlene wyszła z domku i zajęła miejsce na tylnym siedzeniu wózka golfowego obok psa. Gdy jechały wyboistą drogą, Helen wciąż myślała o leżącym na stole albumie, w którym umieszczono imię i zdjęcie jej babci. Nurtowało ją, dlaczego łacińska maksyma Malily pojawiła się znowu w najmniej spodziewanym miejscu.

❦

— Dziękuję, że przyjechałyście, żeby zabrać mnie na kolację. Poszłabym pieszo.

Przytrzymałam się brzegu wózka i zacisnęłam wargi, żeby ich sobie nie przygryźć. Szybka jazda po wybojach nie robiła wrażenia na psie, który oparł wielki łeb na mojej różowej

121

spódnicy w kwiaty i nosem zrobił na niej mokrą plamę. Ponieważ nie miałam gdzie oprzeć drugiej ręki, położyłam ją na szyi Mardiego.

Helen odwróciła głowę. W jej pięknych ciemnozielonych oczach odbijał się złoty zachód słońca, pasujący do sukienki z szantungu, którą miała na sobie. Każda inna kobieta wyglądałaby idiotycznie w takiej sukience na wózku golfowym.

— To żaden kłopot. — Uśmiechnęła się do mnie. — I tak miałyśmy ci przywieźć tamte rzeczy. Ale muszę przyznać, że był jeszcze jeden powód.

Zesztywniałam i Helen uniosła brew, jakby wyczuła moją obawę.

— Naprawdę? — Nawet dla mnie zabrzmiało to zbyt niedbalc.

— Na kolację przyjdzie mój brat Tucker z córeczkami, Sarą i Lucy. Proszę, nie wspominaj przy nim o Susan. On... cóż, nie rozmawia o niej. Zwłaszcza przy dziewczynkach.

Próbowałam ukryć ulgę.

— Och, dobrze, że mnie uprzedziłaś.

Helen zwróciła twarz w kierunku jazdy i resztę drogi pokonałyśmy w milczeniu, jakby składając hołd stojącym na straży dębom, które mijałyśmy.

Odella zatrzymała się gwałtownie przed ogrodem, na który już wcześniej zwróciłam uwagę.

— Panno Smith, mogłaby pani zaprowadzić Helen do środka? Ja muszę biec do kuchni, żeby wstawić do pieca chleb kukurydziany.

— Oczywiście. Niech pani biegnie.

Pomogłam Helen wysiąść i położyłam sobie jej dłoń na przedramieniu. Uniosła palec i zaczekałyśmy, aż Odella zniknie za rogiem.

— Dziękuję ci, Earlene, ale poradzę sobie. Odella lubi się o mnie troszczyć, więc pozwalam jej na to. Nie mam laski, więc zaprowadź mnie tylko do pierwszego stopnia, dalej pójdę sama. Chyba że chcesz skorzystać z windy w środku?

Moja broda jakby żyła własnym życiem i teraz nieco się wysunęła, tak samo jak kiedyś, gdy mi mówiono, że nie zdobędę wstęgi podczas jakichś zawodów.

— Nie — odparłam. — Pójdę schodami.

Starałam się iść wolno, gdy ruszyłyśmy do schodów, tymczasem okazało się, że z trudem nadążam za Helen, która robiła całkiem duże kroki. Gdy tylko doszłyśmy do barierki przy schodach, odsunęła się ode mnie.

— Masz śliczną sukienkę — powiedziałam, kuśtykając za nią po schodach. Gdy dotarłyśmy do podestu, dyszałam z wysiłku, a kolano zaczęło dawać mi się we znaki. — Jestem ciekawa, jak ty... no wiesz... — Urwałam, bo uzmysłowiłam sobie, że wkraczam na grząski grunt.

— Kupuję, kierując się dotykiem. Jeśli podoba mi się materiał, proszę sprzedawczynię czy kogoś, kto mi towarzyszy, żeby opisali kolor i fason. Ale najpierw dotykam materiału. — Ruszyła dalej po schodach, ale tym razem szła wolniej i zaczęłam podejrzewać, że robi to ze względu na mnie.

— Malily czeka w salonie, tam gdzie już raz byłaś. Jeśli dopisze nam szczęście, będzie już po kilku drinkach. Jeżeli jest tam Tucker i bawi się w barmana, poproś o martini. To jego specjalność, robi najlepsze.

Kiwnęłam głową. Weszłam za Helen do mrocznego przedsionka, a potem podążyłam ciemnym korytarzem za schodami do pokoju, w którym przyjęto mnie po przyjeździe. Kiedy wkroczyłam do środka, odniosłam wrażenie, że widzę królową i jej dwór. Lillian Harrington-Ross zajmowała ten sam pozłacany fotel co poprzednio, ale na podłodze po obu jej stronach siedziały dwie małe blondyneczki o włosach jak blask księżyca. Miały na sobie identyczne żółte sukienki na ramiączkach i każda z nich bawiła się złotą bransoletką z brylancikami. Młodsza dziewczynka wyciągnęła rękę do światła. Patrzyła, jak brylanciki mienią się w nielicznych promieniach słońca przenikających do pokoju i rzucają blask na ściany oraz meble. Starsza tylko przyglądała się swojej bransoletce. Zauważyłam, że Lillian nie miała żadnej bransoletki na ręce, i jednocześnie dostrzegłam mężczyznę, który stał przy otwartym kredensie.

Zatrzymałam się w progu za Helen, bo miałam ochotę umknąć z pokoju niezauważona. Nagle uświadomiłam sobie, że spódnica nie zakrywa dokładnie blizn na moim kolanie. Poczułam, że Helen pociąga mnie za sobą, i jęknęłam w duchu, gdy wprowadziła mnie do pokoju. Najpierw przywitałyśmy się z Lillian, potem Helen przedstawiła mi swoje bratanice, Lucy oraz Sarę, i wreszcie zwróciła się do mężczyzny.

— Tucker, poznaj Earlene Smith. Mówiłam ci o niej: jest genealogiem i wynajęła na kilka miesięcy domek zarządcy. Earlene, to mój młodszy, ale nie tak atrakcyjny brat, doktor William Tecumseh Gibbons... inaczej zwany Tuckerem.

W oczach miał ten sam niesamowity wyraz, który widziałam na pastwisku, ale jego usta wyraźnie ułożyły się do uśmiechu.

— Właściwie już się poznaliśmy, choć nie przedstawiliśmy się sobie. Earlene próbowała zaprzyjaźnić się z naszym nowym gniadoszem. — Teraz już uśmiechał się szeroko i skóra jego twarzy wręcz napięła się z wysiłku.

Helen odwróciła się do mnie.

— Myślałam, że boisz się koni.

Zaczerwieniłam się z irytacji i ze zmieszania, bo przypomniałam sobie, jak leżałam rozciągnięta na ziemi, gdy wałach przeszukiwał mi kieszenie w poszukiwaniu przekąski.

— Nie próbowałam się z nim zaprzyjaźnić. To było po tym, jak mój samochód utknął w błocie i usiłowałam znaleźć drogę do domu, żeby ściągnąć pomoc. Przechodziłam przez pastwisko, koń mnie... zaskoczył i upadłam.

— Tucker nie zaoferował pani pomocy? — zapytała Lillian, która pochyliła się w fotelu, ściskając w dłoni kieliszek sherry.

Nie patrząc nikomu w oczy, odpowiedziałam:

— Nie prosiłam o nią. Myślałam tylko o tym, żeby oddalić się od konia.

Helen pokazała Tuckerowi dwa uniesione palce, a on wyjął dwa kieliszki do martini. Przygotowując drinki, powiedział:

— Chociaż, jak powiedziałem ci wtedy, Earlene, jesteś pierwszą osobą, którą w ogóle się zainteresował. Albo wyczuł twój strach, albo... — Podał mi martini. — Albo co innego. Może to, że umiesz się obchodzić z końmi. — Podszedł do Helen i włożył jej kieliszek do ręki. Potem wrócił do kredensu i wziął dla siebie tradycyjną podwójną whisky w dużej szklance.

Zdałam sobie sprawę, że wszyscy patrzą na mnie i czekają na moją odpowiedź.

— Kiedyś rzeczywiście jeździłam konno... dawno temu. Ale miałam wypadek i nie odczuwam ani potrzeby, ani chęci, aby znowu znaleźć się w siodle. — Pociągnęłam kolejny łyk drinka, przestraszona, że zbliżam się już do dna, i uśmiechnęłam się z przymusem. — Jak wiele dziewczynek miałam obsesję na punkcie koni, ale dorosłam i to się skończyło.

Sara przysunęła się do mnie i usiadła mi u stóp. Właśnie się zastanawiałam, co zrobić z pustym kieliszkiem, gdy poczułam małą rękę na swojej gołej nodze.

— Ma pani tu duże ziaziu.

Spojrzałam na nią. Uniosła głowę i patrzyła na mnie szeroko otwartymi kryształowo niebieskimi oczami. Miała zmarszczone czoło i drżała jej dolna warga. Choć wiedziałam, że to będzie bolało, przykucnęłam przed nią, żeby spojrzeć jej w oczy.

— To dawne ziaziu i już się zagoiło. — Zastanawiałam się, co jej jeszcze powiedzieć; wiedziałam, że ponieważ wychowuje się wśród koni, nie powinnam nic mówić o dużym koniu, przez którego się zraniłam. Zapytałam ją więc: — Widziałaś *Czarnoksiężnika z Krainy Oz?*

Pokiwała głową z emfazą.

— Więc pamiętasz Blaszanego Drwala. Lekarze wstawili mi tu kawałek metalu, żebym lepiej chodziła. — Poklepałam się po kolanie. — Widzisz? I po sprawie.

Dziewczynka wciąż marszczyła czoło.

— Ale musiał zardzewieć, bo pani wciąż utyka. Może trzeba go naoliwić.

— Wystarczy tego, Saro. — Tucker podszedł i wziął córeczkę na ręce.

Wstałam, choć kolano mi zesztywniało, i pochwyciłam wzrok Tuckera.

— Przepraszam — powiedział do mnie cicho. — Dzieci...

— Nic się nie stało. Jest po prostu ciekawa. — Spojrzałam na Sarę, która znowu zaczęła bawić się bransoletką, i zauważyłam, że ojciec trzyma ją niezgrabnie, jakby nie robił tego często. On spostrzegł, jak na niego patrzę, i szybko odstawił dziewczynkę na podłogę. Miała jednak podwiniętą i pogniecioną sukienkę. Bez zastanowienia pochyliłam się, żeby ją obciągnąć i wygładzić. Gdy moje palce dotknęły tiulu i bawełny, nagle przypomniałam sobie, jak babcia zaplatała mi warkocze przed zawodami, swoimi spracowanymi rękami obciągała mi żakiet i strzepywała pyłki.

Wstałam, czując, że kręci mi się w głowie — wspomnienie było bardzo żywe i ogarnęło mnie poczucie winy. Nie pamiętałam, żeby babcia oglądała mnie na zawodach, a przecież musiała. Kto inny by zadbał, żeby mój strój do jazdy konnej prezentował się nienagannie?

— Dobrze się czujesz? — Tucker zmrużył oczy z niepokojem.

Wybawiło mnie pojawienie się w progu Odelli.

— Kolacja na stole. Lepiej się pospieszcie, bo wystygnie.

Tucker podszedł do babci, żeby pomóc jej wstać z fotela i zaprowadzić ją do jadalni, a Helen zawołała Sarę, prosząc, żeby wzięła ją za rękę. Lucy i ja byłyśmy zdane na siebie. Ku mojemu zaskoczeniu dziewczynka podeszła do mnie z powagą i podała mi rączkę.

Odezwała się do mnie cicho, wymawiając starannie każde słowo, jakby zwykle jej nie rozumiano.

— Może się pani o mnie oprzeć, jeśli pani chce. Nie przeszkadza mi to. Chyba kolano wciąż panią boli i dlatego pani utyka. Ciocia Helen jest niewidoma, a mama była... — Urwała, ale zachęciłam ją, aby dokończyła. — Chcę przez to powiedzieć, że jesteśmy przyzwyczajone do osób niepełnosprawnych.

Spojrzałam na dziewczynkę, zdumiona jej dojrzałością i moją ignorancją. Ani razu od wypadku nie pomyślałam o sobie, że jestem niepełnosprawna. Teraz nagle zobaczyłam, jak muszą widzieć mnie inni, i aż się wzdrygnęłam.

Jadalnia ze ścianami w kolorze karmazynu i z ozdobnym sufitem była słabo oświetlona, świece na stole rzucały cienie przypominające drapowaną koronkę. Zasłony w czterech wielkich oknach, od podłogi do sufitu, były zaciągnięte, a wielki kryształowy żyrandol oraz ozdobne kinkiety na ścianach nie mogły rozproszyć ciemności.

Tucker posadził Lillian przy jednym końcu stołu, potem przysunął krzesła reszcie z nas i sam zajął miejsce przy drugim jego końcu. Odella przyniosła już wszystkie półmiski, więc zaczęliśmy nakładać jedzenie, przekazując sobie poszczególne dania zgodnie z ruchem wskazówek zegara. Po lewej stronie miałam Tuckera, a po prawej Lucy. Myślałam, że dziewczynce trzeba będzie pomóc przy cięższych talerzach, ale najwyraźniej postanowiła, że sama sobie poradzi.

Patrzyłam, jak Tucker nakłada jedzenie Helen, potem Sarze, kroi im wszystko na małe kawałki, a następnie wstaje i zanosi półmiski Lillian.

Przyglądałam mu się kątem oka, ukradkiem, i widziałam, z jaką powagą wbija nóż w mięso, jak łagodnieją mu rysy, gdy zwraca się do Helen, z jaką troską spogląda na córki. Pomyślałam o nieżyjącej Susan i zaczęłam się zastanawiać, gdzie by siedziała. Wtedy z konsternacją uświadomiłam sobie, że pewnie zajmuję jej miejsce. Może dlatego Tucker na mnie nie patrzył.

Helen zwróciła się do babci:

— Malily, kiedy wczoraj rozmawiałam z Earlene, przyszło mi do głowy, że mogłabyś jej pomóc w poszukiwaniach. — Żuła starannie kęs szynki. — Pracuje na zlecenie przyjaciółki, prowadzi badania na temat historii tutejszych rodów. W każdym razie byłyśmy na cmentarzu i oglądałyśmy obelisk na grobie dziadka Charliego, gdy nagle uświadomiłam sobie, że tak naprawdę nie wiem, jak wyglądało twoje życie w Asphodel Meadows, zanim wyszłaś za mąż. Mogłabyś opowiedzieć Earlene o tych czasach, o ludziach, którzy tu bywali. To na pewno by jej bardzo pomogło.

Helen skierowała na mnie wzrok i choć wiedziałam, że jest niewidoma, odniosłam wrażenie, że nie tylko mnie widzi, lecz także przenika spojrzeniem. Ciekawa byłam, czy zdaje sobie sprawę, jak bardzo Lucy jest do niej podobna.

Lillian piła już drugi kieliszek wina i miała przymglony wzrok. Pomyślałam, że Helen jest tego świadoma i dlatego postanowiła „zaatakować" ją przy stole. Mówiła trochę niewyraźnie, połykając ostatnie głoski.

— Urodziłam się tu, w Asphodel. W tym łóżku, w którym śpię co noc. Pewnie też zostałam w nim poczęta, ale to nigdy nie była kwestia, o którą dobrze wychowana młoda dama mogła zapytać rodziców. — Lekko uniosła kącik ust w groźnym uśmiechu. Znowu napiła się wina. — To było w tysiąc dziewięćset dziewiętnastym, rok przed tym, jak kobiety zdobyły prawo do głosowania, choć czarni wciąż go nie mieli, mimo piętnastej poprawki, która im to gwarantowała. Od dobrze urodzonych panien oczekiwano wtedy, że ograniczą swoje aspiracje do wyjścia za mąż i rodzenia dzieci. — Przerwała, pogrążona we wspomnieniach. — Byłam jedynaczką, choć nie z woli rodziców. Na cmentarzu leżą czterej moi bracia, którzy nie przeżyli roku. Prawie nie znałam matki. Zmarła, kiedy miałam osiem lat, a wcześniej głównie opłakiwała nieżyjące potomstwo. — Zapatrzyła się w kieliszek z winem. — Pewnie dlatego nie mam cierpliwości do ludzi, którzy nie idą do przodu.

Urwała nagle, patrząc na Tuckera, który znieruchomiał. Opróżniła kieliszek.

— Lekarze nie byli pewni, czy umarła z powodu ciężkich porodów, czy na skutek bólu po stracie dzieci, ale zawsze myślałam, że z ulgą opuściła ten świat.

Oparła się na krześle i przysunęła pusty kieliszek. Na jej twarzy pojawiło się rozmarzenie, jakby znalazła się gdzie indziej, daleko od nas. Przymknęła oczy.

— To były wspaniałe czasy dla zdrowych, pełnych życia młodych ludzi. Zostaliśmy sami z ojcem, tylko ja, on i moje piękne, przepiękne konie. Jeździłam na nich codziennie. Nawet w deszczu, w zimnie i w upale. To były piękne konie... — powtórzyła, lekko bełkocząc.

— A dziadek Charlie? Nigdy nam nie mówiłaś, jak się poznaliście.

Lucy i Sara jadły posłusznie wszystko, co miały przed sobą, łącznie z warzywami, choć wyglądało na to, że większość groszku z talerza Sary ląduje na wykrochmalonej białej serwecie. Mimo że dziewczynka siedziała na kilku książkach telefonicznych, ledwie sięgała brodą stołu, ale radziła sobie. Miała na twarzy wyraz determinacji i zastanowiło mnie, czy odziedziczyła ją po Tuckerze, czy po Susan.

Lillian nabiła na widelec kawałek szynki, przyjrzała mu się i odłożyła go z powrotem na talerz.

— Ojciec poznał nas ze sobą. Charlie był dobrze zapowiadającym się pracownikiem banku i ojciec uznał, że pasujemy do siebie.

— I zakochałaś się w nim? — zapytała Helen.

Zerknęłam na nią, żeby sprawdzić, czy naprawdę usłyszałam w jej pytaniu nadzieję.

— Charles był doskonałym tancerzem. Umiał tańczyć i tradycyjne tańce, i te najnowsze. Zabierał mnie na przyjęcia i szaleliśmy na parkiecie przez całą noc, aż zdzierałam pantofle.

Helen patrzyła niewidzącym wzrokiem w talerz. Byłam ciekawa, czy też zauważyła, że Lillian nie odpowiedziała na jej pytanie.

Chrząknęłam.

— Helen i ja poszłyśmy wczoraj na wasz rodzinny cmentarz. Nagrobek pani męża robi wrażenie. — Chciałam, żeby Lillian na mnie spojrzała, bo wtedy bym się przekonała, jak daleko mogę się posunąć. Miała jednak szklisty, pusty wzrok, choć jej twarz nie straciła surowości. Ciągnęłam więc: — Z tyłu w rogu, obok dużego dębu, znajduje się mały grób z kamienną postacią anioła. W pobliżu powoju księżycowego. Ciekawi mnie, kto jest tam pochowany. Pomyślałam, że pani będzie wiedziała.

Wyraz jej twarzy się nie zmienił, ale w oczach pojawił się jakiś błysk, gdy na mnie spojrzała.

— Obawiam się, że nie wiem. Zawsze sądziłam, że to któryś z moich młodszych braci. Mógł urodzić się martwy i nie nadano mu imienia. — Uważnie odstawiła kieliszek na stół i wzięła widelec. Dłoń drżała jej prawie niewidocznie. — To było bardzo dawno temu, rozumie pani. Nie mam już takiej pamięci jak kiedyś. — Nałożyła na widelec kawałek pieczonego ziemniaka i włożyła go do ust.

— A twoi przyjaciele, Malily? Miałaś jakieś bliskie przyjaciółki w dzieciństwie? — zapytała Helen, zwracając twarz ku babce.

Popatrzyłam na nią, zastanawiając się, skąd wiedziała, o co pytać. A potem odwróciłam się w stronę Lillian i czekałam na jej odpowiedź.

Przeżuła kęs, który miała w ustach, i z wyraźnym trudem go przełknęła. Potem odłożyła widelec na talerz; w panującej ciszy rozległ się brzęk metalu uderzającego o porcelanę. Powoli podniosła rękę do szyi, na której miała jak zwykle łańcuszek z wisiorkiem w kształcie anioła, taki sam jak ten, który przezornie zdjęłam przed przyjściem tutaj, i zacisnęła na nim swoje artretyczne palce.

— Nie — szepnęła i zauważyłam, że Helen zamarła. — Może jakieś. Jednak nie pamiętam żadnej w szczególności. — Ale jej pierś uniosła się i opadła, jakby kosztowało ją to wiele wysiłku, a anioł na łańcuszku mrugnął do mnie w blasku świecy.

Helen sięgnęła po chleb, a Tucker podał jej maselniczkę, stukając nią wcześniej o jej talerz. Wzięła nóż do masła, odkroiła z kostki zgrabny kawałek i położyła go sobie na talerzu. Odezwała się z dobrze udawaną nonszalancją, jakby wiedziała, że Lillian skłamała:

— Masz kontakt z którąś z nich?

Skierowała wzrok w moją stronę, jakby chciała spojrzeć mi w oczy, i znowu odniosłam niesamowite wrażenie, że widzi mnie na wylot i wie dobrze, dlaczego wstrzymałam oddech, czekając na odpowiedź.

Z chudej piersi Lillian wyrwało się westchnienie, niosące ze sobą minione lata, stracone godziny, nic nieznaczące, za którymi jednak potem się tęskni.

— Wszystkie już nie żyją. Nie został nikt, kto by pamiętał... pamiętał... — Umilkła, sięgając po kieliszek i uświadamiając sobie, że jest pusty.

— Co pamiętał, Malily? — zapytał Tucker, który zastygł w bezruchu z uniesionymi sztućcami, czekając, jak my wszyscy, żeby dokończyła.

Zegar w holu wybił godzinę. Naliczyłam osiem uderzeń i pomyślałam, że czas szybko płynie.

Lillian zapatrzyła się w pusty kieliszek z lekkim uśmiechem na twarzy.

— Jego.

— Dziadka Charliego? — ponownie spytał Tucker, odłożywszy sztućce na brzeg talerza.

Lillian wyprostowała się na krześle i rozejrzała dokoła, jakby nagle zdała sobie sprawę z tego, gdzie jest. Pokręciła głową, żeby odzyskać jasność umysłu.

— Nie — odpowiedziała. — Już tylko ja pamiętam...

Skupiła wzrok na Sarze, wyciągnęła rękę i pogłaskała miękką skórę na dłoni dziewczynki, jak matka głaszcze buzię niemowlęcia. Po plecach przebiegł mi dreszcz i zjeżyły mi się włoski na karku.

— Ale co takiego? — Helen pochyliła się ku babce, zwracając twarz w stronę okna, gdzie zza zamkniętych okiennic dochodziło słabe światło zmierzchu.

Ostatnie słowa Lillian były prawie niesłyszalne, tak ciche, iż mogłabym pomyśleć, że wcale nie padły.

Staruszka zbladła i Tucker wstał tak szybko, że jego krzesło szurnęło po podłodze. Zadzwonił małym dzwonkiem, który stał przy nakryciu babci, i wziął ją za rękę.

— Chyba upał źle na ciebie działa, Malily. Odella zaprowadzi cię do sypialni, żebyś mogła się położyć, dobrze?

Odella tymczasem wniosła tacę z kawą dla dorosłych i lodami dla dzieci. Spojrzała na mnie.

— Jeśli mogłaby pani wziąć to ode mnie, zaprowadziłabym panią Lillian do jej sypialni.

Kiwnęłam głową, patrząc z niepokojem, jak Tucker pomaga babce wstać. Ręce drżały jej tak, że nie mogła utrzymać w nich laski. Tucker nie spuszczał oczu z Odelli, która wzięła staruszkę pod rękę i delikatnie wyprowadziła z jadalni.

Spojrzenia wszystkich zwróciły się na mnie, gdy odstawiłam tacę i zaczęłam nalewać kawę. W głowie niczym fale morskie huczały mi słowa Lillian, uspokajające i jednocześnie budzące niepokój. „Prawdę" — powiedziała w końcu. Przypomniałam sobie, jak pogładziła rękę Sary, a potem zobaczyłam przed oczami sweterek i kocyk, które znalazłam na strychu u dziadków. Lillian kłamała, gdy mówiła, że nie miała w dzieciństwie żadnych przyjaciółek. Ale słyszałam, jak powiedziała: „Prawdę". I zaczęłam się zastanawiać, czy jej prawda nie rzuci światła na sekrety z przeszłości mojej babci.

ROZDZIAŁ 10

— A ty nic nie pijesz? — zapytała Helen, zwracając twarz w stronę Earlene. — Nie słyszę, żebyś odstawiała filiżankę na spodek. Nie masz ochoty na kawę?

— Nie. Mam... kłopoty z zasypianiem. Staram się nie pić pod wieczór nic z kofeiną. Podać ci cukier albo mleczko?

Helen pokręciła głową.

— Nie, dziękuję. Zwykle słodzę jedną łyżeczkę, ale Tucker już się tym zajął. — Wyciągnęła rękę i poklepała brata po ramieniu, nie bardzo wiedząc, czy tym gestem chce uspokoić jego, czy samą siebie.

— Nic jej nie będzie?

Helen nie musiała pytać, kogo Earlene ma na myśli.

— Malily to twarda sztuka... i mówię to z całym szacunkiem. Pewnie nawet zgodziłaby się ze mną. Nie zwali jej z nóg byle powiew wiatru. Powiedziała coś, co pomoże ci w twoich poszukiwaniach?

Nastąpiła krótka chwila ciszy, zanim Earlene odpowiedziała:

— Nie wiem. Kiedy wrócę do domku, porobię notatki i niewykluczone, że później, gdy na coś trafię, da to razem jakiś obraz. Dopiero wtedy się przekonam.

Helen w zamyśleniu zamieszała kawę.

— Powiesz mi, jeśli coś znajdziesz? Zawsze chciałam robić to co ty, grzebać w przeszłości. Nieznajomość własnej historii jest trochę deprymująca.

Earlene potarła dłonie o obrus, jakby nagle musiała znaleźć sobie jakieś zajęcie.

— To tak, jakby dryfowało się w łódce na oceanie bez kotwicy. — Wypowiedziała te słowa szeptem, niepewna, czy chce, aby wszyscy je usłyszeli.

Helen oparła się na krześle. Słuchając, jak dziewczynki wyskrobują łyżeczkami lody z pucharków, miała wrażenie, że brat jej się przygląda. Czuła dziwną więź z tą cichą, smutną kobietą. Może dlatego, że obie prawie nie miały matek, płynęły z prądem bez ich opowieści, które by je prowadziły. A może Helen po prostu wyczuwała, że szły przez świat pociemniały nagle wskutek wydarzeń, na które nie mogły mieć wpływu.

Pochyliła się w stronę Earlene.

— Zanim wyjdziesz, dam ci coś, co może ci pomóc w poszukiwaniach.

— Helen. — W głosie Tuckera zabrzmiało ostrzeżenie.

— To tylko kilka dokumentów i listów rodzinnych, Tuck. Resztę oddałam Malily, gdy zrobiłam porządki w domku.

— Nie chciałbym tylko... — Nie dokończył, zapewne wskazując Earlene.

— Wiem — uspokoiła go. — Wszystko będzie dobrze.

Poczuła, że brat się odpręża, oddycha spokojniej. Kiedy znowu się odezwał, zwrócił się do gościa:

— Więc jeździsz konno?

— Kiedyś jeździłam — odparła ostrożnie Earlene. Helen była ciekawa, czy Tucker też to zauważył.

— Powiedziała, że spadła z konia, nie pamiętasz, tatusiu? Dlatego już nie jeździ. — Sara mówiła głośno, ale wszyscy już się do tego przyzwyczaili. Helen przypuszczała, że tak bywa, gdy się jest najmłodszym i trzeba walczyć o prawo głosu. Dziewczynka ciągnęła: — Malily zawsze mówi, że jeśli się spadło z konia, to najlepiej szybko znowu na niego wsiąść, bo inaczej człowiek zapomina, po co w ogóle na nim jeździł. — Mówiła z lodami w buzi, ale Helen nie skarciła jej za to. Za bardzo ciekawiła ją odpowiedź Earlene.

Wyczuła, że ta zmusza się do uśmiechu.

— Tak, myślę, że twoja prababcia ma rację. — Brzęknęło szkło i Helen wyobraziła sobie, że Earlene popija wodę. — Ale ja... hm, pomyślałam, że jeździłam już wystarczająco długo i pora zająć się czymś innym.

— Jak genealogia. — W głosie Tuckera nie było słychać sarkazmu, tylko zdziwienie.

Babka wsadziła go na konia, gdy miał dwa lata, i od tego czasu konie i jazda konna stanowiły nieodłączną część jego życia. Nawet w czasie studiów medycznych i małżeństwa funkcjonowały jako coś w rodzaju kotwicy, niezależnie od tego, co na jego drodze stawiał los.

— Jak genealogia — powtórzyła sucho Earlene.

Odezwała się Lucy, a jej czysty wysoki głosik kłócił się z dojrzałą uwagą, którą wypowiedziała.

— Myślę, że blizny na jej kolanie są po upadku z konia, a to znaczy, że było to coś gorszego niż zwykły upadek. Może miała powód, żeby przestać jeździć.

Cisza, która zapadła, aż dzwoniła w uszach, nawet Sara zamilkła.

W końcu odezwał się Tucker:

— A może to dobry powód, żeby znowu zacząć jeździć.

Helen usłyszała, że krzesło Earlene przesunęło się po dywanie.

— Chyba muszę już iść. Dziękuję bardzo za kolację. Wrócę do domku na piechotę...

— Nie bądź głupia — powiedziała Helen, odsuwając swoje krzesło. — Komary zjedzą cię, zanim dotrzesz do końca alei. Odella raczej posiedzi jeszcze przy Malily, ale Tucker na pewno chętnie cię odwiezie. — Nie czekając, żeby ktoś zaprotestował, wstała. — Tucker, ponieważ niania ma dziś wychodne i dziewczynki nocują tutaj, może położysz je do łóżek, a ja zabiorę Earlene na górę i dam jej te obiecane papiery? A potem będziesz mógł odwieźć ją do domu.

Żadne z nich nie odpowiedziało od razu i Helen nie mogła się zorientować, które z nich z większą niechęcią przyjęło jej propozycję: Earlene, która uciekała, gdy tylko ktoś chciał wejrzeć w jej życie, czy Tucker, który od śmierci żony częściej przebywał z końmi niż ze swoimi dziećmi.

Helen wyciągnęła rękę.

— Earlene, weź mnie pod ramię, razem pójdziemy na górę. Nie chciałabym się potknąć na schodach i wywrócić. — Nie lubiła wykorzystywać swojej ślepoty, ale pomyślała, że kobieta potrzebuje pomocy, podobnie jak Tucker, który powinien więcej czasu spędzać z córkami. Zrobiła więc to, co uważała za konieczne.

Poczuła na swoim nagim ramieniu chłodne palce Earlene, a potem poprowadziła ją po wielkich schodach, które otaczały hol i łukiem wiodły na górę. Ukryła smutny uśmiech, zastanawiając się, która z nich jest bardziej ślepa.

❧

Przyspieszyłam kroku, żeby nadążyć za Helen, która tak naprawdę nie potrzebowała mojej pomocy. Cieszyłam się, że wyszłam z jadalni, poza tym nie mogłam się już doczekać, kiedy zobaczę dokumenty. Czytając zapiski babci, wciąż się zastanawiałam, gdzie są kartki, które napisały Lily i Josie. Z krótkiej wymiany zdań między Helen a Tuckerem wynikało, że raczej ich nie dostanę, ale miałam nadzieję, że w obiecanych papierach znajdę jakieś nawiązanie do albumu albo naszyjnika — cokolwiek, co dałoby mi podstawę do rozmowy z Lillian.

Po raz pierwszy od bardzo dawna poczułam tęsknotę w swoim niegdyś nieustraszonym sercu. Wspinając się po schodach, zaczęłam się zastanawiać, co ją obudziło, i doszłam do wniosku, że były to słowa Sary. Powiedziała: „Malily zawsze mówi, że jeśli się spadło z konia, to najlepiej szybko znowu na niego wsiąść, bo inaczej człowiek zapomina, po co w ogóle na nim jeździł". Przypomniałam sobie, gdzie wcześniej słyszałam coś takiego. Byłam mała, jeździłam jeszcze na Bennym, moim pierwszym kucu. Spadłam z niego, bo nie uważałam, i nie tyle się potłukłam, ile poczułam się zraniona w swojej dumie. Babcia wzięła mnie wtedy w ramiona i postawiła na nogi, na twarzy dziadka widziałam tylko rozczarowanie. Pochyliwszy się, żeby otrzepać mi kołnierzyk, babcia wyjaśniła, dlaczego powinnam znowu wsiąść na konia.

Była to pierwsza z dwóch okazji, gdy powiedziano mi, żebym nie rezygnowała z jazdy konnej. Chyba nie podziękowałam jej za to. Przyjmowałam od niej mądre rady, tak jak przyjmowałam pieczonego kurczaka na talerzu albo chleb kukurydziany — jak pożywienie, którego potrzebowałam i o którym zapominałam, gdy tylko pojawiło się przede mną nowe wyzwanie. A potem spadłam z Fitza i niemal straciłam życie. Babcia jednak mieszkała już wtedy w domu opieki i nie było nikogo, kto by mi powiedział, żebym z powrotem wsiadła na konia, a potem zapomniałam, dlaczego w ogóle na nim jeździłam.

Helen wyciągnęła rękę i zaczęła sunąć palcem po ścianie, licząc mijane drzwi, a ja próbowałam dojść, jak to się stało, że nagle przestałam się skupiać na sobie. Miało to związek z tym, co powiedział Tucker: że porzuciłam jazdę konną dla genealogii. W jego głosie brzmiało zdziwienie; był zdumiony, jak ktoś, kto patrzy na człowieka, który umiera z głodu, ale zamiast posiłku z czterech dań wybiera szklankę wody.

Spojrzałam mu w oczy, jednak nie zobaczyłam w nich oskarżenia, raczej coś znajomego. I zrozumiałam, że on wie, jak to jest, gdy człowiek nie może wskoczyć w siodło, wie, że bieganie czy nawet lot samolotem nie daje takiego poczucia wolności i mocy jak galop pod wiatr. Żeby być dobrym jeźdźcem, trzeba być delikatnym i zuchwałym jednocześnie; wyczułam, że Tucker Gibbons jest kimś, kim ja byłam kiedyś. Zauważyłam też jednak, że gdy na mnie patrzył, zupełnie nie widział tamtej dawnej Piper. Początkowo to mną wstrząsnęło. Wstrząsnęło tak mocno, że poczułam tęsknotę w sercu i poszłam za Helen po schodach, zamiast umknąć z tego domu, jak podpowiadał mi instynkt.

Helen przystanęła przy trzecich drzwiach w mrocznym holu, a potem przekręciła gałkę i otworzyła drzwi. Nacisnęła włącznik, co sprawiło, że pokój zalało światło z sufitu i ze ścian. Potem weszła do środka i włączyła lampy na stole.

— Dobrze widzisz? — upewniła się.

Zachciało mi się śmiać. Miałam wrażenie, jakbym znalazła się w pudełku z kredkami, bo każda ściana była jaskrawsza od poprzedniej. Na wysokich słupkach staroświeckiego łóżka upięto purpurowy szyfon, kontrastujący z pikowaną narzutą w kolorze fuksji i limonkowej zieleni, a także poduszkami i zagłówkiem od kompletu.

— Doskonale. Chyba nawet przydałyby mi się okulary przeciwsłoneczne.

Helen uśmiechnęła się i podeszła do biurka w stylu królowej Anny, stojącego pod owalnym oknem po tej stronie domu, której jeszcze nie widziałam.

— Malily pomogła mi urządzić ten pokój. Chciałam, żeby było kolorowo, i zapewniła mnie, że będzie.

Stałam pośrodku, podziwiając, jak limonkowy dywanik na podłodze pasuje do barwy sufitu.

— Owszem, jest, i to bardzo. Pięknie tu. — Przywołałam przed oczy obraz surowej Lillian, z którą właśnie jadłam kolację, i nie mogłam sobie wyobrazić, że zgodziła się w taki sposób urządzić pokój w swoim domu. Ale zrobiła to dla niewidomej wnuczki i to skłoniło mnie do zastanowienia się, jakie jeszcze niespodzianki kryją się za wyrafinowaniem Lillian Harrington-Ross.

Helen wysunęła dolną szufladę biurka i wyjęła z niej duży segregator, pełen papierów, które niemal rozsadzały okładki.

— Po śmierci Susan Odella pomogła mi zebrać papiery i wsadzić je tutaj. Przeczytałabym je, gdybym mogła, ale ponieważ nie mogę, czekałam, aż zjawi się odpowiednia osoba, która mi to umożliwi. — Podała mi segregator. — Pożyczę ci je, o ile obiecasz, że mi powiesz, jeśli znajdziesz w nich coś ciekawego.

Wzięłam segregator; jego ciężar uświadomił mi, jakie otwierają się przede mną możliwości.

— Dobrze... obiecuję. — Przycisnęłam cenną zdobycz do piersi. — Ale wspomniałaś wcześniej jeszcze o pamiątkowym albumie należącym do twojej babci...

Wyprostowała się i zanim odpowiedziała, przechyliła głowę na bok, tak jak wcześniej zrobiła to Lucy.

— Malily prosiła, żebym go jej oddała, więc oddałam. Powiedziała, że na reszcie jej nie zależy. Właściwie to nie album... tylko kartki, które zostały z niego wyrwane. Nie wiem, gdzie jest pozostała część.

Spojrzała w moją stronę swoimi zielonymi oczami i musiałam sobie przypomnieć, że nie widzi, jak się wiję pod wpływem jej wzroku.

— To na pewno bardzo mi pomoże w moich poszukiwaniach. Dziękuję. I obiecuję, że zdam ci raport, jeśli trafię na cokolwiek.

Drzwi się otworzyły i do pokoju wbiegł Mardi, który natychmiast namierzył Helen. Ta przykucnęła, żeby podrapać go za uszami.

— Chyba już pora spać, prawda? — Zwróciła ku mnie twarz. — Śpi w nogach mojego łóżka i mnie pilnuje. Nie sądzę, żeby stanowił zagrożenie dla ewentualnego włamywacza poza tym, że mógłby zalizać go na śmierć, ale miło pomyśleć, że mam ochronę. — Podniosła się i ziewnęła. — Przepraszam

140

cię. Chyba jestem bardziej zmęczona, niż mi się wydawało. — Ziewnęła jeszcze raz, jakby na potwierdzenie. — Tucker pewnie jest jeszcze u dziewczynek. Jeśli po wyjściu z mojego pokoju skręcisz w prawo i dojdziesz do końca korytarza, znajdziesz go za ostatnimi drzwiami po lewej stronie. — Uśmiechnęła się do mnie. — Ponieważ małe spędzają tu dużo czasu, Malily pozwoliła mi urządzić dla nich pokój. W nim też zaszalałam z kolorami, ale dziewczynkom się podoba. Zajrzyj tam i daj znać Tuckerowi, że jesteś gotowa do wyjścia. Chyba że wolisz, abym ja to zrobiła.

Oparłam się pokusie, żeby skorzystać z jej propozycji.

— Nie, w porządku, na pewno trafię — odparłam. Jednocześnie pomyślałam, że może nikt by nie zauważył, gdybym wymknęła się z domu.

Jakby czytając w moich myślach, Helen powiedziała:

— Tucker i tak odprowadzi wózek golfowy pod stary dom, więc może cię podrzucić. A ja będę spokojniejsza, wiedząc, że wróciłaś bezpiecznie.

Wyszłam na ciemny korytarz i ruszyłam nim, szukając włącznika światła i starając się nie wpaść na stoliki z wazonami pachnących kwiatów. Skierowałam się w stronę blasku padającego spod drzwi i zatrzymałam się przed nimi na chwilę. Ze środka dobiegał głos Sary.

Zapukałam, otworzyłam drzwi i zajrzałam za nie. Sara i Lucy miały dwa identyczne łóżka z różowymi koronkowymi baldachimami, ale obie siedziały oparte o duże poduszki na jednym z nich i trzymały książeczkę, którą głośno czytała jedna z nich. Tucker zajmował miejsce na wyściełanym bujanym fotelu i patrzył na córki, opierając łokcie na kolanach i splatając palce.

Zobaczyłam na jego twarzy to samo zdziwienie, które widziałam u niego podczas kolacji, jak u kogoś, kto spotyka obcą osobę, ale wydaje mu się ona znajoma. Żadne z nich nie uniosło głowy, gdy stanęłam w progu, i już miałam cicho się wycofać i sama pójść do domu, gdy zauważyła mnie Sara i uśmiechnęła się wesoło.

— Panna Earlene. Przyszła pani położyć nas do łóżka i powiedzieć nam „dobranoc"?

Jej uśmiech był zaraźliwy i go odwzajemniłam.

— Tak, między innymi. — Postawiłam segregator przed drzwiami i weszłam do pokoju. Ściany pomalowano na kolor lawendy, na podłodze leżał pasujący do nich lawendowy dywanik o długim włosie, a pod sufitem, przy gzymsie, widniały wypisane złotą farbą słowa kołysanek. Wszędzie widać było artystyczne zacięcie Helen, jego wyrazem był nawet kobaltowoniebieski fotel bujany w kształcie korony, na którym siedział Tucker.

Tucker wstał, gdy weszłam.

— Chcesz wracać do domu?

— Tak, jeśli to nie kłopot. — Niechętnie spojrzałam mu w oczy, pamiętając, co w nich widziałam, gdy spotkaliśmy się po raz pierwszy: świeże cierpienie. Czułam się jak intruz, jakby w pokoju była jego zmarła żona i jakbym przeszkodziła im w rozmowie.

— Ależ skąd, żaden. Ułożę tylko dziewczynki do snu i będę gotowy.

Sara zeskoczyła z łóżka. Gdy do mnie biegła, bawełniana koszula nocna wlokła się za nią po podłodze.

— Ja chcę, żeby panna Earlene ułożyła mnie do snu.

Pochyliłam się i podniosłam ją, starając się powściągnąć grymas bólu, gdy moje kolano sprzeciwiło się nagłemu obciążeniu.

— Nigdy wcześniej tego nie robiłam, ale powiesz mi, co po kolei, dobrze?

Zaniosłam Sarę do drugiego łóżka i postawiłam ją na nim.

— To nic trudnego. Nauczyłam już Emily i robi wszystko tak jak dawniej mama. Tatę też uczymy.

Zerknęłam na Tuckera, który nie ruszył się z miejsca i z rękami w kieszeniach obserwował mnie oraz Sarę.

— Dobrze. — Zwróciłam się do dziewczynki. — Co teraz?

Położyła się na plecach, składając główkę na koronkowej poduszce.

— Przykrywasz mnie kołdrą dokładnie, żeby wszędzie przylegała. Jak mama, tylko nie chowasz mi pod nią rączek.

Wyciągnęła ręce nad głowę i zrobiłam, jak poleciła. Nie mogłam się jednak powstrzymać i połaskotałam ją pod pachami. Dziewczynka zachichotała.

— Mama też tak zawsze robiła.

Znieruchomiałam, patrząc na nią. Moja też, chciałam jej powiedzieć. Tak samo jak babcia. Musiałam być wtedy bardzo mała, bo potem zrobiłam się zuchwała i miałam zbyt wielkie ambicje, aby zauważać cichą obecność babci w moim życiu.

— Co dalej? — zapytałam spokojnie, patrząc w jej jasnoniebieskie oczy, tak różne od oczu ojca.

Sara zacisnęła na chwilę usta, jakby się zastanawiała.

— Zmówię pacierz. Potem pocałujesz mnie w czoło i zgasisz światło.

Przysiadłam na brzegu łóżka i złożyłam dłonie.

— Jestem gotowa.

Sara zacisnęła powieki.

— Boże, miej w opiece tatusia i Malily, i Lucy, i mnie, i Odellę. — Otworzyła jedno oko i spojrzała na mnie, a potem znowu je zamknęła. — I pannę Earlene. Boże, miej w opiece Mardiego i wszystkie konie, zwłaszcza tego biednego, ze szramą na boku. Proszę, pomóż tacie doprowadzić go do porządku, żeby czuł się dobrze i zapomniał o tych okropnych rzeczach, które mu się zdarzyły, zanim tu przyjechał. — Zwróciła twarz ku siostrze, która leżała spokojnie na boku i patrzyła na nas. — Lucy, nie zapomniałam o kimś?

Lucy zrobiła poważną minę i usłyszałam, że Tucker wciągnął powietrze.

— Zapomniałaś o mamie.

— A tak. — Sara ponownie zamknęła oczy. — I, Boże,

143

miej w opiece mamę. Proszę, pomóż jej odnaleźć to, czego szuka.

W pokoju zapadła ciężka cisza. Byłam zadowolona, że mam opuszczoną głowę i nie muszę patrzeć na Tuckera, a on nie widzi mojej twarzy, gdy próbowałam zrozumieć, co Sara miała na myśli.

— Amen — zakończyła cicho dziewczynka.

Wstałam i pogładziłam ją po włosach, a potem pochyliłam się i delikatnie pocałowałam ją w czoło. Czekałam, żeby Tucker się zbliżył, ale ponieważ to nie nastąpiło, podeszłam do Lucy.

— Ciebie też mam ułożyć do snu?

Kiwnęła głową, patrząc na mnie swoimi wielkimi oczami. Przykryłam ją kołdrą, tak jak jej siostrę, tylko bez łaskotek, a potem, po chwili wahania, pocałowałam w czoło.

— Dobrej nocy, Lucy. — Już miałam odejść, ale jeszcze się zatrzymałam, bo przypomniałam sobie coś z bardzo dalekiej przeszłości. — Słodkich snów — dodałam i zobaczyłam, że na poważnej buzi Lucy po raz pierwszy pojawił się szeroki uśmiech.

— Mama też tak nam mówiła. To działa. Zawsze gdy ktoś mi to mówi, mam przyjemne sny.

Odgarnęłam jasne włosy z jej twarzy.

— Mnie mama też tak mówiła, gdy byłam mała.

Dziewczynka znowu spoważniała.

— Ale już nie mówi?

Zastanowiłam się, co jej odpowiedzieć, i uznałam, że najlepsza będzie prawda.

— Moja mama zmarła, gdy miałam sześć lat. To było dawno temu i chyba do dzisiejszego wieczoru nie pamiętałam, że zawsze życzyła mi słodkich snów. Dziękuję ci, bo dzięki tobie przypomniałam sobie o tym. To miłe wspomnienie.

— Nie ma za co. Dobrej nocy, panno Earlene.

— Dobrej nocy — powtórzyłam.

Tucker podszedł kolejno do obu łóżek, pochylił się sztywno,

żeby pocałować córki w czoła, potem życzył im dobrej nocy i wreszcie wyszedł za mną na korytarz.

Czekał, gdy pochyliłam się, żeby wziąć segregator.

— Ponieść ci go? — zapytał.

Wiedziałam, że będzie mi trudniej iść, ale też zdawałam sobie sprawę ze stosunku Tuckera do tego segregatora oraz jego zawartości — musiał pamiętać, kto oglądał ją po raz ostatni — więc nie mogłam prosić go o pomoc.

— Nie, dziękuję. Poradzę sobie.

Ruszyliśmy długim korytarzem w krępującej ciszy. Kiedy minęliśmy schody i poszliśmy dalej, wyraziłam zdziwienie.

— Zjedziemy windą — wyjaśnił, gdy zatrzymaliśmy się przed drzwiami, które wyglądały jak wszystkie inne drzwi do pokojów poza tym, że obok znajdował się panel z dwoma przyciskami.

Kiwnęłam głową, w głębi duszy zadowolona, że nie będzie widział, jak z ciężkim segregatorem niezgrabnie pokonuję dwa odcinki schodów. Zjechaliśmy w milczeniu, oboje wpatrzeni w zamknięte drzwi. Pachniało nową wykładziną, a w powietrzu unosiły się słowa, których nie mogłam wypowiedzieć: że bardzo mi przykro z powodu jego żony, że jego córeczki są kochane i że przyzwyczają się do nieobecności matki; że nie zawsze byłam ułomnym genealogiem, kiedyś wygrywałam zawody i marzyłam o zdobyciu olimpijskiego złota.

Zamiast tego odczekałam, aż drzwi się otworzą, i ściskając pękaty segregator, wyszłam na ciemny, wyłożony marmurem korytarz.

— Tędy. — Wskazał na tył domu. — Odella zawsze zostawia wózek przy wejściu kuchennym. — Nacisnął fragment boazerii w jadalni. Okazało się, że były to drzwi do kuchni. Woń płynu do mycia naczyń oraz cytryny przypomniała mi babcię, która zawsze była dumna ze swojego gospodarstwa. Zatrzymałam się przed wyspą, spojrzałam ponad nią na regał z lśniącymi garnkami ze stali nierdzewnej i zatęskniłam za kobietą, która gotowała dla mnie przez te wszystkie lata, a którą ledwie pamiętałam.

— Tędy — powiedział znowu Tucker i otworzył siatkowe drzwi.

Stanęłam na ceglanych schodach i odetchnęłam głęboko. Niczym obłok perfum otoczył mnie zapach kwiatów i spojrzałam na Tuckera, aby sprawdzić, czy on też go czuje.

Przystanął na dolnym stopniu i na jego twarz padł blask latarni gazowej. Miał taką samą lekko rozbawioną minę, jaką widziałam u niego podczas naszego pierwszego spotkania, gdy leżałam w trawie na pastwisku.

— To ogród Malily dla niewidomych.

Stanęłam obok niego.

— Co takiego?

— Babcia urządziła go dla Helen. Rosną w nim najbardziej wonne kwiaty i nie trzeba ich widzieć, żeby odczuwać przyjemność. To ulubione miejsce Helen.

— Rozumiem dlaczego. — Przymknęłam oczy i wciągnęłam zapach w nozdrza.

— Powinnaś tu przyjść za dnia, żeby go zobaczyć. Wygląda równie pięknie, jak pachnie.

— Przyjdę — powiedziałam i zeszłam ze schodów. Nie uszłam daleko, gdy uświadomiłam sobie, że Tucker nie podąża za mną. — Coś się stało?

Stał i patrzył na mnie przez dłuższą chwilę, a potem się zbliżył.

— Nie. Tak się zastanawiałem... — Zatrzymał się przede mną, zwrócony plecami do latarni, z twarzą w mroku. — Lucy i Sara chcą się nauczyć jeździć konno, ale ja nie mam czasu ani cierpliwości, żeby się tym zająć. Próbowałem kogoś zatrudnić, ale nikt nie chce przyjeżdżać tu taki kawał drogi.

Słuchałam, jak wiatr leniwie porusza dzwonkami wietrznymi, i poczułam, że unosi ku mnie zapach powoju księżycowego.

— Tak jak powiedziałam, już nie jeżdżę konno — odparłam i mocniej przycisnęłam do piersi segregator.

— Nie proszę cię, żebyś jeździła. Potrzebuję kogoś, kto ma odpowiednie doświadczenie i wiedzę, aby nauczyć moje córki podstaw. Na razie tyle im wystarczy.

Wzdrygnęłam się, ale jednocześnie poczułam dawny płomień w sercu.

— Ja nie... to znaczy... nigdy wcześniej nikogo nie uczyłam. Nie wiedziałabym, od czego zacząć.

— Ale rozumiem, że byłaś dobrym jeźdźcem? Musiałaś mieć poważny wypadek, żeby doznać takich obrażeń. Innymi słowy, nie spadłaś z ogrodzenia wokół padoku.

Spróbowałam spojrzeć mu w oczy, ale zobaczyłam tylko ciemność.

— Nie lubię już koni. Od dłuższego czasu nie miałam z nimi do czynienia.

Poczułam, że przygląda mi się uważnie.

— Gdyby tylko można było tak łatwo z nimi skończyć. Konie wchodzą ci w krew i upuszczanie jej nic nie daje. — Nie czekając na moją odpowiedź, ruszył w stronę wózka golfowego. Zatrzymał się przy miejscu dla pasażera, dopóki do niego nie dołączyłam. Wziął ode mnie segregator, pomógł mi wsiąść, a potem go oddał. Nie odzywał się, dopóki nie objechaliśmy domu i nie znaleźliśmy się przed dębową aleją. Wieczorem drzewa wyglądały inaczej, jakby zmieniały się po zmroku. Ich cienie były niczym peleryny; stare konary i gałęzie drżały lekko w bezsilnym gniewie, unosząc się nad aleją, którą jechaliśmy.

Powietrze przeszył wysoki świst, była to tęskna piosenka, której słowa zagubiły się wśród rysujących się na niebie ciemnych gałęzi i mchu hiszpańskiego. Nieświadomie złapałam Tuckera za rękaw.

— Co to było?

— Dęby — odpowiedział i zwolnił. — Poruszają się pod wpływem nocnej bryzy wiejącej od rzeki. — Przechylił głowę, jakby chciał lepiej słyszeć. — Mówią, że wszystko zaczęło się od zmiany biegu rzeki i że gdy wieje wiatr, przypominają sobie czas, kiedy ich bracia zostali wycięci. Wtedy łkają z rozpaczy.

Opuściłam rękę.

— A według ciebie skąd się bierze ten dźwięk?

Patrzył na mnie chwilę, zanim odpowiedział.

— Według mnie zbudowanie zapory wpłynęło na zmianę kierunku wiatru, który zaczął świszczeć między drzewami po tym, jak wycięto połowę alei. To jedyne racjonalne wytłumaczenie. Bo nie wyobrażam sobie, żeby można było cierpieć tak długo. — Gwałtownie wcisnął pedał gazu i wózkiem szarpnęło.

Przez resztę drogi do domku już nie rozmawialiśmy. Tucker pomógł mi wysiąść i odprowadził mnie do drzwi. Pożegnał się, ale potem jakby się zawahał. W końcu zapytał:

— Ale przynajmniej o tym pomyślisz?

Nie musiałam się zastanawiać, co ma na myśli. Nie wiedziałam tylko, dlaczego do tej pory mu nie odmówiłam.

— Nie proszę cię, żebyś znowu wsiadła na konia, jeśli nie chcesz, tylko żebyś instruowała dziewczynki i nad nimi czuwała. Przez jakiś czas, bo przecież za kilka miesięcy wyjedziesz. To jedynie... — Przeczesał palcami włosy i przypomniałam sobie, co powiedział podczas jazdy. „Nie wyobrażam sobie, żeby można było cierpieć tak długo".

— Gdy umarła ich matka, obiecałem im, że je nauczę. Ale od kiedy zabrakło Susan, wszystko się między nami zmieniło... Nie bardzo wiem, jak się do tego zabrać. Pomyślałem jednak, że gdyby umiały jeździć... — Nie dokończył i odwrócił się, żeby odejść. — Nieważne.

Zatrzymałam go.

— Rozumiem — powiedziałam.

Wiedziałam, że dobrze by było, gdyby on i dzieci mieli ze

sobą coś wspólnego. Zdawałam sobie też sprawę, że długość żałoby nie zależy tylko od upływu czasu, choć od czego, jeszcze nie potrafiłam powiedzieć. Ale moja własna żałoba po życiu, które straciłam, powinna była się już skończyć. Musiałam zamknąć ten okres, tak jak zamyka się trumnę czy zakopuje pudełko z pamiątkami. Może nie ostatecznie, ale miałam nadzieję, że znajdę coś, czym będę mogła się zająć.

— Pomogę ci — zdecydowałam. — Nie wsiądę na konia, ale mogę nauczyć dziewczynki jeździć.

Odsłonił w uśmiechu zęby, które zalśniły w świetle padającym z ganku.

— Dziękuję, Earlene. — Klepnął się w szyję, zabijając jakiegoś owada. — Będziemy mieli sporo roboty, zanim zaczniemy. Przyślę nianię dziewczynek, żebyście ustaliły terminarz zajęć. Później obdzwonię aukcje, żeby znaleźć odpowiednie kuce. Porozmawiamy też o pieniądzach, bo nie oczekuję, że będziesz pracować za darmo.

— Nie, proszę. Nie potrzebuję pieniędzy. Chętnie ci pomogę. Polubiłam Sarę i Lucy, i myślę, że będziemy dobrze się bawić. Być może przyda mi się to tak samo jak im.

Milczał przez chwilę.

— Jesteś pewna? Daj mi znać, jeśli zmienisz zdanie. — Ponownie klepnął się w kark. — Lepiej pojadę, zanim te przeklęte komary zjedzą mnie żywcem. Jeszcze raz dziękuję, Earlene. Nie wiem, jak ci się odwdzięczę.

— Nie ma za co — odparłam. Patrząc, jak wsiada do wózka golfowego, powiedziałam cicho: — I ja ci dziękuję.

Odprowadziłam go wzrokiem, gdy odjeżdżał, i słuchałam przez chwilę żałobnego płaczu dębów, zastanawiając się, kiedy wreszcie zrozumieją, że już za długo cierpią.

ROZDZIAŁ 11

Lillian siedziała na ławce w ogrodzie, który nazywała ogrodem Helen, i słuchała szumu wody w kamiennej fontannie. Jej twarz ocieniało duże rondo słomkowego kapelusza. Poranne słońce grzało mocno, ale jeszcze nie na tyle, żeby wyparowała rosa widoczna na stulonych marmurowych płatkach powoju księżycowego oplatającego misę.

Wyczuła obecność dziewczyny, zanim jeszcze zauważyła ją samą przy bramie ogrodu, niepewną, czy wejść dalej, ponieważ zdała sobie sprawę, że nie jest sama. Nowa lokatorka wyszła już z wieku dziewczęcego, ale w jej oczach były delikatność, bezbronność, które przypominały Lillian jej osierocone przez matkę prawnuczki. Można by pomyśleć, że życie nie spełniło jej oczekiwań, więc cofnęła się do punktu, w którym jeszcze nie czuła ciężaru związanego z dorastaniem.

Kątem oka zobaczyła, że Earlene zawraca, jakby chciała odejść.

— Przysiądziesz się do mnie?! — zawołała Lillian.

Nie bardzo wiedziała, dlaczego to robi. Przyszła do ogrodu, żeby pobyć sama. Może dlatego, że Earlene też szukała samotności i z tego powodu wybrała ogród Helen. Większość ludzi o tak wczesnej porze leżałaby jeszcze w łóżku i za zaciągniętymi zasłonami zmagałaby się z plątaniną myśli. Earlene jednak przyszła do ogrodu, do pachnących kwiatów, które, jak kiedyś powiedziała Lillian stara przyjaciółka, reprezentowały rękę Boga na ziemi.

— Jeśli tylko nie przeszkadzam.

Lillian przesunęła się na ławce, jakby w ten sposób zapraszała Earlene, a potem przekrzywiła głowę, żeby rondo kapelusza nie zasłaniało jej widoku.

— Ależ skąd. Zawsze chciałam, żeby moje ogrody były dostępne dla wszystkich.

Lillian przyjrzała się młodej kobiecie, gdy ta zbliżała się do niej; w powiewnej spódnicy do połowy łydki utykała jakby mniej. Jest bardzo ładna, pomyślała Lillian, a byłaby jeszcze ładniejsza, gdyby się malowała i inaczej czesała, nie w koński ogon na karku. Miała delikatną, gładką cerę, a subtelnie zarysowane brwi nadawały jej twarzy niemal anielski wygląd. Jednak najbardziej przykuwały uwagę oczy. Jasnobrązowe, okolone długimi ciemnymi rzęsami, miały taki wyraz, jakby należały do zranionego zwierzęcia, i podobnie spoglądały na świat. Było w nich coś jeszcze — światło, które mimo defetyzmu dziewczyny migotało gdzieś na dnie, słabo, ale zawsze. Lillian mimowolnie przypomniały się poranione konie, które ratował Tucker, i zaczęła się zastanawiać, czy panna Smith, tak jak one, w końcu dojdzie do siebie i odzyska dawnego ducha.

Earlene usiadła, ale Lillian nie przestała jej się przyglądać, była zbyt zaciekawiona, żeby przejmować się zasadami dobrego wychowania. Wydawała się znajoma, przypominała jej kogoś, ale kogo, tego Lillian nie wiedziała. Jednak może właśnie dzięki temu wrażeniu wskazała nieznajomej miejsce obok siebie i pozwoliła jej cieszyć się urokami swojego ogrodu.

Earlene uśmiechnęła się niepewnie.

— Kiedy zeszłego wieczoru wyszłam z domu, poczułam zapach kwiatów z ogrodu i Tucker powiedział, że powinnam przyjść tu za dnia. Nigdy nie byłam w miejscu, w którym ładniej by pachniało, no, może w ogrodzie przy moim domu w Savannah. Rozpoznaję gardenię. I powój księżycowy.

Earlene złożyła dłonie i położyła je na spódnicy. Lillian przyjrzała im się, krótko obciętym paznokciom i niknącym odciskom na palcach serdecznych. Uśmiechnęła się do siebie. Tak, można porzucić jazdę konną, to prawda. Ale zawsze zostaje coś, co człowiekowi o niej przypomina.

Lillian spojrzała na nią życzliwie.

— Niewielu ludzi rozpoznaje zapach powoju księżycowego, gdy w pobliżu rosną gardenie. Gardenie są w ogrodzie jak tyrani, zawsze tłumią woń innych kwiatów.

Earlene pochyliła się do przodu i musnęła palcami pąk powoju księżycowego.

— To moje ulubione kwiaty. Chyba wszędzie rozpoznałabym ich zapach.

— Ulubione? Kwitną tylko w nocy, za dnia przypominają wilgotne bibułki. — Głos Lillian zabrzmiał ostrzej, niżby chciała. Zawsze uważała powój księżycowy za kwiat dla osób sentymentalnych, które, jak dzieci, lubią niespodzianki. Annabelle taka była i przekonała się boleśnie, że lepiej twardo stąpać po ziemi. Ona też najbardziej lubiła te kwiaty.

Earlene skuliła ramiona w obronnym geście, który kłócił się ze spokojem, jaki zwykle demonstrowała.

— To prawda. Ale lubię myśleć, że to odważne kwiaty. Kto hodowałby je w swoim ogrodzie, gdyby nie wiedział, co dzieje się z nimi w nocy? Te kwiaty ryzykują, że zostaną wyrzucone z ogrodu, przy życiu trzyma je nadzieja, że jakiś szczęśliwy ogrodnik odkryje ich urodę po zmierzchu.

Lillian uśmiechnęła się wbrew woli.

— Coś w tym jest. — Pochyliła głowę, ukrywając oczy pod rondem kapelusza. — Kiedyś miałam przyjaciółkę, która też przypisywała kwiatom osobowość. Zawsze mnie to drażniło.

Uniosła wzrok i zobaczyła, że Earlene uważnie jej się przygląda.

— To była pani dobra przyjaciółka?

— Najlepsza. Była dla mnie jak siostra.

— Wciąż się przyjaźnicie?

Lillian pokręciła głową.

— Niedawno zmarła. Rozstałyśmy się dawno temu i nie utrzymywałyśmy kontaktu. To był wynik... nieporozumienia...

Earlene milczała przez chwilę. Patrzyła na powój księżycowy, jego piękne kwiaty o stulonych za dnia płatkach.

— Żałuje pani, że nie wyjaśniła tego nieporozumienia przed jej śmiercią?

Lillian przymknęła oczy, od intensywnego zapachu gardenii i wianecznika zrobiło jej się słabo. Gdyby kiedykolwiek pozwoliła sobie na żal, sparaliżowałoby ją to — zaczęłaby się bać i nie posunęłaby się już ani o krok do przodu. Nie, nie mogła sobie na to pozwolić.

— Nigdy niczego nie żałuję. Zawsze uważałam, że żal jest równie bezużyteczny jak próby powstrzymania wylewu rzeki gołymi rękami. Masz wprawdzie zajęcie, ale i tak utoniesz. — Lillian wyprostowała się i jej proste jak struna plecy spoczęły na nagrzanym oparciu ławki. — Zawsze wydawało mi się, że żal oznacza lęk, a do tego też nie mam cierpliwości.

Lillian poczuła, że Earlene się żachnęła. Nie chciała zrażać do siebie ludzi, choć ostatnio wychodziło jej to nadspodziewanie dobrze. Uznała, że starość ma swoje dobre strony. Jednak nie chciała zrażać Earlene. Ta kobieta była dla niej zagadką, którą musiała poznać. I podobał jej się ogród, zwłaszcza ten głupi powój księżycowy.

Earlene splotła palce.

— Myślę, że nie ma pani racji. Moim zdaniem żal pomaga odpokutować za dawne grzechy.

— Bzdura. Już lepiej zasadzić drzewo albo przygarnąć szczeniaka, jeśli chce się pokutować. Ale odczuwać żal to jakby powiedzieć: poddaję się.

Earlene zwróciła się do niej, miała ściągnięte brwi i kropelki potu pod nosem.

— Musiała pani mieć bardzo nudne życie, skoro niewielu rzeczy pani żałuje.

Jej przejęcie i żarliwość zaskoczyły Lillian. Zaczęła się zastanawiać, czy naprawdę dostrzega w tej zranionej, przegranej kobiecie kogoś silnego, z osobowością, czy tylko ponosi ją wyobraźnia; ale byłoby miło pomyśleć, że ktoś taki naprawdę istnieje. Lecz słowa Earlene przywołały wspomnienia — o Annabelle, Josie, Charliem. O Freddiem. Ból, który zawsze czaił się na obrzeżach jej świadomości, przez moment dał o sobie znać, wywołał skurcz serca, aż nagle zabrakło jej tchu. Sięgnęła po wisiorek z aniołkiem, co, jak zwykle, jakimś magicznym sposobem podziałało na nią uspokajająco.

— Nie — odparła łagodnie i spojrzała Earlene w oczy. — Nawet wręcz przeciwnie. Ale po prostu wolę żyć teraźniejszością.

Usta Earlene ułożyły się w pełne oburzenia „o". Kobiety patrzyły sobie w oczy przez chwilę, a potem Earlene wstała.

— Zajęłam pani dużo czasu, poza tym muszę wracać do pracy.

— Och, nie unoś się tak. Usiądź, pospieramy się, porozmawiamy o moich pięknych kwiatach. Może mi jeszcze wyjaśnisz, dlaczego tak lubisz powój księżycowy. Kto wie? Niewykluczone, że mnie przekonasz, i ja też go polubię?

— Wątpię — odparła ledwo słyszalnie Earlene, ale usiadła z powrotem, wysuwając podbródek w wyrazie uporu i sprzeciwu jednocześnie.

Lillian pochyliła głowę. Ukryła twarz pod rondem kapelusza, żeby Earlene nie zobaczyła jej uśmiechu.

∾

Przez długi czas siedziałam na ławce w ogrodzie razem z Lillian. Rozmawiałyśmy o różnych kwiatach, zasadzonych przez nią w odpowiednich miejscach ze względu na zapach i kolor, aby stworzyć ucztę dla zmysłów. Najwyraźniej bawiła ją ta konwersacja; Lillian odgrywała rolę adwokata diabła, gdy pytałam ją, dlaczego wybrała akurat tę roślinę, a nie inną.

— Bo uczyłam się od prawdziwej mistrzyni ogrodnictwa. Tej przyjaciółki, o której wspomniałam ci wcześniej. W wieku trzynastu lat poważnie zachorowałam i przez długi czas nie mogłam wychodzić z domu. Gdy trochę mi się polepszyło, wyciągnęła mnie z łóżka, spod ciepłych koców, i sprowadziła tutaj, gdzie ogrodnicy urządzili nudny angielski ogród bukszpanowy. Pomogła mi dojść do zdrowia, zdradzając tajniki ogrodnictwa, pokazując, co sadzić i gdzie. Nie wiem, co sprawiło, że poczułam się lepiej — zajęcie czy świeże powietrze — ale niewątpliwie dostałam od niej ważną lekcję.

Wiedziałam oczywiście, o kim mówi, i mnie samej zebrało się na wspomnienia. Pierwszego dnia, gdy dziadkowie po śmierci moich rodziców wzięli mnie do siebie, babcia wyszła ze mną do ogrodu. Pragnęłam czułości i zrozumienia, tymczasem ona wygłosiła pogadankę o życiodajnych właściwościach ziemi i rozwodziła się nad tym, jak sprawić, aby rośliny wyrastały w miejscach, gdzie wcześniej nic nie było, i cieszyły nas swoimi barwami oraz zapachem.

Większość czasu, który babcia poświęciła mi w tych trudnych pierwszych miesiącach, spędziłyśmy właśnie w ogrodzie. Początkowo byłam niezadowolona, wolałam, żeby pozwolono mi pogrążyć się w cierpieniu. Dopiero później, po dłuższym czasie, zrozumiałam, że wkładając mi do ręki odnóżkę ukochanej róży i mówiąc, jak ją zasadzić, babcia dawała mi całe swoje serce. Kiedy jednak dziadek posadził mnie na koniu, szybko zapomniałam o naukach babci i ruszyłam na podbój świata.

Stwierdziłam, że natarczywie patrzę w twarz Lillian, pragnąc, aby mnie rozpoznała.

— Czego nauczyła panią przyjaciółka?

Lillian spojrzała na mnie przenikliwie i przez chwilę wydawało mi się, że wie, kim jestem. Ale potem uświadomiłam sobie, że widzi swoją przyjaciółkę z dzieciństwa i może dostrzega we mnie coś, co przypominało jej Annabelle.

— Nauczyła mnie, że nie ma w życiu takich nieszczęść, z których nie dałoby się wyjść dzięki pracy w ogrodzie. I myślę, że w dużej mierze miała rację.

Przed oczami stanął mi zaniedbany ogród babci w Savannah. Ogarnął mnie wstyd i poczułam się niewdzięczna. Nie mogłam winą za to zaniedbanie obarczyć dziadka; to przecież mnie Annabelle wybrała na swoją uczennicę, ze mną spędzała tyle czasu w ogrodzie.

Spojrzałam na rozświetlone słońcem żółte róże, które rosły wokół ceglanych ścieżek ogrodu i przywodziły na myśl lampki otaczające scenę. Zerknęłam na swoje niegdyś takie sprawne ręce — ręce, które ostatnio tylko wertowały stare książki i stukały w klawiaturę komputera. Może gdybym zamiast tego zajęła się ogrodem babci, wreszcie znalazłabym odpowiedzi, których szukałam.

— W tym jednym punkcie zgodzę się z panią, ale tylko dlatego, że kiedyś powiedziano mi to samo.

Poczułam wzrok Lillian na sobie, ale nie chciałam spojrzeć jej w oczy w obawie, że za bardzo się zdradzę.

— Moja ciotka miała ogród w Savannah... przy domu, w którym się wychowałam. Wolno mi było go pielić. Gdy się tu znalazłam, przypomniałam sobie, jak bardzo to kiedyś lubiłam. — Spojrzałam na nią, mrużącą oczy przed słońcem. — Pomyślałam sobie, że... gdyby pani nie miała nic przeciwko temu... mogłabym pani pomóc w pracach ogrodowych. Jest ich dużo jak na jedną osobę. Nic nie zmienię, chyba że będzie pani chciała. Będę tylko dbała o rośliny.

Łagodny uśmiech rozświetlił twarz starej kobiety.

— Bardzo chętnie, Earlene. Bardzo chętnie skorzystam z twojej propozycji. Nie mogę już tyle pracować w ogrodzie z powodu artretyzmu i gdy tu siedziałam, zastanawiałam się właśnie, czy nie wynająć kogoś do pomocy. Ale skoro ty tu jesteś... nie zaszkodzi ci trochę brudu za paznokciami.

Rozłożyłam dłonie i spojrzałam na swoje czyste paznokcie oraz na odciski, które nie schodziły tak szybko.

— Trochę wyszłam z wprawy. Pewnie będę miała mnóstwo pytań.

Lillian niedbale machnęła ręką.

— Bzdury. To jak jazda na rowerze. Ale jeśli będziesz potrzebowała instrukcji, jestem tu każdego ranka około siódmej.

Uśmiechnęłam się do siebie, bo przypomniałam sobie władczą Lillian z albumu. Ciekawa byłam, czy zdarzyło się kiedykolwiek, że nie mogła postawić na swoim.

— Dobrze. Ja też wcześnie wstaję, więc nie ma problemu.

— A jeżeli nie będzie nic do roboty w ogrodzie, możemy posiedzieć na ławce i porozmawiać jeszcze o powoju księżycowym albo podyskutować, dlaczego wybrałam jaśmin konfederatów czy wiciokrzew, żeby piął się po treliażu na tylnej ścianie domu.

Nie odpowiedziałam, bo rozległ się trzask furtki ogrodowej. Ścieżką szła Odella, miała na głowie męską czapkę wędkarską, która chroniła jej twarz przed słońcem. W ręce trzymała jakąś kopertę.

— Przepraszam, że wam przeszkadzam, ale kiedy wystawiłam głowę z okna kuchennego, żeby wytrzepać ścierkę, zobaczyłam, że pani tu jest, i pomyślałam, że oszczędzę sobie wyprawy do domku. — Podała mi kopertę. — To list do pani. Dałabym go pani zeszłego wieczoru, ale zawieruszył się wśród katalogów Precious Moments i Williams-Sonoma, więc zauważyłam go dopiero rano.

Zawahałam się przez moment, zanim wyciągnęłam rękę po list.

— Dziękuję. Jestem pani bardzo wdzięczna. — Zerknęłam na adres nadawcy: Morton, Morton & Baker, Savannah. Odwróciłam kopertę i położyłam sobie na kolanach, żeby Lillian go nie zobaczyła.

Odella zwróciła się do starszej pani:

— A pani, pani Lillian, już za długo przebywa na słońcu. Zaprowadzę panią do środka i posadzę przy klimatyzacji, żeby się pani ochłodziła.

Z przerażeniem zauważyłam rumieńce na policzkach Lillian i ogarnęło mnie poczucie winy.

— Ojej, przepraszam... powinnam była o tym pomyśleć. Pomogę zaprowadzić panią Lillian do domu.

Staruszka machnęła ręką.

— Nie jestem jeszcze inwalidką. Sama sobie poradzę, możecie być spokojne. Ale wrócę do domu tylko dlatego, że chce mi się pić i mam ochotę na lemoniadę z czymś mocniejszym, żeby się obudzić. Nie dlatego, że jestem za stara i za delikatna, by siedzieć na słońcu. W dawnych czasach jeździłam konno i skakałam przez płoty bez kasku. Jeśli to mnie nie zabiło, to upał też nie da rady.

Zwróciła do mnie twarz.

— Do zobaczenia jutro rano. — A potem wstała, wspierając się na lasce, i pozwoliła się Odelli wyprowadzić z ogrodu.

Odczekałam, aż zamknęła się za nimi furtka, i otworzyłam list. Tak jak przypuszczałam, wysłał go George. Choć początkowo był przeciwny mojemu przyjazdowi do Asphodel Meadows, najwyraźniej postanowił mnie kryć, bo zarówno na kopercie, jak i przy adresie w środku napisał drukowanymi literami „Earlene Smith". Kiedy mu powiedziałam o kartkach z albumu i wycinku prasowym, wyraził szczerą chęć pomocy w moich poszukiwaniach. A ponieważ nie spodziewałam się po nim wiele, z ciekawością otworzyłam list i go przeczytałam.

Droga Earlene!

Mam nadzieję, że dobrze Ci idzie i że zdobyłaś jakieś interesujące informacje. Wciąż nie bardzo rozumiem, po co tam pojechałaś, bo, jak się przekonasz z dalszego ciągu listu, w Savannah też miałabyś co robić. Jak już pewnie wiesz, w Asphodel Meadows doszło przed rokiem do samobójstwa. Nie chcę przez to sugerować, że coś Ci grozi, ale powinnaś być świadoma, co się tam dzieje.

Na chwilę uniosłam wzrok znad listu i wyobraziłam sobie, jak George w swoim garniturze z kory dyktuje ten list sekretarce, nie zastanawiając się nawet nad sensem tego, co mówi — jakby samobójstwo było chorobą zakaźną. Pomyślałam, czy w odpowiedzi nie opisać osób, z którymi się tu stykam: seniorki rodu, praktycznie alkoholiczki, jej niewidomej wnuczki z upodobaniem do jaskrawych kolorów, dwóch dziewczynek, zbyt dojrzałych jak na swój wiek, oraz ich ojca, którego rezerwa i wyraźna opiekuńczość podobały mi się bardziej, niż chciałabym przyznać. Ale zamiast tego wróciłam do listu.

Tak jak prosiłaś, zebrałem informacje na temat domu Twoich dziadków przy Monterey Square. Jak pewnie Ci wiadomo, został zbudowany przez Twojego prapraprzadka ze strony matki w 1858 roku, czyli dwa lata po wytyczeniu placu. Twój przodek był wziętym lekarzem, jak wszyscy pierworodni w kolejnych pokoleniach aż do ojca Twojej babci, Lea O'Hare.

159

Udało mi się znaleźć w archiwach miejskich oryginalne plany budynku i stwierdziłem, że strych był pierwotnie zaprojektowany jako jedno duże pomieszczenie, tak jak myśleliśmy. I tu robi się ciekawie. Kuzynka mojej matki ze strony ojca jest historykiem amatorem, więc pomyślałem, że zapytam ją, czy wie coś o tym pomieszczeniu na strychu. A ona przypomniała sobie, że czytała w różnych źródłach, iż na strychu trzymano kiedyś upośledzone albo kalekie dzieci, do których rodzina nie chciała się przyznać.

Na początku lat siedemdziesiątych XIX wieku dobudowano aneks kuchenny, ale na planach wciąż widnieje jedno pomieszczenie na strychu, więc doszedłem do wniosku, że muszę się skupić na dokumentach pochodzących z lat późniejszych. Wróciłem do archiwów i odkryłem, że Thaddeus i Mary O'Hare, którzy pobrali się w 1878 roku, doczekali się między 1881 a 1900 rokiem trojga dzieci — najstarszym z nich był Twój pradziadek Leo. Pozwoliłem sobie skorzystać z klucza do domu, który mi zostawiłaś, i wszedłem do gabinetu Twojego dziadka, gdzie, jak wiedziałem, trzymał starą rodową Biblię. Pokazał mi ją kiedyś, gdy przyszedłem do niego w sprawach zawodowych ze swoim dziadkiem i wyraziłem nią zainteresowanie. Musisz przyznać, że zasługuję na pochwałę za przenikliwość, z podnieceniem bowiem odkrywam w sobie żyłkę detektywistyczną...

Machnęłam listem ze zniecierpliwieniem, pospiesznie przesunęłam wzrokiem po reszcie akapitu poświęconego błyskotliwości George'a i czytałam dalej.

W Biblii znalazłem imiona Thaddeusa i Mary, z datami urodzenia i śmierci, a także ich potomków — tylko że wymieniono ich czworo. Trzecie z kolei dziecko, dziewczynka o imionach Margaret Louise, urodziło się w 1898 roku, ale daty śmierci już nie podano.
W archiwach miejskich nie ma wzmianki o istnieniu Margaret Louise. Teraz więc chyba wybiorę się na miejscowe cmentarze, Bonaventure i pozostałe, żeby sprawdzić to w rejestrach pochówków.

Załączam kserokopię strony z Waszej Biblii — dlatego właśnie wysłałem do Ciebie list, a nie e-mail — żebyś mogła dołączyć te informacje do swoich dokumentów, w razie gdyby okazały się kiedyś potrzebne.

Naprawdę bardzo mnie niepokoi, że jesteś tam sama, ale kiedy rozmawiałem z dziadkiem w tym tygodniu i powiedziałem mu, że pojechałaś do Asphodel Meadows, stwierdził, że dobrze Ci to zrobi, co mnie trochę uspokoiło. Proszę, kontaktuj się ze mną, jeśli będziesz czegoś potrzebowała — także w sprawach osobistych. Wiesz, że zawsze Ci pomogę.

Wrócę do pracy detektywistycznej, gdy tylko skończę kilka spraw, którymi się obecnie zajmuję. Skontaktuję się z Tobą, kiedy znajdę coś nowego. Tymczasem odżywiaj się dobrze i nie zaniedbuj ćwiczeń na kolano.

Twój zawsze oddany,
George Baker

Złożyłam list i schowałam go z powrotem do koperty. Choć odkrycia George'a były interesujące, poczułam się rozczarowana. Margaret Louise przyszła na świat w 1898 roku, osiemnaście lat przed narodzinami babci. I była dziewczynką. Wiedziałam, że niebieski kocyk, który znalazłam w sekretnym pokoju, mógł służyć niemowlęciu obojga płci, ale niebieski sweterek w kufrze babci przemawiał za tym, że szukane przeze mnie dziecko to chłopiec. Poza tym w wycinku z gazety była mowa o wyłowieniu z rzeki niemowlęcia płci męskiej, chociaż oczywiście nie miałam żadnego dowodu, że te fakty coś łączy.

Wsunęłam list do kieszeni spódnicy. Chciałam wrócić do domku i dokumentów w segregatorze, który dała mi Helen. Zaczęłam je przeglądać już minionego wieczoru, ale jak na razie znalazłam jedynie oficjalne pisma, listy zakupów i kilka zaskakująco suchych listów, które zaraz po ślubie pisali do siebie Charlie i Lillian. Rozczarowana, zasnęłam na kanapie, wśród porozkładanych papierów. Miałam nadzieję, że tego ranka, ze świeżą głową, zdołam przynajmniej skatalogować zawartość segregatora, a może nawet ją uporządkować przed oddaniem jej Helen.

Ruszyłam podjazdem, który prowadził przed dom, i zatrzymałam się między ogrodem od frontu a zegarem słonecznym. Mijałam go już kilka razy, ale nigdy do niego nie podeszłam. Spoczywał na kamiennym postumencie w kształcie litery „V", skierowanej w stronę dębowej alei; jego brązowa tarcza pociemniała na skutek pogody i upływu czasu. Osłoniłam oczy od słońca i spojrzałam na inskrypcję, którą wyryto na brzegu. *Tempus fugit, non autem memoria.* Wiedziałam, że pierwsza część oznacza: „Czas mija", ale co znaczyła druga, tego już nie byłam pewna, choć kiedyś musiałam to wiedzieć. Zanotowałam sobie w pamięci, żeby po powrocie do domku sprawdzić to w internecie.

Wkroczyłam między dęby i po plecach przebiegł mi dreszcz, bo przypomniałam sobie poprzedni wieczór i dziwny świst. W świetle dziennym drzewa nie robiły już tak niepokojącego wrażenia, ale nie mogłam pozbyć się uczucia, że ktoś mnie obserwuje, gdy przeszłam pod pierwszymi dwoma.

Zatrzymałam się, bo usłyszałam męski głos i tętent końskich kopyt na ubitej ziemi. Obejrzałam się; dźwięki te dobiegały z drugiej strony domu, na którą musiało wychodzić owalne okno w pokoju Helen. Ponownie usłyszałam głos — należał do Tuckera. Już miałam pójść dalej, ale coś mnie powstrzymało. Przypomniałam sobie jego wyraz twarzy, gdy poprzedniego wieczoru poprosił mnie, żebym uczyła jego córki jazdy konnej. Musiało go to dużo kosztować. Nie robił na mnie wrażenia kogoś, kto często prosi o pomoc. Uświadomiłam sobie, że musi bardzo kochać dziewczynki, skoro się na to zdobył.

Odwróciłam się powoli i ruszyłam w stronę, z której dochodził tętent kopyt. Wyszłam z cienia rzucanego przez dom i zobaczyłam przed sobą widok jak ze snu każdego jeźdźca. Za domem teren opadał i przechodził w zielone pastwiska, które rozciągały się aż po horyzont, oddzielone od siebie tylko smukłymi liniami białych płotów ze sztachet. Na polach pasły się konie z szyjami pochylonymi ku ziemi, spokojnie machając od czasu do czasu ogonami. Stajnie, które były chyba równie wielkie jak dom, stały niedaleko, w zagłębieniu terenu, dlatego ich nie widziałam, gdy przechodziłam przez furtkę ogrodu.

Bliżej domu znajdował się maneż. Tucker stał tam ze szpicrutą i prowadził gniadosza na lonży. Przemawiał do niego w języku, który kiedyś znałam. Zatrzymałam się przed maneżem, nie dotykając ogrodzenia, i patrzyłam na człowieka i konia, wzajemnie skupionych na sobie, obserwujących, co ten drugi od niego chce i co zamierza dać w zamian. Szpicruta ani razu nie smagnęła wierzchowca, ale ten szedł posłusznie; wiedział, czego się od niego oczekuje, bo już przez to przechodził. Jednak nie robił tego zbyt chętnie, walczył z Tuckerem przy każdym kroku. To mi dało do myślenia: zastanowiłam się, jak go karano, zanim przybył do Asphodel Meadows.

Gdy Tucker mnie zauważył, obaj się zatrzymali.

— Dzień dobry. — Tucker wyjął lonżę z uździenicy i przyczepił do niej postronek.

Cofnęłam się o krok, bo Tucker podprowadził gniadosza pod płot. Mężczyzna i koń patrzyli na mnie z uwagą.

— Dzień dobry — wydusiłam przez ściśnięte gardło. Wałach stał na wprost mnie i przyglądał mi się spokojnie, machając ogonem. Był wychudzony, ale miał mocną budowę i długie nogi. Założę się, że mógłbyś latać, pomyślałam mimo woli.

Koń zarżał cicho, co tak mnie przestraszyło, że znowu zrobiłam krok w tył. Wywołało to uśmiech na twarzy Tuckera, ale nie szyderczy, raczej uspokajający.

— Bierze cię za panią od przekąsek. Chcesz dać mu jabłko?

Zanim zdążyłam odmówić, wsunął rękę między sztachety i wyjął jabłko z worka, który leżał obok moich stóp. Wyciągnął je do mnie, nie cofając dłoni za ogrodzenie, i zamarł w tej dziwnej pozycji. Wiedziałam, że będzie tak tkwił, dopóki nie wezmę od niego tego głupiego jabłka.

— Trzymaj je na otwartej dłoni, a on już zajmie się resztą.

Spojrzałam na Tuckera z irytacją.

— Wiem. Nieraz karmiłam konie jabłkami.

Uśmiechnął się jeszcze szerzej. Wiedziałam, że chce mnie sprowokować, jak konia na wybiegu, i zwalczyłam pokusę, żeby wziąć jabłko, rzucić nim w niego i odejść z godnością. Ale on trzymał je wciąż po mojej stronie płotu. Przypomniałam sobie, że kiedyś pokonywałam konno przeszkody wysokości półtora metra, i uznałam, że dam radę podsunąć jabłko.

Gniadosz wyciągnął szyję nad ogrodzenie, ale jabłko wciąż znajdowało się poza jego zasięgiem.

— Jeśli się boisz, ja mu je dam.

Tucker wiedział, jak mnie podejść. Nie patrząc w jego stronę, zaczerpnęłam powietrza i zrobiłam krok do przodu z jabłkiem na wyciągniętej dłoni. Koń odgryzł jego połówkę; aksamitne wargi musnęły moją skórę, przywołując wspomnienia podob-

164

nych chwil. Po moich palcach pociekł sok, gdy patrzyłam, jak potężne szczęki żują przekąskę. Wierzchowiec grzebnął w ziemi prawym kopytem i rzucił mi spojrzenie, które mówiło, że miałby ochotę na więcej.

— Gdzie go znalazłeś? — zapytałam Tuckera.

Koń się odwrócił i odruchowo spojrzałam na jego blizny.

— Na aukcji w Columbii. Zawsze szukam koni, których nikt nie chce. Gdybym go nie kupił, skończyłby w rzeźni.

Wzdrygnęłam się. Wolałam nie myśleć, co stało się z innymi końmi, których nikt nie chciał.

— Wiesz, skąd pochodzi? Jak się nazywa?

Tucker pokręcił głową i mocno poklepał konia po szyi.

— Znaleziono go na pozbawionym trawy padoku. Nic nie wskazywało na to, że było tam kiedyś siano czy inne pożywienie. Do picia miał tylko deszczówkę w brudnym wiadrze.

Patrzyłam na wielkie zwierzę i znowu odniosłam wrażenie, że łączy nas coś więcej niż tylko fizyczne rany.

— To wspaniały koń, niezależnie od blizn. Każdy musi to widzieć. Trudno mi uwierzyć, że ktoś go nie chciał. — Wałach znowu wyciągnął szyję, nastawił się, żebym go podrapała po łbie, ale się cofnęłam. Nie chciałam poczuć pod palcami jego miękkiej sierści, bałam się, że z sympatią trąci mnie łbem.

— Często to robisz? To znaczy... czy często ratujesz konie?

Tucker wzruszył ramionami i na chwilę odwrócił wzrok.

— Od niedawna. Ze dwa lata temu zrobiłem sobie przerwę w praktyce lekarskiej, żeby przyjechać tutaj. Moja żona... Susan... była chora i pomyślałem, że zmiana otoczenia dobrze nam wszystkim zrobi. Miałem nadzieję, że pobyt wśród koni jej pomoże. — Pokręcił głową. — Ale ona się ich bała. Nie podchodziła do nich. W każdym razie kierowniczka stajni, Andi Winkle, wspomniała mi, że gdy Susan była na aukcji, oglądała konia, którego według niej powinniśmy kupić. Był niedożywiony, ale nie okulały, i mimo tego, co przeszedł, miał temperament, który mogliśmy okiełznać. Pojechałem go zobaczyć. Wiedziałem, co się z nim stanie, jeśli go nie wezmę, i tak to się zaczęło. Poddaję konie rehabilitacji, a potem albo je sprzedaję, albo znajduję im dobry dom, zależnie od sytuacji.

Wałach znowu zarzucił łbem i przestąpił z nogi na nogę, zniecierpliwiony, że musi stać tak długo w jednym miejscu. Spojrzałam w jego wielkie oczy o kształcie migdałów i ogarnęło mnie bardzo dziwne wrażenie, że oboje myślimy o tym samym. Ty chcesz latać. Te słowa tak wyraźnie rozległy się w mojej głowie, że przez chwilę wydało mi się, iż wypowiedziałam je na głos.

Zamiast tego jednak zapytałam:

— Nadałeś mu już imię?

Tucker nie odpowiedział i kiedy na niego spojrzałam, zobaczyłam, że przygląda mi się uważnie z nieznacznym uśmiechem na ustach.

— Nie. Jeśli nie zamierzam konia zostawić, zwykle nie nadaję mu imienia. Ale dla tego, cóż, chętnie zrobię wyjątek.

Uśmiechał się wciąż, jakby czekał, żebym załapała dowcip.

— Dlaczego tak na mnie patrzysz?

Przestał się uśmiechać. Znowu spoważniał i miał w oczach ten zraniony wyraz, który zaczęłam z nim kojarzyć.

— Bo nie wyobrażam sobie, jak by to było... nie móc już nigdy dosiąść konia. I dlatego, że chyba chcesz nadać temu koniowi imię.

Pragnęłam zaprzeczyć, powiedzieć mu, że wcale nie tak trudno porzucić sport, który naraził człowieka na poważne złamania i nie tylko. Nigdy jednak nie umiałam za dobrze kłamać, poza tym wciąż miałam wrażenie, że ten koń pragnie latać.

— Nazwałabym go Kapitan Wentworth — powiedziałam, wysuwając brodę i splatając ręce na piersi.

Tucker znowu się uśmiechnął.

— A, wielbicielka Jane Austen. Ty i Helen macie ze sobą wiele wspólnego.

— Potraktuję to jako komplement.

— I słusznie. — Zwrócił się w stronę konia. — Niech będzie Kapitan Wentworth. W skrócie Kapitan. Chociaż mam wrażenie, że Andi wolałaby coś w stylu Bruiser czy Killer*. Złamał jej nos, gdy ładowała go do przyczepy po aukcji. — Pogłaskał wierzchowca po szyi. — Ale myślę, że Kapitan Wentworth brzmi lepiej. Powiem wszystkim. Może nawet dostanie tabliczkę ze swoim imieniem na drzwi boksu.

Stłumiłam podniecenie, które mnie ogarnęło, bo wiedziałam, że tak naprawdę nie ma to ze mną nic wspólnego.

— Dobrze — stwierdziłam. — Zasługuje na to.

Tucker spojrzał na mnie bystro i poczułam, że rumienię się pod wpływem jego wzroku.

— Myślę, że powinnaś znowu zacząć jeździć.

Gdy usłyszałam te słowa, wypowiedziane tak cicho i łagodnie, poczułam się, jakbym znowu leżała na ziemi z pogruchotanymi kośćmi, czekając, aż zapadnie ciemność. Podniosłam wzrok na Tuckera, który tymczasem zamilkł, a potem przyjrzałam się Kapitanowi Wentworthowi. Poruszał leniwie ogonem i jego widok przywołał wspomnienia, które przecież nie były takie złe. Znowu popatrzyłam mu w oczy. Polećmy; polećmy razem wysoko. Zaczęłam szybciej oddychać, gdy wyobraziłam sobie powiew wiatru na twarzy i euforię po udanym skoku, niemal słyszałam w uszach wiwaty tłumu. O Boże.

Patrzyłam na konia przez długą chwilę i nagle uświadomiłam sobie coś strasznego. Poczułam mdłości, bo żołądek wywrócił mi się od podłych myśli. Obróciłam się na pięcie i ruszyłam na oślep w kierunku, z którego przyszłam. Wiedziałam, że jeśli nie odejdę, wypowiem głośno to, co właśnie do mnie dotarło.

---

* *Bruiser* (ang.) — zabijaka, *killer* (ang.) — morderca.

Pod wpływem rozczarowania zrobiłam coś, co zawsze denerwowało mnie u słabszych jeźdźców; uległam lękowi, poddałam się w obliczu poczucia własnej śmiertelności. To gniew na siebie skłonił mnie do odejścia. Nie chciałam się przyznać do tego, co właśnie sobie uprzytomniłam, gdy patrzyłam na Kapitana Wentwortha, i poczułam pragnienie, aby razem z nim unieść się w powietrze: że wcale nie boję się koni. Czego się zatem bałam? Tego, że jeśli znajdę się znowu w siodle, odkryję, że nie jestem już czempionem, że przestałam być kimś niezwykłym.

— Nie jestem jednym z koni, które potrzebują ratunku! — zawołałam przez ramię, nie zwalniając.

Tucker nic na to nie odpowiedział, ale wiedziałam, że wciąż na mnie patrzy.

Skręciłam za dom i zatrzymałam się na podjeździe. Stałam z rękami opartymi na kolanach, dopóki nie odzyskałam oddechu. I nagle zrozumiałam słowa wyryte na zegarze słonecznym: „Czas mija, ale wspomnienia pozostają".

Wciągnęłam w płuca gorące, wilgotne powietrze. Serce biło mi mocno, a kolano pulsowało. Ale najbardziej doskwierało mi dokonane właśnie odkrycie i poczułam nagłą desperacką potrzebę, by sobie udowodnić, że się mylę.

ROZDZIAŁ 12

Helen zapukała do drzwi salonu babci, a potem weszła do środka.

— Przespałaś się trochę?

W głosie Lillian dało się słyszeć zmęczenie.

— Och, to beznadziejna sprawa. Nie wiem, po co w ogóle próbuję. Plecy i ręce i tak nie dają mi spać.

Helen podeszła do miejsca pod oknem, gdzie, jak wiedziała, stał szezlong babci. Przyklękła przy niej, czując po chłodzie na ciele, że okiennice są zamknięte.

— Podać ci lekarstwa?

Lillian prychnęła w nietypowy dla siebie sposób.

— Wszystkie tylko mnie ogłupiają, a Odella mówi, że gdy biorę jedno z nich, nie mogę pić alkoholu, więc jaki to ma sens? Źle się czuję, czy je zażywam czy nie, a jeśli ich nie biorę, mogę przynajmniej znieczulić się winem.

— Przykro mi — odparła poważnie Helen.

Mimo pozornego chłodu i surowości w sposobie bycia Lillian była dla niej jak matka. I choć nigdy nie należała do wylewnych, Helen zawsze czuła się przez nią kochana. To właśnie Lillian, a nie matka, spała w jej pokoju na łóżku polowym, gdy Helen była chora, to ona trzymała ją za rękę, gdy dziewczynka traciła wzrok, aby mała wiedziała, że choć zapada mrok, nie jest sama.

Helen usiadła na kanapie, potrącając ręką papiery. Poczuła, że jeden z nich spadł i wylądował na podłodze u jej stóp. Pochyliła się, podniosła go i podała babce.

— Przepraszam, Malily... strąciłam jeden z twoich papierów. Nie chciałabym położyć go w złym miejscu.

Lillian nic nie powiedziała, nie wzięła też od Helen kartki.

— Malily? Dobrze się czujesz?

Lillian odezwała się silnym głosem, ale jakby nieco odległym, i Helen wyobraziła sobie, że babcia spogląda w przeciwną stronę, w kierunku zamkniętych okien.

— Przez chwilę siedziałam dziś w ogrodzie z Earlene. Rozmawiałyśmy między innymi o powoju księżycowym i jego zaletach. Cała ta rozmowa o ogrodzie przypomniała mi dawną przyjaciółkę, która nauczyła mnie ogrodnictwa. Ogarnęła mnie taka nostalgia, że wyjęłam kartki z albumu, który prowadziłam w młodości. Te, które dałam Susan.

Helen cofnęła rękę, ale nie wypuściła z niej kartki, bo przyszło jej do głowy pytanie:

— A co się stało z okładką? Grzbietem?

Lillian zaśmiała się chrapliwie.

— To część historii. Bo, rozumiesz, było nas trzy. Trzy przyjaciółki i album, który prowadziłyśmy wspólnie. Kiedy... się rozstałyśmy, każda z nas zabrała swoje zapiski.

Helen położyła sobie kartkę na kolanach i uśmiechnęła się do siebie. Przypomniała sobie, co Odella widziała na stole kuchennym u Earlene.

— Nigdy wcześniej mi o tym nie mówiłaś.

Usłyszała, jak z poduszki uchodzi powietrze, gdy Malily poruszyła się na szezlongu.

— Nie, rzeczywiście nie. Zawsze myślałam, że najpierw

powinnam powiedzieć twojej matce, ale to już chyba nie nastąpi.

Helen ze zdziwieniem uniosła głowę, bo Malily obiema dłońmi chwyciła ją za ręce. Ujęła je w odpowiedzi, poczuła pergaminową skórę i zwyrodniałe stawy. Po raz pierwszy zrozumiała, że babcia jest starą kobietą, a nie heroiną z czasów jej młodości.

Lillian ciągnęła:

— Sądziłam, że jeśli oddam Susan te kartki i całą resztę dokumentów rodzinnych, ona ułoży je w logiczną całość i wyłoni się z tego pewna historia. Ale nie zdawałam sobie sprawy, jak bardzo... Susan była delikatna. Popełniłam błąd.

Helen mocniej ścisnęła ręce babci.

— Nikt z nas nie wiedział, co tak naprawdę dzieje się z Susan, nawet Tucker. Sprawiała wrażenie uradowanej i podnieconej, że zostanie kronikarzem naszej rodziny. Kto by przypuszczał, że... — Helen urwała na chwilę. — Nikt nie ponosi winy za to, co zrobiła. A już na pewno nie ty.

Lillian uwolniła dłonie z jej uścisku.

— Nie masz racji. — Babka zaśmiała się gardłowo, a potem ciągnęła: — Powinnam była wiedzieć, że ostatnie słowo zawsze należy do Annabelle. — W powietrzu, jak wilgotna mgła, zawisło ciężkie westchnienie, a potem zapadła cisza. Helen przez chwilę miała wrażenie, że babcia zasnęła, ale ta po chwili odezwała się znowu: — To Annabelle wpadła na pomysł, żebyśmy prowadziły album. Mawiała, że kobiety powinny przekazywać historie swojego życia córkom. Jednak chyba jej się to nie udało, tak samo jak mnie.

— Ale przecież jest jeszcze czas. No i masz mnie.

— Nie za wiele tego czasu, Helen, i chyba dlatego słowa Annabelle nie dają mi spokoju. I rzeczywiście, mam ciebie, prawda? A ty, podobnie jak twoja matka, nie jesteś skłonna do pochopnych ocen.

Helen uniosła głowę.

— Umiem słuchać. Możesz opowiedzieć mi swoją historię. A ja opowiem ją potem mamie, gdy będzie gotowa jej wysłuchać.

— Ona już zna jej część. Chyba poznała ją za wcześnie. Ale fascynował ją wisiorek w kształcie anioła, który zawsze nosiłam... i który odgrywa pewną rolę w tej historii. Pomyślałam więc, że jeśli opowiem jej jego historię, będzie chciała dowiedzieć się reszty. I tak było... do pewnego momentu. Potem poprosiła, żebym przestała mówić, więc nie dotarłam do końca.

— Dlatego wyjechała? Bo nie chciała wysłuchać twojej historii?

Usłyszała, że Malily przełyka ślinę.

— Twoja matka wyjechała z różnych powodów, Helen... i żaden z nich nie ma nic wspólnego z tobą ani Tuckerem. Zrobiła to chyba przede wszystkim dlatego, że nie mogła żyć obok kogoś, kto nigdy nie wyraził żalu za swoje uczynki.

Helen uśmiechnęła się łagodnie, zwracając twarz ku babce.

— Jak w tej historii, którą opowiadałaś nam, gdy byliśmy dziećmi... o chłopcu, który zostaje przyłapany na kradzieży cukierka i wie, że złamał prawo, ale nie żałuje. Zawsze miałam wrażenie, że twoim zdaniem tak zupełnie nie zasługuje na potępienie. Że dostał nauczkę i więcej złego uczynku nie popełni, ale powinien być dumny, że się na niego odważył.

W głosie Lillian dało się słyszeć nutę rozbawienia.

— Ty i Tucker to rozumieliście, ale wasza matka nie potrafiła. Albo nie chciała. Wszyscy wiemy, że nie wolno kraść. Ale jeśli ten chłopczyk ukradł, żeby nakarmić głodującą rodzinę? Czy przez to jest zły? Czy tylko źle postąpił? I czy cel uświęca środki? Twoja matka od tamtej pory jeździ po świecie, żeby poznać odpowiedź. Dowiedzieć się prawdy.

Helen oparła brodę na splecionych dłoniach i pochyliła się nieco.

— Ale przecież nie ma jednej prawdy.

— No właśnie — odparła triumfalnie Lillian. — Ale niektórzy żyją tak, jakby istniała tylko jedna jedyna odpowiedź. Oczywiście, gdyby wszyscy tak do tego podchodzili, życie byłoby łatwiejsze. Ale nie lepsze.

Helen przymknęła oczy i próbowała wyobrazić sobie matkę, ale nie umiała.

— Wobec tego powiedz to mnie. Opowiedz mi swoją historię. — Wyciągnęła rękę za siebie, tam gdzie na kanapie wciąż leżały luźne kartki z albumu. — Przeczytaj mi je, żebym zrozumiała. I może któregoś dnia będę w stanie wyjaśnić wszystko mamie. Albo córkom.

Lillian milczała przez jakiś czas. Oddychała wolno, spokojnie. Helen się nie poruszyła; wiedziała, że babcia nie zasnęła, tylko zastanawia się nad odpowiedzią. Wtedy młoda kobieta przypomniała sobie, jak matka wyjechała po raz pierwszy, jak pakowała ubrania do walizki. Mimo zapewnień, że jej wyjazd nie ma nic wspólnego z Helen, ona nie do końca w to wierzyła. Przez długi czas prześladowały ją jej słowa: „Niektóre sprawy powinny tkwić pomiędzy pożółkłymi stronami gazet na strychu pamięci". Potem matka ponownie zajęła się pakowaniem, obiecując, że wkrótce wróci, a następnym razem zabierze ze sobą Helen i jej brata. Następnym razem jednak Helen była już niewidoma, a Tucker nie chciał jej zostawić.

Głos Lillian przywołał ją do rzeczywistości.

— Tak, chyba przyszła na to pora. — Helen poczuła, że babcia podnosi kartkę z kolan. Potem zaczerpnęła powietrza i po krótkiej chwili przerwy zaczęła opowiadać swoją historię. — Byłyśmy trzy: Josephine Montet, Annabelle O'Hare i ja. Nie od razu zostałyśmy przyjaciółkami. Josie i Annabelle przyjaźniły się od dawna... matka Josie pracowała u doktora O'Hare i mieszkała razem z córką w pokoju dla gospodyni. Josie i Annabelle znały się od wczesnego dzieciństwa, były między nimi tylko dwa lata różnicy. Ja byłam o rok młodsza

173

od Josie... czyli trzy lata od Annabelle... ale łaziłam za nimi, gdy mój ojciec i doktor O'Hare załatwiali wspólne sprawy. One nie zwracały na mnie uwagi. Do czasu, aż kupiłyśmy naszyjnik.

Opowiedziała Helen o tym, jak zobaczyły łańcuszek na wystawie sklepowej, kupiły go wspólnie, jak umówiły się, że będą go nosić na zmianę i zapisywać w albumie, co się wówczas wydarzyło w ich życiu. I że będą dodawać kolejne wisiorki do naszyjnika, któremu nadały imię Lola.

Helen wyprostowała się na kanapie.

— To stąd się wziął wisiorek w kształcie anioła... ten, który zawsze nosiłaś na łańcuszku.

— I nadal noszę. — W głosie Malily słychać było zmęczenie. — To jedyny wisiorek, który istniał w trzech egzemplarzach, bo kupiłyśmy go wszystkie, na samym początku. Tylko to zostało mi z tamtego naszyjnika.

Helen otworzyła usta, żeby wspomnieć o naszyjniku, który Odella widziała w domku Earlene, ale zmieniła zamiar. Od dawna się domyślała, że nie tylko Malily ma swoje sekrety. Chciała dowiedzieć się więcej, ale miała świadomość, że żadna z kobiet nie będzie skłonna do zwierzeń, jeśli zacznie podejrzewać, że Helen wie coś, czego nie powinna wiedzieć.

Lillian kontynuowała opowieść:

— Album należał do każdej z nas przez cztery miesiące w roku, a potem przechodził w ręce następnej. Przez ten czas musiałyśmy w nim odnotowywać najważniejsze wydarzenia, które miały miejsce w naszym życiu. Prowadziłyśmy go przez dziesięć lat... czyli na każdą z nas przypadał jeden wpis na rok. Ale ja nie lubiłam pisać... więc nie zawsze to robiłam, co strasznie złościło Annabelle. Zawsze jednak dodawałam wisiorek do naszyjnika... czasami nawet niejeden, co także denerwowało Annabelle. Ona zawsze skrupulatnie przestrzegała zasad. — Lillian zamilkła na chwilę. — Potem się... rozstałyśmy, więc rozerwałyśmy album i każda z nas zabrała pisaną przez siebie część. Josie wyjechała ze swoją do Nowego Jorku, Annabelle musiała zostawić swoją w Savannah, a moja jest tutaj. Gdzieś zawieruszyłam pierwsze kartki, więc zapiski zaczynają się dopiero w trzydziestym drugim roku, gdy miałam trzynaście lat. Ale to akurat tak naprawdę początek mojej historii.

Lillian urwała i Helen czekała na dalszy ciąg; obawiała się poruszyć czy powiedzieć cokolwiek, żeby babcia nie zmieniła zdania. W końcu Malily zapytała:

— Mogłabyś dać mi wody? Dzbanek i szklanka stoją na stoliku przy łóżku. Ja tymczasem pozbieram te kartki i zastanowię się, od czego zacząć.

Helen poruszała się wolno, ale ze skupieniem, bo nie chciała rozlać wody ani niepotrzebnie przedłużać sprawy. Przeszła przez pokój, licząc kroki, tak jak to robiła od dzieciństwa, i zatrzymała się przed szezlongiem. Podała babce szklankę, a potem wygodnie usadowiła się na kanapie, gotowa słuchać dopóty, dopóki babcia zechce mówić. Chwilę później Malily zaczęła czytać.

10 maja 1932 roku

Od dwóch tygodni jestem chora. Boli mnie wszystko — głowa, brzuch, nawet zęby. Źle się czuję i mam wysoką gorączkę. Słyszałam, że lekarz mówił coś o grypie, ale tata wyprowadził go z pokoju tak szybko, że miałam wrażenie, jakby w ogóle go tutaj nie było! Dziś jednak czuję się trochę lepiej, więc pomyślałam, że napiszę coś w albumie, choćby tylko po to, żeby Annabelle się nie wściekła, gdy przyjdzie jej kolej.

Nudzę się, kiedy tak leżę sama w pokoju. Nikomu nie wolno mnie odwiedzać, a o jeździe konnej w ogóle nie ma mowy. Tata powiedział, że jeśli zauważy mnie w pobliżu stajni, sprzeda moją klacz, Cimarron. Oczywiście wiem, że nie mówił poważnie, ale i tak się do niej nie zbliżę. Jestem tak słaba, że nie mogłabym nawet wsiąść na konia.

15 maja 1932 roku

Czuję się już o wiele lepiej, ale tata nie pozwala mi jeszcze wstać z łóżka. To leżenie tak mnie osłabiło, że ledwie mogę ustać na nogach. Bardzo brakuje mi Cimarron, ciekawa jestem, czy w ogóle mnie pozna, gdy wreszcie będę mogła do niej pójść.

Wciąż nie mogę przyjmować gości, ale dziś ze swoim ojcem przyszła Annabelle. Doktor O'Hare przekonał tatę, że towarzystwo dobrze mi zrobi, i zapewnił go, że już nie zarażam. Wiedziałam oczywiście, że był to pomysł Annabelle — ona zawsze ma świetne pomysły — i ucieszyłam się, że kiedy jej ojciec wyjdzie, będzie podawać mi wodę i poprawiać poduszki.

Moja radość nie trwała długo, bo gdy tylko jej ojciec sobie poszedł, wyciągnęła mnie z łóżka i zabrała do angielskiego ogrodu bukszpanowego, który założyła kiedyś moja mama. Annabelle stwierdziła, że jest zaniedbany i że nauczy mnie go uprawiać. Dała mi małą łopatkę i kazała kopać dołki w ziemi. Powiedziałam jej, że jestem osłabiona po chorobie, a ona na to, że mogę kopać na siedząco.

Ogród wygląda chyba tak samo jak poprzednio — tylko że teraz ziemia jest przekopana i wszędzie znajdują się dołki z nasionami. Annabelle twierdzi, że w tym tkwi między innymi sekret ogrodnictwa: za miłość i cierpliwość dostaniemy w nagrodę swój raj na ziemi. Żeby mnie zachęcić, następnym razem, gdy przyjdzie, ma mi przynieść jakieś odnóżki (cokolwiek to jest!).

Pracowałyśmy przez cały czas i czy to dzięki pobytowi na świeżym powietrzu, czy pracy fizycznej, naprawdę poczułam się znacznie lepiej, gdy Annabelle odjechała. Powiedziała, że praca w ogrodzie to lekarstwo na wszelkie problemy życiowe. Nie przyznałam się jej do tego, ale chętnie się przekonam, czy to prawda.

Lillian przestała czytać i Helen się uśmiechnęła.

— To było w trzydziestym drugim roku, więc miałaś trzynaście lat. Byłam w tym samym wieku, gdy, choć wrzeszczałam i kopałam, zaprowadziłaś mnie do szopy w ogrodzie i dałaś mi grabki. — Pochyliła się do przodu. — Przekonałaś się więc, że to, co powiedziała ci Annabelle, jest prawdą, mam rację?

— Chyba tak. Próbowałam przekazać to twojej matce, ale nie była taką pojętną uczennicą jak ty. Obie początkowo byłyście niechętnie nastawione, ale ty wkrótce zrozumiałaś, na czym polega ta magia. Twojej matce to się chyba nie udało.

Helen na chwilę przymknęła oczy. Przypomniała sobie pierwsze kwiaty, jakie wyhodowała w ogrodzie, podniecenie na myśl, że stworzyła coś tak pięknego z ziemi, wody i nasion. Ponownie otworzyła oczy.

— Przeczytasz więcej?

Usłyszała szelest kartek.

— Ze wstydem stwierdzam, że długo nic nie pisałam... następnego wpisu dokonałam dopiero cztery lata później, gdy miałam siedemnaście lat. Nie żebym uważała, iż wcześniejsze lata nie były warte utrwalenia. Okres dorastania był dla mnie trudny. Nie chciałam tego wszystkiego przeżywać jeszcze raz na kartkach albumu.

— Szkoda. Chętnie bym o tym posłuchała.

— Hm, może następny wpis zrekompensuje ci brak informacji o poprzednich latach. Siedemnasty rok życia był dla mnie bardzo podniecający. — Po krótkiej przerwie Lillian wróciła do czytania.

*Dziś wieczorem biorę udział w pierwszym w życiu
przyjęciu towarzyskim. Z powodu „kłopotów
finansowych", o których tata stale ostatnio mówi,
nie będzie to bal w Oglethorpe Club, jak kiedyś
zapowiadał. Zamiast tego urządzamy tu, w Asphodel
Meadows, oficjalną kolację z tańcami tylko na sto
osób. Mówiłam tacie, że szkoda zachodu, że nawet
jeśli otworzymy wszystkie okna w sali balowej i jadalni,
to i tak będzie panował straszliwy upał. A poza
tym nie muszę iść na żaden bal debiutancki. Poznałam
już mężczyznę, którego chciałabym poślubić, więc
nie ma sensu szukać dla mnie męża. Mimo to zapowiedź
mojego debiutu towarzyskiego ukazała się w gazecie
w Dzień Matki i mam brać udział w różnych imprezach
aż do sylwestra, kiedy to oficjalnie zostanę wprowadzona
do towarzystwa w Savannah i uznana za pannę na
wydaniu. Szkoda, że nie podnieca mnie to tak jak tatę.*

*Kiedy Annabelle dowiedziała się o moim debiucie
(wprawdzie jest ode mnie trzy lata starsza, ale jej ojciec
ostatnio dostaje wynagrodzenie w postaci kurcząt i jajek,
więc nie mógł sobie pozwolić na wprowadzenie córki do
towarzystwa — co jej zupełnie nie martwi, bo, jak sama
mówi, na obecnym etapie rozwoju świata ma ważniejsze
sprawy na głowie niż znalezienie męża), podrzuciła mi* The
Hard-Boiled Virgin *Frances Newman. Ta książka
wyśmiewa zwyczaj wprowadzania panien do towarzystwa
i tata kazałby mnie wychłostać, gdyby wiedział, że wpadła
mi w ręce, a już na pewno by dopilnował, żebym więcej nie
zobaczyła się z Annabelle. Ale czytając ją, uśmiałam się
serdecznie, bo dostrzegłam w niej siebie i swoje
debiutujące koleżanki.*

Annabelle pomogła mi wybrać kwiaty, które będę nosiła na nadgarstku i którymi zostaną ozdobione stoły. Uznała, że najlepsze będą lilie, ze względu na moje imię i to, że symbolizują dostojeństwo — co mnie rozbawiło, choć to rzeczywiście piękne kwiaty. Do tego dobrała mieczyk, który symbolizuje siłę charakteru. Tata uważał, że kwiaty powinny być różowe i białe, ale Annabelle i ja wpisałyśmy do zamówienia także purpurowe, żeby było wyraziściej. Annabelle zna się na kwiatach, więc uczę się od niej wszystkiego, żebym, gdy będę wiekową matroną otoczoną dwudziestką wnuków, miała własny ogród, podziwiany w całej Georgii.

Gdyby nasze role się odwróciły, też wybrałabym dla Annabelle mieczyk. Ostatnio wiele pomaga ojcu, który leczy także biednych, niezależnie od koloru skóry. Ma z tego powodu wielu wrogów wśród swoich, co nie pomoże Annabelle dobrze wyjść za mąż, ale ona się tym nie przejmuje. Taka już jest. Wciąż mówi o nierówności społecznej — obawiam się, że przejęła to od Freddiego — i nie ogranicza się tylko do gadania. Raz nawet musiałam skłamać w jej sprawie — kiedy późno wróciła ze spotkania z Freddiem. Zrobiłam to tak przekonująco, że chyba o tym myślała, gdy mówiła o sile mojego charakteru. Nie miałam odwagi jej powiedzieć, że skłamałam głównie ze względu na Freddiego, którego spotkałaby znacznie surowsza kara niż ojcowska reprymenda. Widywałam, jak tata wychodzi na swoje „zebrania polityczne", które zawsze jakoś zbiegają się z linczami, i krew zastyga mi w żyłach, gdy myślę, na co Freddie naraża nie tylko siebie, lecz także Josie i Justine.

Moja sukienka jest całkiem ładna, chociaż została uszyta przez miejscową krawcową, a nie sprowadzona z Paryża, wbrew obietnicom taty. Jest z satyny i koronki i ma wielką

*kokardę na plecach, przez co wyglądam jak dziecko. A nie
jestem już dzieckiem, mimo że tata wciąż mnie tak traktuje.
Miłość zrobiła ze mnie kobietę i wiem, że nie ma już od
tego odwrotu.*

Lillian skończyła czytać. Helen początkowo się nie odzywała,
bo nie chciała, żeby prysł urok chwili. Przed oczami miała
wizję balu, mężczyzn w czarnych smokingach, Lillian całej
w bieli oraz biało-różowych lilii z przyćmiewającym je purpu-
rowym mieczykiem.

— Kto to był Freddie?

— Brat Josie. Pracował jakiś czas w stajniach. Annabelle
praktycznie wychowała się z nim i Josie. — Lillian napiła się
wody. — To zabawne, że ledwie pamiętam, co działo się
wczoraj, a przypominam sobie tamten wieczór ze wszystkimi
szczegółami. Czuję smoking Charliego pod policzkiem i zapach
wody kolońskiej taty. Przepełniało mnie wielkie szczęście,
choć nie było przy mnie Annabelle. To było... bajeczne.

— Są jakieś zdjęcia?

— Tylko jedno. Oczywiście zaprosiliśmy fotoreportera z pra-
sy, żeby moje zdjęcie ukazało się w rubryce towarzyskiej. Dał
mi potem jedną z fotografii, których nie zamieszczono, i wkle-
iłam ją do albumu. Przedstawia mnie i Charliego w tańcu. On
był takim dobrym tancerzem! Tata wynajął zespół złożony
z lokalnych muzyków, którzy grali wszystko, co sobie zaży-
czyłam. Jako solistka występowała Josie... miała głos jak anioł...
i choć nie wolno mi było z nią rozmawiać jak równy z równym,
śpiewała wszystkie moje ulubione piosenki. Na tańcach byli
jeszcze inni chłopcy, ale żadnego z nich nie pamiętam. Prawie
przez cały wieczór tańczyłam z Charliem. Taniec z nim był
czymś magicznym. Zapierał mi dech w piersiach, sprawiał, że
czułam się, jakby spotkało mnie coś nadzwyczajnego.

Helen się uśmiechnęła, choć zabolało ją serce.

— Więc od początku wiedziałaś, że chcesz wyjść za dziadka Charliego?

Lillian przez chwilę nie odpowiadała i Helen nadstawiła ucha. Niemal usłyszała, jak babcia szuka właściwych słów.

— Czy człowiek kiedykolwiek wie, czego naprawdę chce? To działo się dawno temu, a ja byłam bardzo młoda. Moje pragnienia i odczucia zmieniały się niemal z dnia na dzień.

Helen usłyszała szelest papieru; miała nadzieję, że babcia wróci do czytania. Zamiast tego Malily rzekła:

— Jestem bardzo zmęczona. Chyba spróbuję się trochę zdrzemnąć przed lunchem. Mogłabyś powiedzieć Odelli, żeby obudziła mnie za godzinę?

Helen próbowała ukryć rozczarowanie w głosie.

— Jasne. Poczytamy później, gdy odpoczniesz. — Wstała i wzięła babcię za rękę, zdziwiona, że nie czuje gładkiej skóry debiutantki ze swojej wyobraźni. Potem pochyliła się, żeby ucałować wiotki policzek. — Do zobaczenia przy lunchu.

Kierując się do drzwi, przypomniała sobie pytanie, które ją nurtowało, gdy słuchała opowieści babci.

— Jakie wisiorki dodałaś wtedy do naszyjnika?

W głosie Lillian słychać było zmęczenie, ale Helen pochwyciła w nim także lekki ton.

— Dodałam trzy. Nigdy nie uznawałam ograniczeń. — Helen wyobraziła sobie, że babcia się uśmiecha na wspomnienie samej siebie sprzed lat. — Pantofelek, bo na swoim balu debiutanckim czułam się jak Kopciuszek, i nutkę.

— A trzeci?

— Serce.

— Dla dziadka Charliego?

Babka zwlekała chwilę z odpowiedzią.

— Dla mojej pierwszej miłości.

Helen się uśmiechnęła.

— Odpocznij.

Otworzyła drzwi i wyszła na korytarz, prawie potykając się o Mardiego, który leżał w progu i na nią czekał. Zanuciła pod nosem walca, wyobrażając sobie, że jest ubrana w suknię z satyny i koronki, a na nogach ma buty na wysokich obcasach. Prawie doszła do schodów, gdy uzmysłowiła sobie, że Malily tak naprawdę nie odpowiedziała na jej pytanie.

❧

Jak się okazało, kryty maneż znajdował się za stajniami. Lucy i Sara już tam na mnie czekały. Ubrane były w nowiutkie stroje jeździeckie, miały szpicruty, bryczesy i lśniące wysokie buty. Spod czarnych aksamitnych kasków wystawały war-koczyki z kokardami.

Zbliżywszy się, zobaczyłam buzie dziewczynek. Szerokie otwarte oczy Sary były pełne lęku, a dolna warga — czerwona od przygryzania. Ten widok nie był mi obcy; tak właśnie wyglądały początkujące amazonki na większości wyścigów konnych, na jakich bywałam. Dziadek mówił, że ja nigdy się nie bałam, nawet największych koni, ale małe dziewczynki często trzęsły się jak osika, gdy po raz pierwszy miały stanąć przy wierzchowcu i na niego wsiąść.

W przypadku Lucy było jednak inaczej. W jej szeroko otwartych oczach malował się wprawdzie pewien niepokój, ale widać w nich było także podekscytowanie, a w postawie dało się zauważyć wyczekiwanie. Wyglądała, jakby chciała czegoś dowieść — co też znałam z doświadczenia.

Przez chwilę stałam i patrzyłam na swoje uczennice. Po-czułam lekkie podniecenie, choć nie bardzo wiedziałam, czy to ze względu na dziewczynki, czy samą siebie. Od barierki z boku odepchnęła się kobieta, której wcześniej nie zauważyłam, i podeszła do mnie z wyciągniętą ręką.

— Jestem Emily Kent, niania dziewczynek. Pani musi być Earlene Smith, ta niezwykła amazonka.

Kobieta była bardzo młoda, bardzo ładna i miała bardzo jasne włosy. Uśmiechała się szeroko i serdecznie. Odruchowo odpowiedziałam uśmiechem i podałam jej rękę.

— Tego bym nie powiedziała, ale mam dawać Lucy i Sarze lekcje jazdy konnej.

Sara podbiegła do Emily i objęła ramionami jedną z jej nóg.

— Będziemy a-ma-zon-ka-mi! — zawołała, podskakując radośnie.

Emily pochyliła się i wzięła dziewczynkę na ręce, nie zwracając uwagi na to, że buty małej brudzą jej spodnie.

— Tak, będziecie. Powiedz pannie Earlene, że czytałyśmy o różnych rodzajach strojów do jazdy, różnych koniach i siodłach.

Sara pokiwała głową z emfazą.

— Pojechałyśmy do biblioteki i wypożyczyłyśmy mnóstwo książek. Potem panna Emily zabrała nas na zakupy i kupiła nam te stroje.

— Widzę — odparłam i nie mogąc oprzeć się pokusie, pociągnęłam ją za jeden z warkoczyków. — Brakuje tylko jednego. — Wskazałam znacząco pusty maneż.

Emily postawiła Sarę na ziemi.

— Och, zauważyła pani? — Uśmiechnęła się znowu. — Tucker zaraz przyprowadzi kuce ze stajni... będzie tu za minutę. Przyjaciel wypożyczył mu dwa ze swojej szkółki, dopóki Tucker nie zorientuje się, czy dziewczynki w ogóle lubią jazdę konną. Jeśli będą chciały dalej jeździć, kupi im własne.

Lucy, która jak dotąd tylko się nam przyglądała, podeszła powoli i zwróciła na mnie swoje ciemne oczy.

— Ja będę bardzo dobrym jeźdźcem.

Spojrzałam na jej poważną twarz, domyślając się, ile odwagi kosztowało tę małą dziewczynkę takie oświadczenie. Dostrzegłam w niej coś, co przypomniało mi siebie samą z dawnych lat.

— Jeśli chcesz nim zostać, to masz właściwe podejście. Na zawodach, w których startowałam, nie było ani jednej zawodniczki, która by nie uważała się za dobrą. Te, które nie wierzyły w siebie, odpadały po drodze.

Pokiwała głową, usatysfakcjonowana moją odpowiedzią.

— Nadal bierze pani udział w zawodach?

Pytanie Emily mnie zaskoczyło i odpowiedziałam dopiero po chwili.

— Nie. Miałam wypadek i już w ogóle nie jeżdżę konno.

Kobieta skinęła głową, zaciskając usta w zamyśleniu.

— Nie chcę pani urazić, ale zauważyłam, że pani utyka... Domyślam się, że wskutek wypadku?

Sara wybawiła mnie od odpowiedzi.

— Ona ma ziaziu na kolanie i dlatego tak śmiesznie chodzi.

— Saro! — upomniały ją jednocześnie Lucy i Emily.

— Wszystko w porządku — uspokoiłam je. — Sara ma rację. Chodzę śmiesznie i to właśnie z powodu wypadku. — Im częściej pojawiał się ten temat, tym łatwiej mi było o nim mówić. Dopóki pytania nie zaszły za daleko.

— Wciąż uczęszcza pani na fizykoterapię?

Spojrzałam na niewinną minę Emily i zaczęłam się zastanawiać, czy George nie porozumiał się z nią w jakiś sposób i nie poprosił, żeby nękała mnie w jego zastępstwie.

— Nie, niewiele dawała, więc po prostu... przestałam. — Nie widziałam potrzeby, aby wyjaśniać, że zrezygnowałam też ze wszystkiego innego, co mi przypominało, że nie jestem już w stanie normalnie chodzić.

— Nie chcę być wścibska, ale uczę się wieczorowo, żeby zostać fizykoterapeutką, i jestem ciekawa, jakiego urazu pani doznała i jak była pani leczona.

Już miałam ją zapytać, czy nie zna przypadkiem George'a Bakera, ale na szczęście pojawił się Tucker. Prowadził dwa kucyki. Jeden był jeszcze mniejszy i okrąglejszy od drugiego.

Z kucykami po obu bokach zatrzymał się przed córkami.

— Próbowałem je zapakować w papier prezentowy, ale

Oreo nie chciał wejść do pudełka. — Posłał im nieśmiały uśmiech.

— Ty niemądry tatusiu — powiedziała Sara. Stanęła przed Tuckerem, starając się nie zbliżać za bardzo do zwierząt. — Który z nich to Oreo?

Lucy przewróciła oczami.

— Ten w czarno-białe łaty, głupia. Kto nazwałby białego kucyka Oreo?

Emily zerknęła na Tuckera, a potem zwróciła się do Lucy.

— Lucy, wiesz, że nie wolno tak mówić do siostry. Przeproś ją.

Zmarszczywszy czoło i westchnąwszy ciężko, Lucy przeprosiła Sarę i nawet zabrzmiało to szczerze.

— Ja chcę Oreo — oznajmiła Sara.

— To dobrze — odparł Tucker. — Bo właśnie tak sobie myślałem, że byłby dla ciebie idealny.

Wystąpiłam naprzód.

— Która z was chce zacząć pierwsza?

Sara wskazała siostrę.

— Lucy.

Spojrzałam na Lucy, a kiedy skinęła głową, wzięłam od Tuckera cugle większego kuca i podprowadziłam go do podnóżka. Powolny i spokojny, świetnie nadawał się dla osoby początkującej. A także dla mnie. Poklepałam go po szyi, a następnie zaciągnęłam popręg i sprawdziłam uzdę. Przebiegłam palcami po żelaznych i skórzanych elementach; zrobiłam to z taką wprawą, że prawie nieświadomie — te ruchy były dla mnie czymś równie naturalnym jak oddychanie.

Zwróciłam się do Lucy.

— Jesteś gotowa?

Skinęła głową i podeszła do podnóżka.

— Jeździłaś na koniu już wcześniej?

Lucy spojrzała na ojca, jakby potrzebowała jego aprobaty.

— Kilka razy, z Malily... dopóki mama się nie dowiedziała i kazała nam przestać. Uważała, że to... niebezpieczne czy coś takiego. Sara była jeszcze za mała, więc chodziło tylko o mnie. Malily już nie jeździ, ale mówiła mi, co mam robić. Jednak nie używałyśmy siodeł ani nic takiego. I nie wyjechałyśmy poza maneż.

— Och, więc jeździłaś na oklep. To świetny sposób, żeby poznać różne kroki konia. My też będziemy tak robić... zwłaszcza na początku. Teraz chciałabym, żebyś nauczyła się wsiadać i oswoiła się z siodłem. Dasz radę sama wsiąść czy potrzebujesz pomocy?

Tucker podał Emily wodze Oreo i podszedł do Lucy.

— Pierwszy raz mogę cię podsadzić, jeśli chcesz.

Przez chwilę wydawało mi się, że Lucy się zgodzi. Potem jednak ponownie spojrzała na kuca i zobaczyłam, że zaciska szczęki.

— Nie. Spróbuję sama.

Pokazałam jej, gdzie na łęku ma oprzeć ręce i jak ująć wodze. Dziewczynka wsunęła lewą stopę w strzemię i podniosła prawą nogę, żeby usiąść w siodle. Kuc odsunął się na bok i przez moment wyglądało na to, że Lucy straci równowagę i będzie musiała opaść na podnóżek. Tucker zrobił krok do przodu, ale go zatrzymałam. Przygryzając wargę, Lucy wsparła się na łęku, przerzuciła nogę nad grzbietem kuca i usiadła w siodle.

— Doskonale — pochwaliłam ją. Poklepałam kuca po boku, a potem oddałam cugle Tuckerowi, aby dopasować Lucy strzemiona.

— Jak się czujesz?

Widząc jej uśmiech, miałam ochotę odwrócić wzrok, bo przypomniałam sobie, jakie to uczucie siedzieć w siodle.

— Jakbym miała cztery metry wzrostu. — Uśmiechnęła się jeszcze radośniej. — Jakbym zamiast dwóch miała cztery nogi. — Przymknęła oczy i na jej twarzy pojawiło się rozmarzenie. — I jakbym mogła poruszać się szybciej i skakać wyżej niż wszyscy inni.

Poczułam, że serce mi się ściska. Tak. Wiem.

Lucy pochyliła się i niepewnie poklepała kuca po szyi.

— Jak on się nazywa?

Tucker pogłaskał go po pysku.

— Zapomniałem zapytać. Ale myślę, że możesz nazywać go, jak chcesz.

Lucy pokiwała głową, znowu z poważną miną. Odwróciła się do mnie.

— Pamięta pani, jak miał na imię pierwszy kucyk?

— O, tak. To była ona. Nazywała się Elizabeth Bennet, ale w skrócie mówiłam na nią Benny. — Spojrzałam na Tuckera, kręcił głową i usiłował ukryć uśmiech. — Miałam wtedy opiekunkę, która uwielbiała Jane Austen i jej powieści. To ona pomogła mi wybrać imię.

Lucy namyślała się przez chwilę.

— Chciałabym nazwać swojego kucyka Benny.

Tucker poklepał ją po nodze, a potem zabrał rękę.

— Niech tak będzie. Tylko mu nie mów, że ma dziewczyńskie imię.

Podałam Lucy cugle.

— Kciuki do góry, ręce nisko i swobodnie. Tata obwiezie cię po maneżu, a ja tymczasem pomogę wsiąść Sarze.

Po raz pierwszy, odkąd ją poznałam, zobaczyłam bunt na jej twarzy.

— Tata nie musi mnie prowadzić, sama dam sobie radę.

Położyłam ręce na jej dłoniach.

— Wiem, ale nie ma powodu się spieszyć. Chcę, żeby Benny przyzwyczaił się do ciebie i żebyś ty oswoiła się z nim. Sprawia wrażenie łagodnego i miłego, ale będę spokojniejsza, wiedząc, że tata jest obok ciebie, na wszelki wypadek. Obiecuję, że będziesz jeździć samodzielnie, zanim się zorientujesz.

187

— Ale ja chcę jechać szybciej. — Znowu przygryzła dolną wargę, jakby usiłowała w ten sposób ukarać samą siebie za to, że powiedziała to na głos.

Wiem, miałam ochotę odpowiedzieć. Przypomniałam sobie, jak to jest czuć pod sobą twarde siodło i konia. Znałam to poczucie siły i radości, gdy pędzi się pod wiatr, zwodnicze wrażenie, że jest się niepokonanym.

Zanim zdążyłam odpowiedzieć, Tucker zwrócił się do niej:

— Panna Earlene ma rację. Musisz nauczyć się chodzić, zanim zaczniesz biegać. — Otarł pył z buta Lucy. — A może wolisz, żeby to panna Earlene oprowadziła cię po maneżu, a nie ja?

Chyba oboje wstrzymaliśmy oddech, czekając na jej decyzję. Lucy opuściła wzrok na dłonie w nowych rękawiczkach. Pokręciła głową.

— Nie, tatusiu. Chcę, żebyś ty to zrobił.

Zobaczyłam ulgę na twarzy Tuckera. Później spojrzałam na Sarę, która tymczasem tak się cofnęła, że stała już pod samą barierką, daleko od kuców.

— Jesteś gotowa, Saro?

Nie patrząc na nikogo, dziewczynka pokręciła głową tak energicznie, że jej warkoczyki uniosły się w powietrzu.

Podeszłam do niej i przyklękłam na ziemi, nie myśląc ani o spodniach, ani o kolanie. Położyłam jej ręce na ramionach i spojrzałam w oczy.

— To normalne, że się boisz. Większość ludzi boi się za pierwszym razem. — Nie powiedziałam, że ja też się bałam, bo wyczułaby, że kłamię.

Potem przypomniałam sobie, jak drugi i ostatni raz babcia kazała mi wsiąść z powrotem na konia — prawie zapomniałam o tym zdarzeniu, bo wtedy ledwie jej słuchałam. Miałam jedenaście albo dwanaście lat i wydawało się, że nic mnie nie powstrzyma w dążeniu do tego, aby zostać czempionem. Już od dawna nie zwracałam uwagi na babcię, która chyba się do tego przyzwyczaiła — albo jej to odpowiadało. Byłam więc zaskoczona, gdy po tym, jak spadłam z konia i skręciłam rękę w nadgarstku, powiedziała mi, żebym znowu wsiadła na konia, jak wtedy, gdy spadłam ze swojego pierwszego kucyka. Że potrafię to zrobić, mimo wątpliwości dziadka i jego nalegań, bym się wycofała. Zdobyłam wówczas pierwsze miejsce i nagroda znajdowała się teraz gdzieś na strychu w domu dziadków w Savannah.

Spojrzałam Sarze w oczy i powtórzyłam z pamięci:

— Żeby pokonać jakąś trudność, należy zostawić ją za sobą. — Zastanowiłam się przez chwilę, jak powiedzieć to innymi słowami, żeby dziewczynka zrozumiała. — To jak zjeść jarzyny, żeby dostać deser. Im szybciej zjesz brokuły, tym szybciej dobierzesz się do lodów.

Ściągnęła brwi, nie rozumiejąc.

— Ale ja lubię brokuły.

Tucker kaszlnął, a Emily odwróciła twarz, żeby ukryć uśmiech.

— To wyobraź sobie, że nie lubisz. Jak najszybciej dobrać się do lodów?

— Zjeść brokuły.

— Dobrze. — Uścisnęłam jej rączki. — Saro, naprawdę chcesz pojeździć dziś na Oreo?

Powoli kiwnęła głową.

— A co trzeba w tym celu zrobić?

Spojrzała na mnie, a potem na kuca.

— Wsiąść na niego?

— Tak. A gdy już wsiądziesz, to jak się poczujesz?

Sara myślała przez chwilę.

— Jakbym jeździła na koniu.

— No właśnie. A przecież wiesz, że tata, Emily i ja nie pozwolimy, żeby coś ci się stało, prawda?

Oderwała wzrok od kuca i spojrzała na mnie.

— Ale pani się stało, prawda?

Nie drgnęłam, nie mrugnęłam nawet okiem, ignorując ból z powodu zbyt długiego klęczenia.

— Ale to była moja wina, nie konia. On robił wszystko, jak należy. To ja się zdekoncentrowałam, choć tylko na sekundę. Koń polegał na mnie, czekał, żebym mu dała znak, co ma robić, a ja go zawiodłam, bo popełniłam błąd. Ale jestem tu teraz po to, żeby cię nauczyć, jak do czegoś takiego nie dopuścić. Więc... widzisz... już masz nade mną przewagę.

— A co będzie, jeśli spadnę?

Pochyliłam się, próbując sobie przypomnieć, co jeszcze mówiła mi babcia.

— To potem z powrotem wsiądziesz na konia, bo inaczej zapomnisz, po co w ogóle jeździ się konno.

Wstałam i niemal jęknęłam z ulgi, prostując nogę.

Wyciągnęłam rękę do Sary, a ona ją ujęła.

— To co? Jesteś już gotowa?

Sara skinęła stanowczo głową i podeszła za mną do podnóżka, do którego Emily podprowadziła już Oreo. Położyłam ręce na szczupłych biodrach dziewczynki.

— Oreo jest trochę okrągły, więc dobrze ci się będzie na nim siedziało. Posadzę cię w siodle, dobrze? Inaczej mogłabyś zranić jego uczucia, gdyby nie udało ci się przerzucić nogi nad jego grzbietem tylko dlatego, że za bardzo lubi trawę.

Sara chichotała, gdy podnosiłam ją i sadzałam w siodle. Trzymałam dziewczynkę mocno, dopóki nie zobaczyłam, że chwyciła wodze.

— Jak się czujesz? — zapytałam.

— Jakbym siedziała na koniu — odparła rzeczowo.

— Świetnie. To rozumiem. — Pokazałam jej, jak trzymać cugle, a potem wzięłam linę od Emily. Zwróciłam się do Tuckera: — Przewieźmy je kilka razy dokoła maneżu, a później poćwiczymy z nimi wsiadanie i zsiadanie. To wystarczy jak na pierwszą lekcję.

— Możemy przynajmniej jechać szybciej? — zapytała Lucy, uderzając Benny'ego piętami.

Zobaczyłam, że Tucker stara się powściągnąć uśmiech.

— Jeśli mi pokażesz, że potrafisz utrzymać się w siodle. Wtedy zwiększymy szybkość. Ale nie wcześniej.

Dziewczynka spojrzała na ojca bez uśmiechu.

— Wolałabym przyspieszyć.

Tucker spojrzał jej w oczy.

— Nie zawsze możemy mieć to, czego chcemy.

Lucy jedną ręką pogładziła kuca po grzywie.

— Wiem, tato. — W jej głosie słychać było taką pokorę, o jaką nie podejrzewałabym ośmiolatki.

Odwróciłam wzrok, bo nie mogłam patrzeć na twarz Tuckera. Pociągnęłam Oreo za cugle i cmoknęłam na niego.

— Jedziemy — powiedziałam do Sary. — I pamiętaj: trzymaj pięty niżej, a palce wyżej. — Oreo ruszył powoli, a za nim Benny, który wkrótce, jako bardziej dziarski, objął prowadzenie.

Po godzinie skończyliśmy. Emily zabrała dziewczynki do domu, żeby przebrały się w kostiumy kąpielowe, bo potem szły popływać w stawie, a kierowniczka stajni, Andi, która wciąż miała zabandażowany nos po przykrym incydencie z Kapitanem Wentworthem, odprowadziła kuce do stajni, tak że zostałam na maneżu tylko z Tuckerem. Czułam się dziwnie, będąc z nim sam na sam, zwłaszcza że miałam w pamięci swój wybuch z poprzedniego dnia i przejmujące milczenie Lucy podczas części lekcji. Między nią a ojcem panowało niezrozumiałe dla mnie napięcie; to było coś więcej niż tylko dziecięcy zawód. Nie chciałam się w to mieszać. Zamierzałam wyjechać pod koniec lata, więc po co miałam się angażować w sprawy, które mnie nie dotyczyły?

Potem jednak przypomniałam sobie, co powiedziała Lucy, gdy siedziała na kucu: że chciałaby jechać szybciej, szybciej. To mnie zgubiło, oczywiście. Znalazłam pokrewną duszę i nie mogłam jej tak po prostu zostawić. No i był Tucker. Nosił w sobie żal, który odgradzał go od wszystkich, łącznie z córkami. „Żal jest równie bezużyteczny jak próby powstrzymania wylewu rzeki gołymi rękami. Masz wprawdzie zajęcie, ale i tak utoniesz" — powróciły do mnie słowa Lillian. Ciekawa byłam, czy kiedykolwiek powiedziała je Tuckerowi.

Gdy do mnie podszedł, w jego oczach dostrzegłam wdzięczność oraz pewną rezerwę.

— Dziękuję, Earlene. Dziewczynki dobrze na ciebie reagują. Nie umiem wyrazić, ile to dla mnie znaczy.

Stanął obok, na tyle blisko, że poczułam szczególnie pociągający zapach cytrusowej wody kolońskiej, męskiego potu i konia. Było między nami jakieś porozumienie — świadomość istnienia pewnych sekretów i pragnienie, aby się od nich uwolnić. Skrępowana, umknęłam spojrzeniem w bok.

Tucker ciągnął:

— Widzę, że naprawdę znasz się na koniach i jeździe konnej. Musiałaś być wspaniałą amazonką.

Otrzepałam ręce z kurzu, zastanawiając się, co odpowiedzieć. W końcu spojrzałam na niego, bo nie mogłam oprzeć się pokusie, aby zdradzić mu część prawdy.

— Rzeczywiście, tak było.

Zmrużył oczy.

— Ale chyba nie startowałaś w zawodach, bo słyszałbym o tobie.

Przełknęłam ślinę, walcząc z dumą.

— Traktowałam jeździectwo jako hobby. Nie spodziewałam się, że coś z tego będzie, więc jeździłam tylko dla przyjemności.

Pokiwał wolno głową. Jego oczy niczego mi jednak nie zdradziły. W końcu oderwał ode mnie wzrok i spojrzał w stronę, w którą pod opieką Emily poszły dziewczynki.

— Chciałbym, żebyś informowała mnie o ich postępach.

Zaskoczona, zapytałam:

— Nie będzie cię tutaj? Ustaliłam z Emily, że lekcje będą

odbywać się codziennie o dziesiątej. Myślałam, że przy takim regularnym trybie spotkań możemy liczyć na twoją obecność. Opuścił wzrok i wpatrywał się w swoje zakurzone buty, a potem pokręcił głową.

— Nie. Chyba lepiej, żeby mnie nie było.

Ujrzałam przed oczami buzię Lucy i jej radość, kiedy wsiadła na kuca. Obudził się we mnie gniew.

— Bo sądzisz, że nie będą jeździć dość dobrze? Czy może ich pierwsze nieefektowne próby cię nie interesują?

Zwracając się do mnie, zaciskał szczęki. Rozgniewał się tak jak ja.

— Nie miałem pojęcia... — Urwał, pokręcił głową, a potem spojrzał w stronę domu. Dopiero później uświadomiłam sobie, że za domem był cmentarz, gdzie poza poświęconą ziemią leżała jego żona.

Ignorując jego sugestię, żeby na tym skończyć, ciągnęłam swoją tyradę:

— Sara była tak szczęśliwa, gdy siedziała na kucyku. Na pewno to zauważyłeś. A Lucy... ona naprawdę ma to we krwi. Tę pewność siebie, postawę, swobodę ruchów w siodle. Będzie potrzebowała dobrego trenera, żeby nauczyć się chodzić, zanim zacznie biegać... ale świat się zdziwi, gdy już będzie umiała jeździć. Nie widzisz tego? Nie obchodzi cię to? Bo bardziej niż wrodzonych zdolności potrzebują kogoś, kto będzie je kochał i mówił im, jakie są wspaniałe.

Uświadomiłam sobie, że zaraz się rozpłaczę, że słowa, które właśnie wypowiedziałam, ćwiczyłam od lat. Zawsze chciałam je powiedzieć dziadkowi, którego miłość do mnie warunkowały moje osiągnięcia. To stanowiło dla mnie motywację do działania, ale kiedy ostatnim razem poniosłam porażkę, nie miałam na czym się oprzeć. A kobieta, która mogła mnie namówić, żebym znowu wsiadła na konia, dawno odeszła z mojego życia. I zdałam sobie sprawę, ile jej zawdzięczam, gdy było już za późno.

Kiedy znowu na mnie spojrzał, wyraz jego oczu złagodniał.

— Myślisz, że o tym nie wiem? To moje dzieci i chcę dla nich jak najlepiej... niezależnie od tego, co postanowią. Ale Susan... kazała mi obiecać, że nie będą jeździć konno, choćby z tego powodu, że ona sama nie mogła i bała się, że przez to się od niej oddalą. Więc teraz, gdy odeszła...

Przeszedł mi gniew. Przypomniałam sobie, jak wiele ten człowiek stracił, i zrobiło mi się wstyd.

— Musiałeś ją bardzo kochać.

Spojrzał na mnie ze zdziwieniem i chyba strachem. Potem zaśmiał się gorzko, chrapliwie, aż się cofnęłam.

— Nie. Nigdy nie kochałem jej wystarczająco. Zabiła się, bo nie potrafiłem jej wystarczająco kochać. — To drugie zdanie wypowiedział prawie szeptem.

Na jego twarzy pojawiło się zdziwienie, jakby uświadomił sobie, z kim rozmawia, i pożałował, że tyle powiedział.

— Przepraszam. Nie powinienem był tego wcale mówić. — Przetarł rękami twarz. — Muszę wracać do pracy. Dzięki jeszcze raz. — Oddalił się dużymi krokami. Wyszedł już prawie z maneżu, gdy odwrócił się do mnie. — Malily prosiła, abym ci powiedział, że spodziewa się ciebie dziś na kolacji. O siódmej, jak zwykle. Nie spóźnij się.

— Dobrze, przyjdę — odpowiedziałam, choć wiedziałam, że to nie było pytanie.

Skinął głową i ruszył do stajni. Gdy zostałam sama, zaczęłam się zastanawiać nad naszą rozmową, bo prześladowało mnie to, co powiedział: „Nigdy nie kochałem jej wystarczająco".

Utykając, opuściłam maneż i z trzaskiem zamknęłam za sobą bramę. Potem wróciłam do alei dębowej; w świetle dnia pokryte mchem konary i liście milczały, niby pogrążone w żałobie po kobiecie, której mąż nie kochał wystarczająco.

ROZDZIAŁ 13

Odella stanęła za Lillian siedzącą przy toaletce i spojrzała spod zmrużonych powiek na haftkę z tyłu jej bluzki.

— Jestem ślepa jak kret, jeśli chodzi o takie drobiazgi. Jest pani pewna, że ktoś w ogóle zwróci uwagę na to, czy haftka jest zapięta?

Lillian uniosła brew.

— Detale są bardzo ważne. Na tym właśnie polega problem ze współczesnym społeczeństwem. Nikt już nie przejmuje się detalami. Kobiety na co dzień noszą na sobie mniej niż ja kiedyś na plaży, obywają się bez rękawiczek i kapeluszy, po których kiedyś rozpoznawało się damy. Za moich czasów było inaczej. Dama ubierała się jak dama i była odpowiednio traktowana.

Odella sarknęła, opierając rękę na biodrze.

— Więc chce pani, żebym jednak spróbowała zapiąć tę haftkę, tak?

Lillian nie odpowiedziała, tylko popatrzyła na nią znacząco spod uniesionej brwi. Po chwili zmagań Odella oznajmiła, że się udało, i pomogła Lillian wstać. Gdy starsza pani się podniosła, coś zsunęło jej się z kolan i spadło z cichym pacnięciem na dywan Aubusson.

— Co to? — Odella pochyliła się, żeby podnieść zdjęcie w ramce.

Lillian wyciągnęła po nie rękę.

— Oglądałam je przed twoim przyjściem. Od tak dawna leżało w szufladzie, że zapomniałam o jego istnieniu. Ale wcześniej rozmawiałam z Helen o przeszłości i przypomniałam sobie o nim.

Odella włożyła ramkę do ręki starszej pani, a ona spojrzała na fotografię. Mimo okularów niewiele widziała, ale to nie miało znaczenia. Pamiętała ją dobrze ze wszystkimi szczegółami, tak samo jak rozmowy, które prowadziła tamtego wieczoru, i perfumy, którymi się skropiła. Zdjęcie zrobiono podczas jej balu debiutanckiego należącym do Josie aparatem Brownie, który był prezentem od doktora O'Hare na jej siedemnaste urodziny, zaraz po tym, jak Annabelle skończyła układać kwiaty i przygotowywała się do wyjścia. Lillian miała poczucie winy, że Annabelle nie została zaproszona na przyjęcie, i nalegała, żeby razem zrobiły sobie zdjęcie.

Odella zerknęła na fotografię.

— Panią rozpoznaję. Stoi pani pośrodku. A kim są te dwie pozostałe?

Lillian uśmiechnęła się na tamto wspomnienie i wskazała dziewczynę po swojej lewej stronie.

— To Josephine Montet. Była moją bliską przyjaciółką.

— Do licha... Ta Josephine Montet? Sławna na cały świat śpiewaczka jazzowa? Wciąż mam jej płyty, choć już dawno pozbyłam się adaptera. Zna ją pani?

— Znałam — poprawiła Lillian, przesuwając zniekształconym palcem po wizerunku pięknej młodej kobiety o kawowej skórze i boskim głosie. — Śpiewała na moim balu debiutanckim.

Przysunęła zdjęcie bliżej, żeby lepiej widzieć, i zobaczyła łańcuszek z wisiorkami na szyi Josie, która miała go na sobie, choć wypadała kolej Lillian. Ponieważ sama nie mogła założyć tego naszyjnika, Lillian wypożyczyła go Josie, żeby Lola była obecna na przyjęciu. Starsza pani uśmiechnęła się, bo przypomniała sobie, że dodała do łańcuszka wisiorek w kształcie nuty, aby upamiętnić występ Josie, który uświetnił tamten wieczór.

Odella się wyprostowała.

— A ta trzecia dziewczyna?

— To Annabelle O'Hare. Matka Josie pracowała u jej ojca, doktora O'Hare. — Lillian ścisnęła w dłoni metalową ramkę, jakby to mogło przywołać tamtą chwilę, gdy miały przed sobą całe życie, mnóstwo możliwości. — Znałyśmy się wszystkie jak łyse konie.

— A kim jest on? — Odella wskazała wysokiego mężczyznę w słomkowym kapeluszu i pasiastej marynarce.

— To Freddie Montet, brat Josie.

Odella gwizdnęła.

— Niezłe ciacho, jak powiedziałaby teraz młodzież. On i Josie naprawdę byli rodzeństwem? Mógłby uchodzić za białego.

— I uchodził. Studiował nawet na uniwersytecie i bardzo dobrze mu szło. Tamtego lata powiedział mi, że skończyły mu się pieniądze, więc będzie pracował w Asphodel przy koniach, jak podczas ferii i wakacji w czasach szkolnych, żeby zarobić na powrót.

Odella opuściła głowę.

— Ktoś mu pomagał finansowo? Bo nie wyobrażam sobie, że zarobił na studia u pani ojca podczas kryzysu.

Lillian spojrzała na swoje odbicie w lustrze i zamrugała szybko.

— Sama się nad tym wielokrotnie zastanawiałam. Szczerze mówiąc, za młodu to pytanie nawet nie przyszło mi do głowy. Zaczęło mnie nurtować dopiero potem, gdy byłam już dorosła. Matka Freddiego była gospodynią w domu lekarza, a ojciec... kto to wie? Może pożyczył mu pieniądze doktor O'Hare... ale zawsze mi się wydawało, że to byłoby zbyt postępowe jak na tamte czasy.

Lillian pochyliła się i postawiła ramkę na toaletce.

— Ale jakie to ma teraz znaczenie? Freddie od dawna nie żyje. Umarł, zanim wyszłam za Charliego. Od tego czasu minęło prawie siedemdziesiąt lat.

— Szkoda. — Odella wzięła Lillian pod łokieć i trzymała dopóty, dopóki ta nie wsparła się na lasce. — Wielka szkoda.

Gdy doszły do jadalni, Lillian była wyczerpana. Przytłoczyły ją wspomnienia, równie ciężkie jak brzemię lat, i zaczęła się potykać. Już odwróciła się do Odelli, aby poprosić o odprowadzenie do pokoju, gdy jej wzrok padł na Earlene.

Kobieta stała za swoim krzesłem i rozmawiała przez stół z Helen, lekko i jakby znacząco odwrócona plecami do Tuckera. Tego wieczoru miała spięte włosy, dzięki czemu widać było jej profil i długą, smukłą szyję. Mimo opuszczonych ramion trzymała głowę wysoko, z godnością, jakby nie odzwyczaiła się jeszcze od tego, że ludzie patrzą na nią z podziwem.

Jednakże coś innego przyciągnęło Lillian do jadalni i jej krzesła u szczytu stołu. Było to poczucie wspólnoty z Earlene, wrażenie, że ma w niej przyjaciółkę, dość dziwne, zważywszy na różnicę wieku między nimi. Ale może połączyła je miłość do kwiatów i koni — stanowiąca międzypokoleniową więź.

Wyrwał ją z zamyślenia Tucker, który podszedł, żeby zaprowadzić ją do stołu, podczas gdy Odella wróciła do kuchni. Pocałował babcię w policzek i ujął ją pod ramię.

— Przykro mi, że nie towarzyszyłaś nam podczas aperitifu, Malily, ale zrobiłem ci twojego ulubionego drinka. Czeka na ciebie przy nakryciu.

Odsunął jej krzesło i pomógł usiąść, a potem wrócił na swoje miejsce i zanim je zajął, odczekał, aż usiądą wszyscy inni. Rozmowa toczyła się lekko, gdy podawali sobie wnoszone przez Odellę półmiski. Lillian uważnie obserwowała Tuckera i Earlene, którzy zachowywali się wobec siebie dziwnie płochliwie — przypominali dwa magnesy o tym samym polu.

Starsza pani zwróciła się do wnuka:

— Gdzie są Lucy i Sara?

Tucker otarł usta serwetką z materiału.

— Były bardzo zmęczone po jeździe na kucykach i pływaniu. Spędziły nad stawem większość popołudnia. Emily ugotowała im zupę pomidorową i zrobiła grillowane kanapki z serem, a potem położyła je do łóżek. Nie miała dziś zajęć w szkole, więc zaoferowała się, że zostanie.

— Są tu czy u ciebie? — Lillian pociągnęła duży łyk drinka, ale nawet to nie złagodziło jej irytacji na wnuka. Ktoś obcy mógłby odnieść wrażenie, że jego ból nie ma końca, i może tak było rzeczywiście. Ale przecież widziała wyraz twarzy Tuckera, gdy wyciągnięto z rzeki ciało Susan. Przez moment dostrzegła na niej ulgę. Cierpienie przyszło później, ale Lillian nie do końca wierzyła, że wywołała je rozpacz z powodu śmierci żony.

Tucker odstawił kieliszek z winem.

— Są tutaj. Emily wychodzi o dziewiątej, a ja... mam plany na wieczór. Pomyślałem, że nie powinny zostać same w starym domu.

— Owszem, nie powinny — odparła surowo Lillian.

Przez chwilę wszyscy jedli w milczeniu, słychać było jedynie szczęk noży i widelców oraz brzęk porcelany. Lillian wciąż ukradkiem zerkała na Helen, która wydawała się niespokojna. Nerwowo bawiła się sztućcami, obracała je w palcach, upuszczała na obrus.

W końcu ręce wnuczki znieruchomiały. Pochyliła się nad stołem w stronę Earlene i zapytała:

— A jak tam twoje badania?

Earlene przeżuła spokojnie kęs, który wzięła do ust, i popiła winem, jakby chciała zyskać na czasie.

— Bardzo dobrze. Dziękuję — odparła wreszcie. — Kończę przeglądać dokumenty pani Lillian, które pomogły mi ustalić nazwiska ludzi mieszkających w tych okolicach na początku zeszłego wieku. — Zwróciła się do Lillian: — Szczególnie ciekawe są księgi rachunkowe plantacji, dobrze obrazują stan interesów podczas wielkiego kryzysu. Zauważyłam, że w trzydziestym siódmym roku pani ojciec sprzedał ze trzydzieści koni i zostawił tylko jednego człowieka do prowadzenia stajni. To musiało być dla pani przykre.

Lillian upiła wina. Wyczuła zainteresowanie Helen. Uniosła brwi, udając obojętność, bo chciała skierować rozmowę na inne, bezpieczniejsze tory.

— Brak pieniędzy to w ogóle przykra sprawa. A utrata ulubionego konia, którego w dodatku trzeba sprzedać temu, kto daje najwięcej, nie należy do przyjemności.

Helen przechyliła głowę i zmarszczyła czoło.

— Tym jednym człowiekiem od koni był Freddie, prawda, Malily?

Lillian otarła kąciki ust serwetką i znowu poczuła nostalgię. Spojrzała na Earlene.

— Tak. Pewnie dlatego, że ojciec nie musiał płacić mu tyle, ile Irlandczykom. Był wśród dokumentów rejestr wydatków na mój bal debiutancki? Właśnie dziś rano rozmawiałam o nim z Helen.

— Tak, owszem. Rachunki za wino, kwiaty i pani sukienkę. To musiał być wspaniały wieczór. Była też lista gości, ale nie widziałam na niej nazwiska pani przyjaciółki... Annabelle.

Lillian jadła powoli, ale nie czuła smaku.

— Muszę przyznać się do czegoś nieładnego. Podobał nam się w tym czasie ten sam mężczyzna i nie chciałam mieć konkurencji. — Pociągnęła następny łyk wina. — Poza tym Annabelle była zaangażowana w sprawy społeczne, więc i tak by nie przyszła.

— Ale pomagała ci przy kwiatach — włączyła się Helen.

— Tak, rzeczywiście — odparła Lillian. Znowu poczuła zapach lilii i mieczyka, ciepło dłoni Charliego na plecach. Ponownie ogarnęło ją zmęczenie, więc opadła na oparcie krzesła i spojrzała na pozostałych biesiadników spod przymkniętych powiek. Jej uwagę zwróciła Earlene, która wsunęła dłoń pod kołnierzyk bluzki, jakby szukała czegoś na szyi.

Lillian przeniosła wzrok na Tuckera. Oparła ręce na stole i pochyliła się w stronę wnuka.

— Tucker, pamiętasz, jak kiedyś opisywałeś Helen ludzi i przedmioty, żeby mogła je sobie wyobrazić? Właśnie przyszło mi do głowy, że Earlene jest u nas już od ponad tygodnia, drugi raz je z nami kolację, a Helen nie ma pojęcia, jak ona wygląda. Może więc ją dla niej opiszesz?

Nie była pewna, które z nich poczuło się bardziej zmieszane: Tucker czy Earlene. Oboje wyglądali, jakby chcieli uciec z pokoju, a Earlene nawet odruchowo odsunęła się z krzesłem. Ale napięcie, które zapanowało w jadalni, pomogło odwrócić uwagę Lillian od bólu, który czuła w sercu, i skupić się na czymś innym.

Helen, mimo że zazwyczaj rozumiała uczucia bliźnich lepiej niż oni sami, tym razem przyłączyła się do Lillian w jej grze, zamiast wesprzeć Tuckera czy Earlene. Złączyła dłonie i Lillian przez chwilę bała się, że wnuczka zacznie klaskać.

— Tak, proszę. Ale pozwólcie, że najpierw ja opiszę, jak ją sobie wyobrażam, a potem Tucker powie mi, czy mam rację, czy nie.

Earlene wbiła wzrok w talerz i lekko się zarumieniła. Zaczerpnęła oddechu, spojrzała na Helen i uśmiechnęła się słabo.

— Dobrze, niech będzie. Zaczynaj.

Helen zamknęła oczy i położyła na białym obrusie dłonie o długich, smukłych palcach z pomalowanymi jak zwykle czerwonym lakierem paznokciami.

— Jeśli się w czymś pomylę, to tylko dlatego, że od czasu, gdy się dowiedziałam, iż kiedyś jeździłaś konno, na moje wyobrażenie o tobie rzutował obraz amazonki, który mam w głowie. — Zabębniła palcami po stole i wciągnęła w płuca powietrze. — Masz bardzo łagodny głos, dlatego sądzę, że jesteś niska... metr sześćdziesiąt albo jeszcze mniej. I masz proste włosy, spinasz je w kucyk na karku, nie dlatego, że tak lubisz, tylko dlatego, że tak się czeszesz od dzieciństwa, gdy musiałaś upinać włosy pod kaskiem do jazdy. — Uśmiechnęła się w stronę Earlene. — Jak mi idzie?

— Mów dalej — odparła Earlene, patrząc na nią z nie-przeniknioną miną.

— Myślę, że jesteś ciemną blondynką. Gdy przebywasz na słońcu, włosy ci się rozjaśniają, ale odkąd zajmujesz się genealogią, nie spędzasz dużo czasu na dworze, więc są dość ciemne. Wyobrażam sobie, że oczy masz niebieskie albo szare... pasujące do blond włosów, ale tylko zgaduję. — Helen wydęła usta, a potem kontynuowała: — Myślę, że jesteś bardzo szczupła. Wnoszę z tego, jak chodzisz. Utykając, nie przenosisz dużego ciężaru z nogi na nogę, więc przypuszczam, że ważysz nie więcej niż czterdzieści osiem kilo. — Uniosła rękę w kierunku Lillian. — Pamiętajcie, że jestem ślepa, mogę swobodnie mówić o ułomnościach innych, więc powstrzymajcie się od uwag. — Mrugnęła do Earlene. — Zauważyłam też, że nie lubisz stawać zbyt blisko ludzi. Jakbyś wznosiła niewidzialną barierę, która nie pozwala im zbliżyć się do ciebie. Tak zachowuje się Tucker. Chociaż kiedyś taki nie był. — Urwała na chwilę, jakby uświadomiła sobie, że powiedziała to na głos. Potem zwróciła głowę w stronę brata. — Teraz twoja kolej. Jak mi poszło?

Tucker spojrzał spod oka na Lillian; wiedział, że ją to bawi, i nie chciał jej zabierać jednej z nielicznych przyjemności. Odłożył serwetkę obok nakrycia i zwrócił się ku Earlene. Patrzył na nią przez chwilę, a potem powiedział:

— Bardzo dobrze, Helen. W większości się nie mylisz. Earlene ma jasnobrązowe włosy, ale słyszałem, że określa się je też jako ciemny blond. Sądzę, że by się rozjaśniły, gdyby przebywała dość długo na słońcu. Może poproszę ją, żeby odbyła z dziewczynkami kilka lekcji na odkrytej ujeżdżalni.

Uśmiechnął się do Earlene półgębkiem, ale Lillian nie bardzo wiedziała, kogo chce w ten sposób uspokoić.

— Ma jasnobrązowe oczy, prawie złote, gdy pada na nie światło. Unoszą się trochę w kącikach, kiedy się uśmiecha, co zdarza się nieczęsto. — Upił wina i ciągnął: — Rzeczywiście, zauważyłem, że trzyma się na dystans, ale nic w tym dziwnego. Wciąż jesteśmy dla niej obcy. Nie odkryła jeszcze, jakie prześladują nas demony... w każdym razie nie wszystkie. I sama także nie ujawniła swoich.

Lillian rzuciła mu ostrzegawcze spojrzenie. Tucker odsunął od siebie prawie pełny kieliszek, po czym ustawił krzesło tak, żeby dobrze widzieć twarz Earlene, która wciąż była zarumieniona, a jej policzki błyszczały w blasku świec.

— Mylisz się jednak co do wzrostu. Ma raczej jakiś metr siedemdziesiąt, jednak przeważnie opuszcza ramiona, więc wydaje się niższa. Można by odnieść wrażenie, że stara się nie zwracać na siebie uwagi, ale bezskutecznie. W jej postawie jest coś, co ją wyróżnia spośród innych. Jakby kiedyś prowadziła pochody czy coś takiego i teraz, gdy nie ma nikogo za sobą, nadal szła przed siebie z poczuciem, że znajduje się na czele.

Tucker pochylił się na krześle, jakby zadowolony, że tego wieczoru Lillian nie skupia swojej uwagi na nim. Mówił dalej:

— Och, zapomniałem, że mówiłaś o głosie Earlene. To jej głos „wewnętrzny", aby użyć powiedzenia dziewczynek. Szkoda, że nie słyszałaś jej dziś rano na maneżu. Była władcza, choć nie mogę powiedzieć, żeby krzyczała. Moim zdaniem wynika to z tego, że Earlene wie, co mówi; zna się na swojej robocie i ma tego świadomość.

Earlene wpatrywała się w talerz, zaciśnięte ręce trzymała na brzegu stołu. Lillian już otwierała usta, aby zakończyć tę zabawę, ale się powstrzymała. Tucker nigdy nie przejawiał okrucieństwa. Nawet gdy był w wieku, w którym młodsi bracia zwykle dokuczają starszym siostrom, on i Helen przypominali raczej parę przyjaciół niż rodzeństwo. Byli nierozłączni jeszcze na długo przed tym, jak Helen straciła wzrok. Lillian zobaczyła teraz, że twarz wnuka łagodnieje. Pomyślała, że dostrzegł w Earlene coś, co przypomniało mu samego siebie — drugą osobę, która też ostatnio oślepła i teraz obija się o wszystko dokoła, jakby próbowała odnaleźć się w nowym otoczeniu.

Kiedy odezwał się znowu, jego głos miał łagodny ton:

— Jest bardzo piękna, Helen, chociaż nie wiem, czy zdaje sobie z tego sprawę. Ale to tylko moje domysły, bo tak jak ty myślę o niej jako o amazonce. A, jak wiesz, większość amazonek skupia swoją uwagę na koniach i raczej nie przegląda się w lustrze. — Tucker uśmiechnął się krzywo, w typowy dla siebie sposób, co zwykle bardzo pociągało kobiety, ale Earlene tego nie widziała, bo nie odrywała wzroku od talerza. — Wydaje się delikatna, ale mnie nie zwiedzie. Widziałem, jak radzi sobie z końmi. One także nie powiedziałyby, że jest delikatna.

Urwał i Earlene uniosła głowę.

— Skończyłeś? Myślę, że Helen ma już wyobrażenie, jak wyglądam, dziękuję ci. — Rozwarła zaciśnięte dłonie i podniosła jedną z nich do szyi, wsunęła palce pod kołnierzyk i ukradkiem czegoś pod nim szukała.

— Coś się stało? — Tucker pochylił się z niepokojem w oczach.

Earlene kiwnęła głową, ściągając brwi.

— Mój łańcuszek... Noszę go prawie cały czas, jestem pewna, że miałam go na sobie, gdy tu przyszłam. — Wstała i potrząsnęła bluzką, ale nic spod niej nie wypadło. Jej głos przybrał piskliwy ton. — Zgubiłam go. — Zaczęła nerwowo lustrować podłogę wokół krzesła. — Musi tu gdzieś być.

Tucker także wstał i delikatnie dotknął jej ramienia.

— Nie martw się. Znajdziemy go. Powiem Odelli, żeby go poszukała, gdy przyjdzie tu jutro odkurzać.

Earlene spojrzała przelotnie na Lillian, a potem szybko odwróciła wzrok.

— Chciałabym go znaleźć teraz.

— Jest taki cenny? — zapytała Helen, która także wstała.

Earlene pokręciła głową.

— Ma dla mnie wartość emocjonalną. To pamiątka rodzinna.

Helen zrzuciła pantofle na wysokich obcasach i zaczęła przesuwać stopą po dywanie.

— Jak wygląda?

Earlene, przed chwilą jeszcze rumiana, nagle pobladła.

— To... taki złoty łańcuszek. Z małą ozdobą.

Tucker również przyłączył się do poszukiwań, odsunął swoje krzesło i zajrzał pod stół.

— Jaką ozdobą? — zapytał.

Lillian zauważyła, że Earlene przełknęła ślinę.

— Złotą figurką. Przedstawiającą kobietę.

— Jak lalka? — Helen zatrzymała się i zwróciła w stronę Earlene.

— Tak. Coś w tym rodzaju.

Najwyraźniej usatysfakcjonowani odpowiedzią, Helen i Tucker znowu zajęli się szukaniem łańcuszka. Tucker wyszedł nawet do holu, żeby sprawdzić, czy nie znajdzie tam zguby.

Wrócił, kręcąc głową.

— Nie ma go, ale nie martw się, znajdzie się. Powiem dziewczynkom i Emily, żeby rozglądały się za nim. — Odsunął się od Earlene, która jedną ręką trzymała się za szyję, a drugą położyła na stole, jakby potrzebowała wsparcia. Obserwował ją tak, jak kiedyś obserwował Susan, czekając na wybuch złości czy załamanie.

Lillian wstała, co rozładowało napięcie.

— Chodźmy do salonu, Odella poda nam tam kawę. Obiecuję, że go znajdziemy, Earlene. — Podeszła do dziewczyny i bez pytania wzięła ją pod rękę. Gdy wychodziły razem z jadalni, uścisnęła ją mocno za ramię, niemal boleśnie, na co ta spojrzała na nią ze zdziwieniem i złością. Dobrze, pomyślała Lillian. Przynajmniej nie jest taka jak Susan. Dopiero gdy znalazły się w salonie, starsza pani zaczęła się zastanawiać, dlaczego Earlene tak przejęła się stratą zwykłego łańcuszka.

※

Z trudem śledziłam rozmowę po kolacji, bo wciąż gnębiła mnie strata wisiorka. Łańcuszek, na którym go nosiłam, był stary, musiało zepsuć się zapięcie. Wyrzucałam sobie, że nie kupiłam nowego.

Ponieważ nie mogłam opanować niepokoju i chciałam już wrócić do domku, żeby sprawdzić, czy tam nie zgubiłam aniołka, czekałam tylko na przerwę w rozmowie, aby się pożegnać. Przyjechałam na kolację samochodem, bo nie miałam ochoty na kolejną nocną przejażdżkę wózkiem golfowym pod starymi dębami, więc byłam niezadowolona, gdy Tucker także wstał i powiedział, że mnie odprowadzi. Nie potrzebowałam towarzystwa, a już zwłaszcza jego. „W jej postawie jest coś, co ją wyróżnia spośród innych. Jakby kiedyś prowadziła pochody czy coś takiego i teraz, gdy nie ma nikogo za sobą, nadal szła przed siebie z poczuciem, że znajduje się na czele".

W pierwszej chwili pomyślałam, że odkrył moją tajemnicę, ale szybko doszłam do wniosku, że to niemożliwe. Gdyby tak się stało, na pewno jechałabym już do Savannah z pospiesznie spakowanym bagażem i mnóstwem pytań, na które nie uzyskałam odpowiedzi. Bo gdy podczas kolacji siedziałam przy stole i słuchałam, jak Tucker opisuje mnie Helen, dotarło do mnie, co mogłoby się stać, gdyby mnie zdemaskowano. Zawsze byłam w gorącej wodzie kąpana, działałam pod wpływem impulsu i tym razem było podobnie. Na swoją obronę mogłam powiedzieć tylko to, że po raz pierwszy od ponad sześciu lat miałam motywację, żeby rano wstać z łóżka. George prawdopodobnie o tym wiedział, bo inaczej nie pozwoliłby mi postąpić równie głupio. Musiałam prędko coś wymyślić — coś, co pozwoliłoby mi uratować moje stosunki z rodziną, którą polubiłam; i miałam nadzieję, że zgubiony wisiorek nie zdradzi mnie przedwcześnie.

Powiedziałam wszystkim „dobranoc", a potem ruszyłam z Tuckerem do drzwi frontowych. On otworzył je dla mnie, a potem, ku mojemu zdziwieniu, wyszedł ze mną na zewnątrz. Wilgotne wieczorne powietrze spowiło nas niczym błoto na moczarach.

— Idę do stajni, żeby zajrzeć do Kapitana Wentwortha. Pomyślałem, że może zechcesz pójść ze mną. — Jego słowa nie zabrzmiały szczególnie serdecznie ani zapraszająco, ale szczerze.

Skinęłam głową, choć sama nie bardzo rozumiałam, dlaczego to robię.

— Chętnie — odparłam. Odwróciliśmy się i zaczęliśmy iść w kierunku stajni. — Zawsze zaglądasz wieczorami do koni? Myślałam, że to należy do kierowniczki stajni.

— Owszem, i zawsze to robi. Ale czasami miewamy konie, nad którymi tak się znęcano, że potrzebują więcej troski, aby znowu mogły zaufać ludziom. Tym poświęcam szczególną uwagę. A Kapitan Wentworth... cóż, zawsze trochę się denerwuje, gdy zostawiam go samego w boksie, dlatego zaglądam do niego kilka razy dziennie, aby wiedział, że nikt o nim nie zapomniał.

Resztę drogi przeszliśmy w milczeniu. Patrzyliśmy, jak słońce znika za horyzontem, zalewając pastwiska i moczary złotym światłem, a potem w ogóle pozbawiając ich koloru i sprowadzając noc.

Chciałam zapytać Tuckera, dlaczego porzucił praktykę lekarską, przeniósł się na farmę babci i zamiast ludzi ratuje konie. Wiedziałam jednak, że ma to związek z jego cierpieniem, niełatwym małżeństwem i niestabilną emocjonalnie żoną, więc milczałam. Nie chciałam psuć tego spokojnego wieczoru.

Gdy zbliżyliśmy się do stajni, koń zarżał, jak gdyby nas przyzywał. Spojrzałam na Tuckera.

— Czy to Kapitan Wentworth? Jakby wiedział, że idziesz.

Tucker rzucił mi spojrzenie z ukosa, gdy przystanął, żeby przepuścić mnie w drzwiach.

— Zdarza mu się to po raz pierwszy. Myślę, że raczej rozpoznał twoje kroki, bo są inne od pozostałych.

Powstrzymałam się od kąśliwej odpowiedzi i skupiłam na koniu. Gdy podchodziliśmy do jego boksu, wałach patrzył na nas czujnie, potem zbliżył do mnie łeb, ale kiedy wyciągnęłam rękę, żeby pogłaskać go po pysku, szarpnął się do tyłu.

Zanim opuściłam dłoń, Tucker złapał mnie za nadgarstek.

— Trzymaj ją w górze, aby widział, że nic w niej nie masz.

Kiwnęłam głową na znak, że rozumiem, i wtedy mnie puścił. Kapitan Wentworth znowu niepewnie wystawił łeb, więc położyłam mu dłoń na pysku, a on stał spokojnie, pozwalając mi się pogłaskać. Ponieważ poczułam, że mi ufa, zbliżyłam się do niego, zaczęłam klepać go po potężnej szyi i drapać za uszami niczym wielkiego psa, tak jak kiedyś Fitza, który to bardzo lubił.

— Jeździłeś już na nim? — zapytałam, gdy koń wyciągnął szyję, obwąchując moją bluzkę i próbując dosięgnąć kieszeni w poszukiwaniu przekąski.

— Nie. Jeszcze nie jest na to gotowy. Nie wiem, jak zachowywałby się pod jeźdźcem. Poza tym wciąż goją mu się kopyta. Miał paskudną infekcję, gdy go tu przywiozłem. Dopiero po jakimś czasie mogliśmy podejść do niego bliżej i ogolić mu zarośnięte kopyta; musiały bardzo dawać mu się we znaki. Może za tydzień spróbujemy go dosiąść. Ale będziemy potrzebowali naprawdę doświadczonego jeźdźca.

Poczułam jego wzrok na sobie, ale nie odwróciłam głowy.

— Ty jesteś doświadczonym jeźdźcem, więc nie ma problemu — odparłam.

Tucker wyjął pojedyncze źdźbło z worka siana, który minęliśmy po drodze, i zaczął pogryzać jego koniec.

— Tak, chyba tak. Chociaż mam wrażenie, że on woli kobiety. — Udał, że zastanawia się przez chwilę. — Może Lucy za tydzień będzie gotowa go dosiąść... z jej śmiałością i pod twoim okiem... Ona sama na pewno uzna, że tak. — Na jego twarzy pojawił się szeroki uśmiech i serce ścisnęło mi się lekko, gdy usłyszałam, że z taką dumą mówi o córce.

Wyobraziłam sobie małą Lucy, jak domaga się, aby pozwolono jej pojeździć na wielkim koniu, i mimowolnie też się uśmiechnęłam.

— Tak, nie mam co do tego wątpliwości.

Kapitan Wentworth znowu szturchnął mnie pyskiem, kontynuując poszukiwania czegoś do jedzenia. Ku swojemu zaskoczeniu stwierdziłam, że czuję się całkiem swobodnie i na luzie, choć nie wiedziałam, czy to zasługa konia, który przypomniał mi samą siebie sprzed lat, czy mężczyzny, który stał przy mnie. Jego bezradność sprawiła, że sama odzyskałam poczucie siły; kiedy na niego spojrzałam, zobaczyłam człowieka, który potrafił uleczyć poranione konie i kiedyś lubił płatać psikusy rodzinie, ale bał się burzy.

Kapitan Wentworth szturchnął mnie mocniej, a ponieważ to mnie zaskoczyło, zatoczyłam się w tył. Chwyciłam go za szyję, żeby odzyskać równowagę, i przycisnęłam do niej twarz. Poczułam znajomy zapach konia — i stwierdziłam, że wciąż napawa mnie nieufnością, ale już nie strachem. Strach zostawiłam za sobą, gdy patrzyłam, jak Tucker oprowadza wierzchowca po maneżu. Ogarnęła mnie natomiast pewna mglista obawa. Jednak dopóki stałam na ziemi, lęk przed upadkiem z konia był jak kwiat powoju księżycowego o świcie, gotów zniknąć w każdej chwili.

— Hej, mały — powiedziałam, głaszcząc Kapitana Wentwortha po pysku. — Po kim masz tę końską szczękę?

Tucker prychnął szyderczo.

— To dowcip z taaaką brodą.

Odwróciłam się do niego, starając się zachować kamienną twarz.

— To dlaczego się śmiejesz?

Śmialiśmy się razem przez chwilę, dopóki oboje sobie nie przypomnieliśmy, gdzie jesteśmy i co tu robimy. Nasze uśmiechy powoli znikły i spojrzeliśmy na siebie. Tucker w końcu przerwał ciszę.

— Powinnaś częściej się śmiać, wiesz? Pięknie wtedy wyglądasz.

Zmieszana, zwróciłam się w stronę wałacha i zaczęłam się zastanawiać, co powiedzieć.

— Moja babcia powiedziała tak, gdy dostałam swojego pierwszego konia. Potem przypominałyśmy sobie ten dowcip co jakiś czas. — Dopóki przestałam zauważać jej obecność na zawodach i zaczęłam myśleć tylko o tym, żeby być najlepsza, pomyślałam, po czym cicho dodałam: — Prawie już go zapomniałam.

Ostatni raz poklepałam Kapitana Wentwortha i koń się cofnął.

— Dobranoc, duży przyjacielu. Do jutra. Obiecuję, że następnym razem przyniosę ci coś do jedzenia.

Przeszliśmy obok innych boksów, między innymi tych, w których znajdowały się nowe kuce, poklepaliśmy wszystkie zwierzęta wystawiające do nas pyski i wyszliśmy po drugiej stronie stajni. Zapadła już noc, na bezksiężycowym niebie widać było gwiazdy i chmury. Tucker podał mi ramię.

— W nocy trudniej się idzie po ścieżce. Lepiej weź mnie pod rękę.

Chciałam odmówić, zignorować sztywne kolano choć na tę jedną piękną noc i udawać, że jestem pełnosprawną kobietą, która wciąż może dokonać wielkich rzeczy. Ujęłam go jednak pod łokieć i z pewną niechętną wdzięcznością wsparłam się na nim.

Gdy doszliśmy do mojego samochodu, przytrzymał mi drzwi, a kiedy wsiadałam, odsunął się i wsadził ręce do kieszeni.

— Nie musisz czekać, aż odjadę, ani patrzeć za mną. Znam drogę.

— Wiem. Ja tylko... tak się zastanawiam.

Słysząc ton jego głosu, zwykle pełnego rezerwy, odniosłam wrażenie, że chce, abym zapytała, nad czym się zastanawia. Jakby wspólny śmiech ze starego żartu sprawił, że mur między nami zaczął się kruszyć.

— Tak?

Patrzył nad dachem samochodu w stronę dębowej alei. Noc była spokojna, drzewa nie wydawały żadnych odgłosów.

— Zastanawiam się, czy wyjechać z domu, czy zostać i poczytać dziewczynkom.

Rola doradcy w sprawach uczuciowych była dla mnie czymś nowym. Przed przyjazdem do Asphodel Meadows uważałam się za najbardziej okaleczoną psychicznie osobę ze wszystkich, jakie znałam. Miałam głębokie rany, ale tu zaczęłam zdawać sobie sprawę, że wbrew temu, co sądziłam, mogą się zabliźnić i że wiele z nich zadałam sobie sama. Natomiast strata żony oraz matki to coś ostatecznego, niezależnie od okoliczności. Wysiadłam z samochodu i stanęłam przed Tuckerem.

— Wiem, że wciąż jestem dla ciebie kimś obcym, i pewnie wcale nie pytasz mnie o radę, ale nie mogłabym spokojnie odjechać, gdybym jednak ci jej nie udzieliła. — Wzięłam głęboki oddech, czekając, żeby mi przerwał, zanim powiem za dużo. Ale ponieważ nawet nie drgnął, dokończyłam: — Moim zdaniem Sara i Lucy chciałyby spędzać z tobą jak najwięcej czasu.

— Tak myślisz? — Jakby przypomniawszy sobie o mojej obecności, przeniósł wzrok z drzew na mnie. W jego ciemnych oczach odbijały się światła domu. — Ich matce na tym nie zależało. — Odniosłam wrażenie, że namyśla się nad swoimi następnymi słowami. — Wolała umrzeć, niż żyć ze mną.

Dotknęłam jego ręki, skórę miał zimną i wilgotną.

— Powiedziałeś mi, że nie dość mocno kochałeś Susan. A co z córkami? Z nimi jest tak samo? — Czekałam na jego odpowiedź, bo nie byłam jej wcale taka pewna.

— Kocham je bardzo. Bardziej, niż wydawało mi się to możliwe — odparł cicho. — Ale może Susan miała rację? Że lepiej im wszystkim beze mnie?

Zrozumiałam jego ból i poczułam wstyd. Czy nie z takiego samego powodu babcia wycofała się z mojego życia? Czytając kartki z albumu i słuchając opowieści Lillian, dowiedziałam się, że Annabelle była kiedyś stanowczą, niezależną kobietą. Czy to przez mój egoizm usunęła się w cień? Czy wcześniej coś się stało, a moja postawa jedynie przelała czarę goryczy?

Pochyliłam się ku Tuckerowi.

— Babcia zostawiła mi pamiątkę z łacińską sentencją, która znaczy: „Bądź cierpliwy i silny; pewnego dnia ból przyniesie ci korzyść". Ilekroć spadłam z konia, kazała znowu mi na niego wsiadać. Dopiero po dłuższym czasie zrozumiałam, że w obu przypadkach chodzi jej o to samo. I pewnie za każdym razem miała rację.

Poczułam jego ciepły oddech na twarzy, gdy tak patrzyliśmy na siebie w mroku. Zerwał się wiatr, niespokojne dęby znowu zaczęły świstać, jakby wzywały burzę.

— Łatwiej dawać rady, niż samemu ich słuchać, nie sądzisz?
Cofnęłam się, urażona.

— Przepraszam. Nie powinnam była nic mówić. — Wróciłam do samochodu, nagle skrępowana tym, że utykam. Usiadłam za kierownicą i zatrzasnęłam drzwi. Wzburzona, oddychałam szybko, nawet gdy zdałam sobie sprawę, że Tucker miał rację, a wtedy z kolei ogarnęła mnie złość na siebie.

Wróciłam myślą do ostatnich sześciu lat, podczas których pogrążałam się w żalu nad sobą, zupełnie nie myśląc o babci. Ile to było dni? Ile godzin i minut upłynęło w tym czasie, ile spadło liści, na które nawet nie spojrzałam, którymi się nie zachwyciłam? Zapomniałam o jedynej osobie, która znała wszystkie odpowiedzi jeszcze wtedy, gdy ja nie znałam pytań.

Patrząc na kiwające się omszałe gałęzie drzew, powiedziałam:

— Nie pozwól, żeby Susan miała rację. Ty żyjesz, a ona już nie. I masz dwie córeczki, tam, na piętrze. — Nie czekałam na odpowiedź. Przekręciłam kluczyk w stacyjce i odjechałam w stronę świszczących dębów w chwili, gdy spadły pierwsze krople deszczu.

ROZDZIAŁ 14

Lillian siedziała na ławce w ogrodzie. Od dawna nie czuła się tak zmęczona. Ale ogród działał na nią kojąco, dziewięćdziesięcioletnie magnolie, które rosły po wewnętrznej stronie ceglanego muru, przypominały jej wszystko, czego były świadkiem od czasu, gdy zasadziła je tu jej matka. Wśród życiowych dramatów ogród był dla niej jedyną stałą, przyjacielem, który oferował towarzystwo, nie odbierając samotności. Nie kwestionował decyzji, jakie kiedyś podjęła, nie kazał weryfikować wyborów.

W nocy przeszła gwałtowna burza, która ją obudziła i nie pozwoliła znów zasnąć, przywołując lęki i wspomnienia. Ale oczyściła powietrze, przyniosła ochłodzenie i zostawiła lśniące krople deszczu na jej ukochanych kwiatach, które tego roku zakwitły wcześniej niż zwykle. Miedziane liście magnolii lśniły, jakby machając do niej w lekkim porannym wietrze. „Ogród jest duszą domu" — mawiała matka, gdy klęczała obok małej Lillian i wyjaśniała jej, jak zasadzić brzydką cebulkę żonkila, obiecując, że wiosną efekt będzie wart zachodu.

Lillian odchyliła twarz, wystawiając ją do słońca, i przypomniała sobie, jak kiedyś zamierzała przekazać sekrety ogrodnictwa córce. Ale Margaret nigdy nie lubiła tu przychodzić, mówiła, że magnolia budzi w niej lęk, a feeria barw i zapachy powodują ból głowy. Pozostała oczywiście Helen; mimo swoich ograniczeń uwielbiała ogród i prace ogrodowe. Ale nawet Lillian musiała przyznać, że to nie było to samo. I że od dawna nic nie sprawiało jej takiej przyjemności jak te godziny, które spędziła tu w ostatnim miesiącu z Earlene Smith. Earlene rozumiała ogród, coroczny cykl zmiany barw: od wielokolorowego lata, poprzez zieloną jesień i brązową zimę, aż po kolejne narodziny roślin na wiosnę. Mówiła o tym jak o własnym sercu, w jej odczuciu zmiany w przyrodzie odzwierciedlały życie. I Lillian wiedziała, że Earlene też jakby zamiera zimą, zamyka się w sobie, czekając na wiosnę.

Jej uwagę przykuł hałas przy furtce i odwróciła się, licząc, że zobaczy Earlene. Dziewczyna często tu przychodziła, choć nie co rano. Ścinała przekwitłe kwiaty, wyrywała chwasty. Nawet raz przykryła grządki słomą, co w pierwszej chwili zirytowało Lillian, bo nie zapytała jej o zgodę, ale później, gdy starsza pani zobaczyła, że było to konieczne, uśmiechnęła się z uznaniem. Sama nie zrobiłaby tego lepiej.

Do ogrodu wszedł Tucker. Był zamyślony, ale mniej przybity niż jeszcze niedawno. Lillian dowiedziała się od Helen, że ostatnio nie wyjeżdżał z domu wieczorami, więc pewnie się wysypiał. A może nie tylko to było przyczyną. Może służyło mu towarzystwo dziewczynek, którym poświęcał teraz więcej czasu — czytał im albo patrzył, jak pływają w stawie. Wprawdzie nie chodził z nimi na lekcje jazdy konnej, ale Earlene regularnie zdawała mu z nich raporty. Między nią a Tuckerem wytworzyło się pewne dziwne przymierze, jak między dwoma psami tropicielami, które polują na tego samego przebiegłego lisa. Lillian była ciekawa, czy zauważyli, że czują się w swojej obecności nieswojo, bo są do siebie podobni.

— Dzień dobry, Malily. Wcześnie wstałaś. — Wnuk pochylił się i cmoknął ją w policzek. Pachniał świeżym powietrzem i końmi. Odbył więc już przejażdżkę.

— Nie mogłam spać, jeśli to masz na myśli. — Potarła knykcie, bo wilgoć nie służyła starym palcom.

— Burza cię obudziła?

— Można tak powiedzieć — odparła.

Tucker pytająco uniósł brew i Lillian spojrzała w jego oczy, które przypominały jej Charliego.

— Pamiętasz, jakiś czas temu mówiłam ci, że dostałam list od Piper Mills... wnuczki mojej dawnej przyjaciółki?

Tucker kiwnął głową.

— Tak. Nawet ostatnio zobaczyłem jej nazwisko w „Today's Equestrian"... Pisano, że ktoś z młodych próbuje pobić rekord, który wciąż należy do niej, mimo że nie jeździ od ponad sześciu lat. W tym miesiącu przypada rocznica jej ostatniego występu, więc w prasie jest szum.

Lillian przymknęła oczy i wciągnęła w nozdrza zapach kwiatów. Czuła spokój, który nie był jej dany w nocy.

— Myślę, że źle zrobiłam, odprawiając ją z kwitkiem. Powinnam była ją tu zaprosić i porozmawiać z nią o Annabelle.

Poczuła, że Tucker tężeje.

— Nie rozumiem po co. Zawsze gdy słyszę o Annabelle, to w kontekście czegoś złego. Dwanaście lat temu, gdy dostałaś list od jej męża, który pisał, że umieścił ją w domu opieki... zmieniłaś się w pewien sposób. Ktoś z zewnątrz by tego nie zauważył, ale ja... tak. Chodzisz wolniej, bardziej odczuwasz swoje dolegliwości. A potem Susan... — Urwał na chwilę. — Znałem ją... jej załamanie wynikało ze stanu psychicznego, w jakim się znajdowała, ale faktem jest, że zaczęła mieć obsesję na punkcie twojej przyjaźni z Annabelle. Nie mogę uwierzyć, że chcesz do tego wszystkiego wracać.

— Starzeję się, Tucker. I nie będę żyła wiecznie. To chyba naturalne, że starzy ludzie spoglądają na swoje życie i zastanawiają się, czy czegoś nie należy naprawić. Jakichś krzywd.

Tucker spojrzał z uwagą na babcię.

— Krzywd?

Lillian kiwnęła głową.

— Okłamałam Annabelle... w pewnej sprawie, ważnej sprawie. I umarła, nie znając prawdy. Po przeczytaniu listu od Piper pomyślałam, że może nie jest jeszcze za późno. Że jeśli wyjawię to jej wnuczce, odkupię moją winę wobec Annabelle.

Tucker patrzył na powój księżycowy, którego kwiaty już zwinęły się w pączki. Krople deszczu wyglądały na nich jak łzy.

— Czy Susan o tym wiedziała? O tym... twoim kłamstwie?

— Być może. Napisałam do Annabelle list z przeprosinami, ale go nie wysłałam, tylko schowałam. Susan chyba widziała, jak go kiedyś wyjmowałam. Nie sądziłam, że zechce przeczytać go bez mojej wiedzy. Ale kiedy się utopiła, zaczęłam podejrzewać, że to zrobiła.

— Jak to?

Lillian spojrzała Tuckerowi w twarz. Znowu zobaczyła na niej rozpacz i zrozumiała, że nie powinna mu była tego mówić. Jeszcze nie. Odwracając wzrok, odparła:

— Był bardzo emocjonalny... wiesz, jakie są dziewczęta. Chyba dlatego go jej nie pokazałam. Chociaż była w dobrej formie, obawiałam się, że to może być ponad jej siły... Nie dałam jej też moich kartek z albumu... sama je wzięła, pamiętasz. Myślałam, że zadowoli się resztą dokumentów. Sprawiała wrażenie uradowanej, że ma się czym zająć, że jest użyteczna. Powiedziała mi nawet, że nie musi już zażywać leków, tak dobrze się czuje. Może zrobiła to celowo, żebym przestała zwracać uwagę na to, co robi. Kiedy więc znalazła list od męża Annabelle i chciała dowiedzieć się więcej, nie mogłam jej powstrzymać.

Tucker odezwał się ostrym głosem:

— To wszystko nie jest dla mnie tajemnicą, Malily. Nie wiedziałem tylko, że okłamałaś Annabelle. Może gdybyś opowiedziała mi całą historię, skontaktowałbym się z Piper Mills i odbył z nią tę rozmowę sam. To by ją pewnie zadowoliło i nie musiałabyś się martwić o coś, co zdarzyło się tak dawno, że nie ma już dla nikogo znaczenia.

Lillian spojrzała na wnuka i westchnęła. Był mężczyzną i traktował historię jak cykl wojen, stoczonych i wygranych. Nie mógł tego zrozumieć.

— Musiałabym powiedzieć jej sama, Tucker. Chyba powinniśmy się z nią skontaktować.

Tucker wstał, a potem potrząsnął powojem księżycowym i krople deszczu spadły na ceglaną ścieżkę.

— A Helen? Powiedziała mi, że czytałaś jej fragmenty z albumu. To nie wystarczy?

Lillian wstała, poruszona, i wsparła się ciężko na lasce.

— Nie, nie wystarczy. Helen nie potrzebuje ode mnie życiowych lekcji; nigdy nie oglądała się za siebie i nie żałowała, że postąpiła tak czy inaczej. — Pokręciła głową. — Muszę powiedzieć o tym wszystkim Piper. Chcę uzyskać od Annabelle przebaczenie.

— Ona nie żyje, Malily. Jest już za późno.

Oczy mu pociemniały z bólu i lęku. Lillian zapragnęła pocałować go i pocieszyć, jak wtedy, gdy był dzieckiem. Wiedziała, że nie miał na myśli tylko Annabelle, że wciąż widział ducha żony samobójczyni, bo poczucie winy i żal nie pozwalały mu odejść.

Położyła wnukowi rękę na ramieniu.

— Nie będzie za późno, dopóki nie złożycie mnie w grobie. Dopóki trwa życie, dopóty jest nadzieja, pamiętasz?

Pokręcił głową.

— Moim zdaniem się mylisz, ale jeśli chcesz, żebym skontaktował się z Piper Mills, zrobię to.

Spojrzała mu w twarz i zobaczyła swawolnego, beztroskiego łobuziaka, który lubił płatać figle. Nie chciała przyjąć do wiadomości, że ten chłopiec zniknął na zawsze, skrył się głęboko pod powłoką smutnego mężczyzny. Miała nadzieję, że jeśli ujawni swoje sekrety, wyzwoli ich wszystkich — że wreszcie przestaną oglądać się za siebie i zmagać z błędami, które niegdyś popełnili.

Lillian stanęła na palcach i wyciągnęła szyję, żeby pocałować wnuka w policzek.

— Tak, bardzo cię proszę.

Położył jej ręce na ramionach, a wtedy ona spojrzała mu w oczy. Poczuła się znacznie niższa niż kiedyś. Czy zawsze był taki wysoki? Czy to ona się kurczy? Będzie malała i malała, aż w końcu po prostu zniknie? Może tak w jej przypadku będzie wyglądała śmierć: zamieni się w pył, a jej duma i dawne rany przestaną mieć jakiekolwiek znaczenie.

Zanim się odezwał, uniósł kącik ust i Lillian dostrzegła w nim dawnego Tuckera.

— Jesteś despotką, wiesz? Zawsze dopniesz swego. Nie udawaj bezradnej staruszki. Mnie nie nabierzesz. Nigdy nie nabrałaś.

Odpowiedziała uśmiechem, z ulgą widząc, że się rozpogodził.

— Wiem. Jesteś na to za bystry. Masz to po mnie.

Uśmiechnął się jeszcze szerzej, tak że w jego twarzy pojawił się dołek, i ból w jej sercu zelżał.

Wsunął ręce do kieszeni i oświadczył:

— Muszę pójść do stajni i sprawdzić, czy Kapitan Wentworth jest dziś gotowy na przejażdżkę.

— Kapitan Wentworth?

Tucker wetknął czubek buta w szparę między cegłami na chodniku.

— Ten nowy uratowany koń. Pozwoliłem Earlene wybrać dla niego imię. Pomyślałem, że i tak go nie zatrzymamy, więc to niczego nie zmieni. Kapitan Wentworth to postać z powieści Jane Austen.

Lillian przyjrzała mu się uważnie.

— Co sądzisz o Earlene?

Znieruchomiał na chwilę, patrząc na miedziane spody liści magnolii.

— Nie bardzo potrafię to określić, ale coś mi tu nie gra. Gdzie są jej bliscy, przyjaciele? W ogóle nie mówi o przeszłości, a przyjechała tu badać czyjeś życie. Przypomina mi kolegę ze studiów, który stracił nogę wskutek wypadku na polowaniu. Zachowywał się, jakby przeżył traumę, z trudem skupiał się na tym, co działo się wokół niego, jak gdyby wciąż przeżywał tę ostatnią chwilę, zanim trafiła go kula. Bał się pójść do przodu, jakby znowu mogło mu się coś takiego przydarzyć.

Nic nie powiedziała; zastanawiała się, czy miał świadomość, że w gruncie rzeczy opisuje siebie.

— A ty, Malily? Co ty o niej sądzisz?

Lillian znowu usiadła na ławce i wyciągnęła przed siebie nogi, pragnąc, żeby ból w stopie wreszcie ustał.

— Kocha mój ogród.

Tucker pokiwał głową. Lillian wiedziała, że zrozumiał.

— Do zobaczenia przy kolacji.

Uniosła brew, ale uznała, że lepiej tego nie komentować, bo jeszcze mógłby zmienić zdanie. Patrzyła za nim, gdy szedł w stronę furtki. W pewnej chwili zatrzymał się, żeby coś podnieść ze ścieżki. Obrócił to w dłoni i obejrzał uważnie, a potem schował do kieszeni i zamknął za sobą furtkę.

❧

Usiadłam w kuchni, powietrze było na tyle chłodne, że zostawiłam okna otwarte. Powiew wiatru uniósł kartki leżącego na stole albumu i papier zaszeleścił z niecierpliwością. Odłożyłam album na bok, żeby przejrzeć dokumenty od Lillian, chociaż wiedziałam, że nic ciekawego w nich nie znajdę. Przydałyby mi się kartki Lillian, przeczytałabym je razem z częścią Annabelle, ale miałam świadomość, że starsza pani nie zechce się z nimi rozstać, a już na pewno nie powierzy ich obcej osobie.

Z poczucia obowiązku zanotowałam to, co znalazłam w papierach Lillian, i kiedy Tucker przesłał mi przez Helen rodzinne drzewo genealogiczne, które sporządziła Susan, wrzuciłam wszystko do mojego programu genealogicznego, choćby tylko po to, żeby czymś się zająć w trakcie oczekiwania na odpowiedzi, których poszukiwałam i które — jak liczyłam — wkrótce przyjdą.

Niebieski sweterek i kocyk dziecięcy leżały na stole obok albumu. Dotknęłam znowu miękkiej dzianiny i podniosłam ją do nosa; wciąż pachniała naftaliną i kurzem. Od przyjazdu tutaj nie zbliżyłam się do wyjaśnienia zagadki, do kogo należały te rzeczy ani kto mieszkał w ukrytym pomieszczeniu na strychu u dziadków. Ale jakoś mnie to nie martwiło.

Dawałam dziewczynkom lekcje jazdy konnej cztery razy w tygodniu, a nie dwa, jak na początku, ponieważ poprosiła mnie o to Lucy i sama tak chciałam. Szło jej dobrze — bardzo dobrze — jeździła pewnie i ze swobodą osoby znacznie starszej i bardziej doświadczonej. Miała też w sobie pewną beztroskę oraz zuchwałość, za które ją łajałam. W głębi duszy jednak podziwiałam ten jej charakterek, bo doskonale wiedziałam, że ma cechy dobrej zawodniczki. Sara na swoim powolnym kucu rozśmieszała mnie, a Lucy przypominała mi, jak to jest być nieustraszoną. Dzięki nim moje życie nabrało sensu.

Przez długą chwilę patrzyłam na kartki z albumu, a potem je rozłożyłam i znalazłam miejsce, w którym ostatnio skończyłam czytać. Poprzednie wpisy opowiadały przeważnie o przyziemnych aspektach nastoletniego życia babci: spotkaniach z Lillian i Josie, przejażdżkach konnych na Loli Grace w Asphodel Meadows i epizodach z udziałem Freddiego. Babcia nie wspominała o swoich uczuciach do niego, ale jego imię pojawiało się na kartkach albumu tyle razy, że już to dało mi do myślenia.

Ze sweterkiem i z kocykiem na kolanach, jakbym trzymała dziecko, zaczęłam czytać.

Miałam w marcu przekazać Lily album i Lolę, ale nie mam czasu, żeby pojechać do Asphodel czy prowadzić zapiski. Jednak drażni mnie, gdy Lillian mówi, że też jest na to zbyt zajęta, więc zabieram się do pisania, bo inaczej wyjdzie na to, że jest najmądrzejsza ze wszystkich.

Ja przynajmniej mam świadomość, że nie marnuję czasu. Teraz, gdy skończyłam osiemnaście lat, ojciec mówi, że jestem już dość dorosła, aby jeździć z nim na wizyty lekarskie, zwłaszcza do pacjentek. Twierdzi, że wiele kobiet, szczególnie w połogu, uspokaja się w obecności innej kobiety. Nie robię wiele, po prostu trzymam je za ręce albo podaję tacie, o co prosi, ale mnie to nie męczy. W sprowadzaniu dzieci na świat albo łagodzeniu cierpień tych, które przebywają już na nim od jakiegoś czasu, jest coś, co nigdy mi się nie znudzi. Tata powiedział, że pewnego dnia będziemy mieć tyle samo kobiet lekarzy co mężczyzn, ale jakoś sobie tego nie wyobrażam.

Dziś tata pojechał do kobiety, która wydawała się niewiele starsza ode mnie, a rodziła już czwarte dziecko. Ponieważ nie było nikogo innego, zajęłam się pozostałą trójką, bawiłam się z nimi, przygotowałam im lunch z resztek, które znalazłam w kuchni. Najstarszy chłopiec miał patyk i udawał, że to pistolet maszynowy, taki, jakie mieli Bonnie i Clyde, gdy rabowali banki. Wszyscy teraz o nich mówią w związku z ich śmiercią w Luizjanie w zeszłym tygodniu. Widziałam na zdjęciu ich samochód, z dziurami po kulach, i zaczęłam się zastanawiać, czy podniecające życie, jakie wiedli, było warte takiego końca.

Tata nauczył mnie prowadzić swojego forda. Na początku się bałam, ale potem bardzo to polubiłam i myślę, że jestem lepszym kierowcą od niego (chociaż bym mu tego

nie powiedziała, bo nie chciałabym zranić jego uczuć). Tata
stwierdził, że teraz, gdy jestem już dorosła i mogę wziąć na
siebie nowe obowiązki, powinnam pomyśleć o mężu
i rodzinie. Nic na to nie odpowiedziałam. Chyba dlatego, że
przede wszystkim pomyślałam, dlaczego miałabym się
ustatkować, skoro dopiero co zyskałam trochę swobody.

Wklejam do albumu zdjęcie, na którym siedzę za
kierownicą tatowego samochodu. Zrobił je Paul Morton,
trzynastoletni syn naszego prawnika, i dał mi na pamiątkę.
Tata powiedział, że miły z niego kawaler, a ja się śmiałam,
że przecież to jeszcze dziecko.

  PS Przypinam do Loli wisiorek przedstawiający model T.

Na wzmiankę o Paulu Mortonie aż się wyprostowałam.
Wprawdzie mówił, że znał babcię, ale myślałam, że na tym
koniec. Uśmiechnęłam się do siebie, gdy wyobraziłam sobie
wiekowego pana Mortona jako chłopca, podkochującego się
w dziewczynie starszej o pięć lat, i zastanowiło mnie, dlaczego
mi o tym nie wspomniał.

Wróciłam do lektury. Pominęłam notatkę z 1935 roku, zawiera-
jącą listę prac domowych Annabelle i jej obowiązków związanych
z praktyką lekarską ojca, i szybko przewróciłam stronę z nadzieją,
że następny wpis będzie ciekawszy. I się nie zawiodłam.

15 stycznia 1936 roku

  Dziś wieczór mamy święto. Thurgood Marshall,
prawnik z NAACP*, wygrał sprawę o przyjęcie czarnego
studenta na University of Maryland Law School. Freddie

---

* The National Association for the Advancement of Colored People —
organizacja walcząca o zniesienie segregacji rasowej w USA, którą założono
w 1909 roku.

mówił mi, że tak będzie, a potrafi być tak przekonujący, że chyba nawet mu uwierzyłam. Lecz teraz to już fakt, który wiele zmieni w zakresie edukacji publicznej w tym kraju.

Tata powiedział, że dziś wieczorem na ulicach mogą być zamieszki, więc lepiej, żebym nie wychodziła z domu. Nie chciałam, aby się martwił, więc Josie i ja z pomocą Freddiego wymknęłyśmy się przez okno i wszyscy razem poszliśmy w pewne miejsce przy West Bay Street, które tacie na pewno by się nie spodobało, mimo że ma takie liberalne poglądy społeczne. Byłam tam jedyną białą kobietą, ale czułam się bezpiecznie pod opieką Freddiego, który wszędzie, gdzie idzie, budzi szacunek. Pierwszy raz spróbowałam whisky (czego tata zdecydowanie by nie pochwalił) i prawie zemdlałam, co bardzo rozbawiło Freddiego, więc cały ten wstyd, że wyszłam na pierwszą naiwną, nawet się opłacił. Freddie rzadko się śmieje, ale kiedy już to zrobi, to jakby zaświeciło słońce.

Josie w końcu zaczęła śpiewać na barze, gdzie posadzili ją przyjaciele Freddiego, i znowu zdumiało mnie, jak świetnie wygląda i jaki piękny ma głos. Ostatnio dużo mówi o wyjeździe do jakiegoś miasta na północy, gdzie kolorowe kobiety mają większe szanse. Kocham ją jak siostrę, ale przecież nie mogę być egoistką i oczekiwać, że zostanie przy mnie. Twierdzi, że żartuje, że nawet słynna Josephine Baker została nazwana w „New York Timesie" czarną dziwką i że gdyby opuściła Savannah, umarłaby z głodu albo gorzej. Myślę jednak, że podąży za swoimi marzeniami, dokądkolwiek by ją to zaprowadziło. Zwierzyłam jej się z czegoś, czego nie powiedziałam nikomu innemu: że chcę być lekarzem, jak tata. Nie mam pojęcia, jak dostać się na studia medyczne, ale jeśli Josie nie brakuje odwagi w dążeniu do tego, żeby zostać śpiewaczką, to może i mnie się uda.

Codziennie pracuję w ogrodzie. Matka Josie, Justine, przekazała mi go oficjalnie pod opiekę, więc zajmuję się nie tylko kwiatami, lecz także uprawą ziół i warzyw, których używa w kuchni. Mówi, że mam rękę do kwiatów, że wystarczy, abym dotknęła suchej ziemi, i wyrasta z niej coś pięknego. Twierdzi, że z moją matką było podobnie. Dzięki temu mama, którą ledwie znałam, wydaje mi się bliższa, wyobrażam sobie, że pracuje przy moim boku, gdy kopię dołki na cebulki czy podwiązuję niesforne pędy. Justine powiedziała mi też, że mama lubiła, gdy ogród wyglądał trochę dziko, więc nie przycinam za bardzo lantany i z przyjemnością obserwuję, jak rozrasta się w stronę werandy... jakby chciała przypomnieć, że nawet kwiaty ujawniają dziką naturę, jeśli się je zostawi samym sobie. Ogród jest trochę jak moja dusza; a kwiaty działają na mnie niczym ożywczy deszcz. Zawiozę kilka różanych odnóżek Lillian, gdy tylko się do niej wybiorę, będzie to taki dar pokoju, symbol wiecznej więzi między nami i ogrodami naszych serc.

Nie byłam w Asphodel od ponad miesiąca. Lillian nie pisała ani nie dzwoniła — mówi, że nie ma czasu, bo prowadzi życie towarzyskie i zajmuje się końmi. Wiem jednak, że chodzi o coś innego, chociaż nie chce się do tego przyznać. To zresztą nieważne — jest moją duchową siostrą i wybaczę jej wszystko. Zawsze.

Jej nowe konie nie są tak czystej krwi, jak przywykła, ale to zwierzęta, które właściciele porzucili, bo sami nie mogli się wyżywić, a co dopiero mówić o nich. Jak dotąd wzięła cztery takie i jej ojciec mówi, że ich utrzymanie go zrujnuje, ale pozwala jej je trzymać.

Freddie, który wciąż pracuje w Asphodel, mówi, że w ten weekend zabierze mnie na spotkanie z Lillian i na przejażdżkę. Wieki tam nie byłam i zastanawiam się, czy

moje zdenerwowanie wynika z tego, że dawno nie
jeździłam na Loli Grace, czy z czegoś innego, co wisi
w powietrzu. Może, gdy już znajdę się w Asphodel z Lillian,
Josie i Freddiem, to niepokój zniknie i znowu poczuję się
swobodnie, jak za dawnych czasów, gdy byliśmy młodsi.
Obawiam się jednak, że dla nas wszystkich coś się
zmieniło; może dlatego, że jesteśmy doroślejsi. A może
z zupełnie innego powodu.

Z okazji święta włożyłam Lolę; wisiorek, który dodałam,
jest w kształcie gołębia, symbolu pokoju — miejmy
nadzieję, że już żaden Amerykanin, który zechce się
kształcić, nie spotka się z odmową. I że wojna w Europie,
przed którą tata ciągle ostrzega, nie dotknie nas tutaj.

Jednak, gdy wieczorem gaszę światło, niepokój wraca
jak natrętny owad i dokucza mi, dopóki w końcu nie zasnę.

Zobaczyłam zdjęcie babci stojącej przed staroświeckim czarnym sedanem obok starszego mężczyzny, swojego ojca. Trzymała dużą czarną torbę lekarską i miała na twarzy tajemniczy uśmieszek, jakby myślała o swoim marzeniu, żeby zostać lekarzem.

Odsunęłam od siebie kartki z albumu, które, rozłożone, wyglądały jak umarły ptak. Potem podniosłam kocyk i sweterek i przytuliłam je do twarzy. Moja babcia chciała zostać lekarzem. Miałam wrażenie, jakbym stanęła przed zamkniętym pokojem, a Lillian trzymała klucz do niego wysoko nad moją głową, żebym nie dała rady go dosięgnąć.

A jednak nie mogłam się zmusić, żeby czytać dalej. Czułam się jak ktoś, kto toczy się w dół po stoku wzgórza, próbując się zatrzymać, bo ma świadomość, że inaczej się rozbije. Wiedziałam, jak skończyła się historia mojej babci; nie wiedziałam tylko, co sprawiło, że niezależna, stanowcza młoda kobieta, która kochała konie i pragnęła zostać lekarzem, stała się cieniem samej siebie. Gdzieś w głębi duszy nie chciałam poznać prawdy, nie chciałam się przekonać, że mogę być do niej podobna.

Sfrustrowana, odsunęłam krzesło i wstałam. Kilka razy okrążyłam salon i kuchnię, a potem wyszłam z domku, nie bardzo zdając sobie sprawę z tego, dokąd idę.

⚜

Helen siedziała na podstawie pomnika i kolejny raz zaciągała się papierosem. Paliła w miejscach, gdzie nie mogły jej znaleźć dziewczynki, bo ich dezaprobata odbierała jej całą przyjemność. Mardi przysiadł obok niej, jakby chciał mieć pewność, że jego pani, z obcasami wbitymi w miękką ziemię wokół grobu dziadka, nie ześlizgnie się z wąskiego występu.

Płótno, nad którym pracowała, stało za pomnikiem, w cieniu. Helen malowała Earlene na podstawie opisu Tuckera; teraz dobrze widziała ją oczami wyobraźni i miała nadzieję, że zdoła oddać ten obraz. Nie była pewna, czy już skończyła, chciała odczekać jeszcze chwilę, zanim zadzwoni po Tuckera, żeby zabrał ją do domu razem z przyborami malarskimi.

Usłyszała, że ktoś nadchodzi, jeszcze zanim Mardi wstał i szczeknął ostrzegawczo.

— Earlene?

Odgłos deptanych liści stał się głośniejszy.

— Naprawdę tak utykam? — W jej głosie słychać było raczej rozbawienie niż irytację.

— Tylko troszkę — uspokoiła ją Helen. — Może powinnaś porozmawiać z Emily o ćwiczeniach, które by temu zaradziły. Dziewczyna przygotowuje się do zawodu fizykoterapeuty.

Earlene zatrzymała się gwałtownie przed Helen.

— Nie jestem jak zepsuty sprzęt, nie potrzebuję naprawy.

Helen się uśmiechnęła i wyjęła następnego papierosa.

— Och, wszyscy jej potrzebujemy.

Earlene oparła się o pomnik.

— A ty nie powinnaś palić; to ci na pewno szkodzi.

— Jako dziecko straciłam wzrok na skutek choroby. Już raz uderzył we mnie piorun... to nie zdarzy się drugi raz.

Na cmentarzu zapadła cisza, słychać było jedynie szum wiatru wśród drzew. Earlene westchnęła cicho.

— Kiedyś też tak myślałam. Gdy moi rodzice zginęli, wydawało mi się, że przeszłam już najgorsze, co mogło się zdarzyć. Ale byłam w błędzie.

— Potem spadłaś z konia.

— Tak.

— I teraz myślisz, że los cię prześladuje, że się na ciebie uwziął. — Helen głęboko zaciągnęła się dymem, czekając, aż jej słowa przebrzmią. — Nie sądzę, żeby to na tym polegało. Ja wstaję rano z łóżka ze świadomością, że raczej mam na co czekać, niż czego się bać.

Zaciągnęła się kolejny raz.

— Ale, owszem, wiem, że palenie szkodzi. Dziewczynki wciąż mi to powtarzają i w końcu rzucę. Na razie jednak sprawia mi za wiele przyjemności. — Wydmuchnęła dym z dala od Earlene. — A jak twoje poszukiwania?

— Frustrujące. Im więcej się dowiaduję, tym mniej wiem. Mam świadomość, że te wszystkie elementy do siebie pasują, ale nie widzę jak.

— Jakby wszystkie były białe i brakowało wzoru, jaki mają tworzyć.

Nastąpiła chwila ciszy, a potem Earlene odpowiedziała:

— Właśnie tak.

— A drzewo genealogiczne, które zrobiła Susan, w ogóle ci pomogło? — Usłyszała, że wiewiórka przebiegła po liściach, i chwilę później Mardi zerwał się do biegu.

Earlene odparła z namysłem:

— Na razie nie. Wpisałam wszystkie nazwiska i daty do programu, więc przynajmniej mam bazę. Znalazłam także zapiski w księdze pochówków, które odpowiadają wszystkim działkom na tym cmentarzu, i zestawiłam każdy grób z nazwiskiem. Z wyjątkiem jednego. Tego małego pomnika w rogu, bez żadnego napisu. Nie ma nikogo w rodzinie Harringtonów--Rossów, kto mógłby być pod nim pochowany. Zaczynam sądzić, że to w ogóle nie jest nagrobek.

Mardi wrócił do Helen i przysiadł na jej nodze. Ona wyciągnęła rękę, wyjęła mu patyk z pyska i rzuciła w kierunku małego anioła, słuchając, jak pies biegnie.

— Och, na pewno ktoś pod nim leży.

Poczuła, że Earlene na nią patrzy.

— Skąd wiesz?

Helen zaśmiała się cicho.

— Trochę wstydzę się o tym mówić, ale to było tak dawno temu, że mogę zwalić winę na szaleństwa młodości. Kiedyś, gdy Tucker i ja byliśmy jeszcze dziećmi i lubiliśmy się wygłupiać, zapragnęliśmy się dowiedzieć, co znajduje się pod tym aniołkiem. Ciekawiło nas to, bo nie było na nim żadnego nazwiska ani napisu jak na reszcie pomników. Założyliśmy się... ja myślałam, że jest tam szkielet psa, a Tucker, że skarb piratów. Więc wzięliśmy łopaty z szopy w ogrodzie i zaczęliśmy kopać.

Helen wyobraziła sobie, że Earlene wstrzymuje dech.

— I co znaleźliście?

Obróciła w palcach papierosa, przypominając sobie zapach wilgotnej ziemi i gnijących liści.

— Jakiś materiał... Tucker uważał, że to butwiejący koc, ale trudno było powiedzieć, bo musiał tam leżeć od dawna. Chyba oboje nas obleciał strach, bo nie kopaliśmy dalej. Rzuciliśmy łopaty i uciekliśmy z krzykiem. Mama przyłapała nas na tym i bardzo się rozgniewała. Bałam się nawet, że spuści nam manto.

— I co było dalej?

— Kazała nam przysiąc, że nigdy więcej nie sprofanujemy żadnego grobu, później zaprowadziła nas do dozorcy i musieliśmy mu pomóc zakopać dół, a potem wysiać trawę. Myślę, że minął rok, zanim któreś z nas znowu postawiło stopę na cmentarzu.

Głos Earlene wydał się Helen daleki, jakby kobieta odwróciła głowę w stronę samotnego anioła w rogu cmentarza.

— Pytałaś kiedyś o ten pomnik Malily albo matkę?

Helen zastanawiała się chwilę, usiłując sobie przypomnieć.

— Matka nic o nim nie wiedziała i dała jasno do zrozumienia, że nie chce wiedzieć. Chciała ratować świat i nie widziała, że coś wymaga ratowania na własnym podwórku. A Malily... hm, zapytałam ją pewnego razu.

— I co odpowiedziała? — Earlene znowu zwróciła się do niej i przestrzeń między nimi wypełnił delikatny zapach jej perfum.

— Że nie wie. Ale myślę, że kłamała. — Helen uniosła twarz ku Earlene. — Znajdowałam tu kwiaty i zawsze było to pod koniec lata. Jakby w jakąś rocznicę.

— Interesujące — zauważyła powoli Earlene. — Muszę głębiej pokopać w archiwach. Ale chyba nie dałabym się namówić na odkopanie grobu.

Helen zorientowała się, że Earlene chce nadać rozmowie lżejszy ton, i uśmiechnęła się w odpowiedzi.

— Znalazłaś jeszcze coś równie ciekawego?

— Uderzyło mnie jedynie, że twój wuj urodził się dokładnie dziewięć miesięcy po ślubie dziadków.

Helen uśmiechnęła się do siebie.

— Sugerujesz, że babcia nie była dziewicą w noc poślubną?

— Albo po prostu nie miała problemów z płodnością. — Earlene zmieniła pozycję na podstawie pomnika. — Pamiętasz swojego dziadka Charliego? I jego relacje z Lillian?

Helen obróciła gwałtownie głowę w stronę Earlene.

— Twoja przyjaciółka... Lola, dobrze mówię?... naprawdę potrzebuje tego rodzaju informacji?

— Moja przyjaciółka...? Och, nie... jestem tylko ciekawa, to wszystko. Przepraszam, jeśli mieszam się w nie swoje sprawy.

— Spokojnie. Twój zawód chyba wymaga wyciągania od ludzi rozmaitych informacji. Chętnie ci odpowiem. Cieszę się, muszę przyznać, że jesteś w Asphodel i że mam z kim porozmawiać o czymś innym niż konie i kwiaty.

Znowu głęboko zaciągnęła się dymem.

— Ale odpowiadając na twoje pytanie: tak, znałam dziadka Charliego. Miałam dwadzieścia lat, kiedy umarł. Naprawdę kochał Malily. I jestem pewna, że ona też go kochała. Ale...

— Co takiego?

Helen nasłuchiwała, gdy Mardi zaczął biegać wzdłuż ogrodzenia, goniąc wiewiórki i wzbijając liście.

— Babcia w końcu postanowiła udostępnić mi swój pamiątkowy album z czasów, gdy była młoda. Jeden z fragmentów, które mi przeczytała, opowiada o tym, jak miała siedemnaście lat i ojciec wydał dla niej przyjęcie. Wspomina, że mój dziadek był wspaniałym tancerzem i że z nim tańczyła. I że ojciec zmarnował pieniądze, urządzając bal, aby znalazła męża, bo ona jest już zakochana.

— W twoim dziadku.

Helen kiwnęła głową.

— Oczywiście. Chociaż tego nie powiedziała, tak mi się wydawało na podstawie reszty jej zapisków.

Earlene wstała i stanęła miękko na sosnowych igłach oraz liściach, które leżały na ziemi, jakby specjalnie rozsypane ze względu na umarłych.

— Zapytałaś ją o to?

Helen się zaśmiała.

— Na wypadek, gdybyś nie zauważyła, Malily nie jest osobą, która lubi, żeby ją o cokolwiek wypytywano. Prze do przodu, nie zważając na to, czy ktoś stoi jej na drodze, czy nie, nie przeprasza ani się nie tłumaczy. Mówi, że przeżyła wielki

231

kryzys, wojnę światową, stratę męża i dziecka, i czuje się dobrze, dzięki Bogu. Byłam taka szczęśliwa, gdy mnie zapytała, czy chcę poznać jej historię, że już o nic więcej nie pytałam. — Uniosła rękę. — Nie zrozum mnie źle. Kocham babcię. Nigdy też nie wątpiłam w jej miłość do mnie i wiele jej zawdzięczam. To ona zadbała o to, żebym wiodła w miarę normalne życie i nie użalała się nad sobą. Urządziła dla mnie ogród i pomalowała mój pokój tak, jak chciałam. Ale... — Urwała, nie bardzo wiedząc, co chce powiedzieć.

— Ale co?

Helen przypomniała sobie swój portret Earlene, obraz kobiety o dużych oczach, która stale szuka czegoś, próbuje pochwycić coś, co pozostaje poza jej zasięgiem, niczym powiew wiatru. Nie namalowała jeszcze tła, bo nie zdecydowała, jakie ma być. Ale biorąc pod uwagę to, co o niej wiedziała, na pewno nie umieściłaby jej za biurkiem, pracującej nad czyimś drzewem genealogicznym. Earlene, którą w niej widziała, była na tyle śmiałą dziewczyną, by odważyć się na coś, czego skutkiem były blizny na jej kolanach. Osobą, za jaką Helen kiedyś uważała siebie.

Zaczerpnęła głęboko powietrza. Zdecydowała się na szczerość, licząc, że Earlene się zrewanżuje.

— Nie mam poczucia, że dobrze ją znam. Nic nie wiem o dużej części jej życia. I jestem pewna, że to nie przypadek. Dopiero teraz zaczęła mówić o sobie. — Zgasiła papierosa na kamiennej podstawie pomnika i zostawiła go tam. — Kilka miesięcy temu dostała informację, że zmarła jej stara przyjaciółka. Chociaż nie widziała się z nią od bardzo dawna, to musiało jej uświadomić, że sama także kiedyś umrze. I jakby nagle zaczęła liczyć godziny, które jej pozostały. A także te, które straciła.

Earlene kilka razy odetchnęła z namysłem.

— Ta przyjaciółka twojej babci... to była Annabelle, prawda? Czy występuje w jej albumie?

Helen pokiwała głową.

— O tak. I to dość często.

Earlene milczała przez chwilę.

— Chciałabym przeczytać jej zapiski. Myślisz, że by mi pozwoliła?

Helen pokręciła głową.

— Nie, nie sądzę. Chciała udostępnić je mojej matce i Susan. Myślę, że w przeszłości Malily jest coś, co kłóci się z jej wyobrażeniem o samej sobie... z wizerunkiem, jaki stworzyła. Dwa razy nie udało jej się uzyskać aprobaty dla osoby, którą była naprawdę. I wydaje mi się, że teraz wybrała mnie, bo wie, że jej dni są policzone i nie został jej nikt inny.

Earlene się wyprostowała. Zauważyła cicho:

— To nieprawda. — Po krótkiej przerwie dodała: — Annabelle to moja babcia.

Ach tak, pomyślała Helen.

— Hm, to wiele wyjaśnia.

— Co chcesz przez to powiedzieć?

— Odella i ja znalazłyśmy na stole kuchennym w twoim domku kartki z albumu i naszyjnik w pudełku, razem ze zdjęciem Malily. Domyślałyśmy się, że to coś znaczy.

Earlene zerwała się na równe nogi, zasłaniając słońce, które świeciło poprzez sosny na twarz Helen.

— Myszkowałyście w moich rzeczach?

— Tylko trochę. Poza tym wszystko leżało na widoku. Ale najwyraźniej nie tylko ja mam sekrety, Earlene. To nie jest twoje prawdziwe imię, prawda?

Earlene wypuściła z płuc powietrze, było to prychnięcie albo po prostu wyraz ulgi.

— Właściwie jest. Ale zwykle używam przybranego imienia, Piper. A na nazwisko mam Mills.

— Lepiej do ciebie pasuje. Oczywiście słyszałam twoje nazwisko. Jesteś dobrze znana w kręgach jeździeckich.

— Cóż, już nie. — Nastąpiła krótka przerwa. — Chociaż dobrze się wreszcie ujawnić, mam świadomość, że głupio to wypadło. Na swoje usprawiedliwienie mogę powiedzieć tylko, że bardzo chciałam porozmawiać z twoją babcią, żeby dowiedzieć się czegoś o mojej. Ale kiedy wysłałam do niej list z prośbą o spotkanie, twój brat odpisał mi, że jest zbyt chora i w ogóle mojej babci nie pamięta. A ja wiedziałam, że to nieprawda.

Helen próbowała odnaleźć w sobie gniew albo urazę, które powinna czuć, bo przecież została oszukana. Zamiast tego jednak ogarnęła ją ochota, aby z uznaniem poklepać Piper po plecach, bo dziewczyna wykazała się pomysłowością. Poczuła też zadowolenie z siebie; od początku przecież wiedziała, że Earlene Smith to nie tylko drzewa genealogiczne i zakurzone biblioteki.

— Więc postanowiłaś przyjechać tu pod przybranym nazwiskiem i dowiedzieć się, ile się da.

— To brzmi okropnie, wiem, ale nie chciałam was oszukać. Zrobiłam tak, bo nie przychodziło mi do głowy żadne inne rozwiązanie.

Mardi wrócił z patykiem, ale Helen poklepała go tylko po łbie, dając mu znak, że zabawa skończona. Przypomniała sobie, jak się czuła, gdy siedziała w pokoju babci, kiedy ta czytała jej fragmenty z albumu — jak bolało ją serce na dźwięk słów, które niczym most łączyły życie babci z jej własnym.

— Dlaczego chcesz poznać przeszłość swojej babci? Dlaczego to dla ciebie takie ważne?

Piper odpowiedziała stłumionym głosem i Helen wyobraziła sobie, że dziewczyna zakrywa twarz dłońmi, jak ktoś, kto się modli.

— Babcia i ja nigdy nie byłyśmy sobie szczególnie bliskie. Ona jakby ukrywała się w swoim ogrodzie, podczas gdy ja próbowałam się przekonać, jak bardzo mogę się zbliżyć do upadku z konia i złamania karku. Wszystko wyglądało inaczej, gdy byłam mała, gdy przyjechałam do dziadków, żeby u nich zamieszkać. Wtedy uczyła mnie ogrodnictwa, pokazywała, jak się hoduje kwiaty i inne rośliny. Potem jednak odkryłam konie i nie mogłam zrozumieć, dlaczego babcia woli trzymać się z boku, dlaczego nie kusi jej, żeby dotknąć słońca, chociaż to grozi oparzeniem, jak mówił mój trener. Wydawało mi się, że jej życie jest nieciekawe, przestała mnie interesować.

Helen słyszała, że Piper dławi w gardle — dziewczyna z trudem powstrzymywała łzy, żeby dokończyć wyjaśnienia.

Helen zapytała delikatnie:

— I co się zmieniło?

— Po śmierci obojga dziadków znalazłam pudełko, które dziadek z moją pomocą zakopał w ogrodzie, gdy babcia z powodu alzheimera została umieszczona w domu opieki. Były tam: fragment albumu, naszyjnik z różnymi wisiorkami i... wycinek z gazety. O wydobyciu zwłok murzyńskiego niemowlęcia płci męskiej z rzeki Savannah.

Wilgotny powiew wiatru wzbił liście na ziemi i Helen poczuła, że po plecach przebiega jej dreszcz.

— Jakaś sugestia, co to było za dziecko albo dlaczego ten wycinek znalazł się wśród rzeczy twojej babci?

— Żadnej. To nie wszystko. Odkryłam sekretne pomieszczenie na strychu w domu dziadków. Było w nim wiklinowe łóżeczko z niebieskim kocykiem wydzierganym na drutach.

Helen znowu poczuła chłód; Malily mawiała, że jeśli człowiek czuje coś takiego, to znak, iż ktoś chodzi po jego grobie.

— I to ci uświadomiło, że twoja babcia miała własne życie, zanim ją poznałaś... może nawet ciekawsze od twojego. I że zmarnowałaś cały ten czas, gdy miałaś ją przy sobie.

— Tak. Zezłościłam się... na siebie. Od czasu wypadku żyłam tak, jak w moim mniemaniu żyła ona... snułam się po domu, czekając, aż coś się zdarzy. Myślę, że dlatego zdecydowałam się na taki drastyczny plan. I niemal ze zdziwieniem stwierdziłam, że jeszcze żyje we mnie tamta dawna, pełna woli walki zawodniczka. Wciąż byłam gotowa podjąć ryzyko i to odkrycie przyniosło mi taką ulgę, że nie pomyślałam, jak głupio postępuję. I jakie to może mieć dalekosiężne skutki.

— Czyli co się stanie, kiedy odkryjemy, że nas okłamałaś... bo prędzej czy później musiało to nastąpić. — Ponieważ Piper nie odpowiedziała, Helen ciągnęła: — Jak do nas dotarłaś?

— Po śmierci dziadka prawnik przekazał mi listy, które babcia wysłała do Lillian. Wszystkie wróciły nieotwarte. W jednym z nich babcia prosiła Lillian, żeby wybaczyła jej jakiś postępek.

Helen roztarła ramiona, bo mimo że było ciepłe popołudnie, zrobiło jej się zimno.

— A ty nie wiesz jaki.

— Nie. Nie jestem pewna, czy chcę wiedzieć. Dlatego jeszcze nie przeczytałam do końca jej części albumu. Może pożałuję, że go w ogóle znalazłam. Czuję się, jakbym miała otworzyć puszkę Pandory.

Helen zesztywniała. Puszka Pandory.

— Tak powiedziała nasza matka, gdy dowiedziała się, że Tucker i ja kopaliśmy w grobie. Dziwne, nie sądzisz?

— Owszem.

Helen poczuła, że Piper jej się przygląda, odmierza słowa jak mąkę do ciasta.

— I co teraz zrobisz? Powiesz o mnie babce? I Tuckerowi?

Helen wstała z ręką opartą o pomnik.

— To nie moja sprawa. Jeśli chcesz się z tego wykaraskać i uzyskać pomoc Malily, sama musisz im powiedzieć... i to szybko. Malily jest bardzo bystra, nie zdziwiłabym się, gdyby sama już coś podejrzewała. A jeśli chodzi o Tuckera... — Pokręciła głową. — Na pewno się wkurzy. Ale sądzę, że mu przejdzie... gdy sobie uzmysłowi, że ktoś musi nauczyć jego córki jeździć konno. Chciałabym jednak zobaczyć zapiski twojej babci. I ten wycinek z gazety. Ale najpierw musisz przekonać Malily, żeby pozwoliła ci tu zostać. Potem porównamy ich relacje.

Piper położyła jej dłoń na ręce.

— Dziękuję ci. Jesteś bardzo wyrozumiała, nie zasługuję na to. Powiem im... gdy tylko wymyślę, jak to zrobić.

— Nie zwlekaj zbyt długo. To tylko pogorszy sprawę.

— Obiecuję. — Piper delikatnie uścisnęła jej dłoń. — Zaraz mam lekcję z dziewczynkami. Odprowadzić cię do domu?

— Nie, dzięki. Tucker czeka na mój telefon i przyjdzie po mnie, gdy po niego zadzwonię.

— Świetnie. To do zobaczenia przy kolacji. Lillian mnie zaprosiła.

Helen uniosła brew.

— Znowu? To zadziwiające. Zwykle nie darzy sympatią obcych. Chyba że ty nie wydajesz jej się obca.

— Czasami mam wrażenie, że łatwiej by było, gdyby odkryła, kim jestem, i to powiedziała. Ale nie martw się, nie będę na to czekać.

Pożegnały się i gdy tylko kroki Piper ucichły, Helen wróciła do malowania. Wiedziała, że musi skończyć obraz. Wzięła pędzel, znalazła czerwień, odliczając farby, i zaczęła malować. Ani przez chwilę nie myślała o tym, żeby przedstawić Piper w scenerii jeździeckiej, z końmi, stajnią czy pastwiskiem na drugim planie. Zamiast tego wypełniła tło kwiatami z ogrodu Malily, w hołdzie dla tych, którzy wprawdzie mogli widzieć, ale nie chcieli przejrzeć na oczy.

ROZDZIAŁ 15

Wciąż śni mi się ten sam sen, i to jeszcze bardziej realistycznie niż poprzednio. Tym razem słyszę, że anonsują moje nazwisko i kategorię, w której startuję, ale ten głos jest daleki i niewyraźny, jakby dochodził spod wody. Fitz przestępuje z kopyta na kopyto, przez jego szyję przebiega dreszcz. W myślach odtwarzam tor, który przeszłam wcześniej, i czuję, że Fitz porusza się pode mną, jakby także miał go przed oczami. Przepełniają mnie nadzieja oraz podniecenie i uśmiecham się do siebie we śnie, bo mam wrażenie, że udzielają mi się siła i zapał Fitza.

Potem jednak mój punkt widzenia się zmienia; stoję obok babci za barierką odgradzającą tor od widowni i wszystko wokół nas niknie, gdy odwracam się do niej. Ona nie patrzy na mnie, ale na swoje dłonie. Podążam za jej wzrokiem i widzę pamiątkowy album, wciąż cały, bez wyrwanych kartek. Spoczywa w jej rękach rozłożony, jakby go właśnie przeglądała.

Pochylam się i szepczę jej do ucha:

— Nie wiedziałam, że kochałaś konie. Ani że pragnęłaś zostać lekarzem. Nigdy mi o tym nie mówiłaś.

Unosi głowę, patrzy na mnie i widzę, że oczy ma brązowe, jak ja, i zbiera mi się na płacz, bo tego nie pamiętałam.

Uśmiecha się do mnie tak samo jak wtedy, gdy jako siedmiolatka kopałam w ogrodzie z tyłu domu i sadziłam powój księżycowy, bo mi powiedziała, że to jej ulubiony kwiat.

— Nigdy nie pytałaś — odpowiada, choć jej usta się nie poruszają. Czuję jej zimną rękę na ramieniu; potem babcia nachyla się powoli i przenika mnie drżenie. Zastygam w miejscu, nie mogę się cofnąć. Czuję jej lodowaty oddech na policzku, gdy mówi szeptem: — Ale cieszę się, że pytasz teraz.

A później wkłada mi coś do ręki i czuję, że wbijają mi się w ciało złote skrzydła anioła. Wiem, co to jest, zanim opuszczę głowę i zobaczę zgubiony wisiorek.

Potem znowu siedzę na grzbiecie Fitza. Zbliżamy się do kosza kwiatów, ale tym razem ściągam wodze, ponieważ wiem, co się stanie. Wybucham płaczem, bo nie mogę powstrzymać konia przed skokiem, tak jak nie mogę przywrócić do życia babci i poprosić jej o drugą szansę.

— Earlene? Earlene, wszystko dobrze? — Poczułam na ramieniu ciepłą rękę.

Wzdrygnęłam się, oszołomiona, wciąż pod wrażeniem, że przygważdża mnie do ziemi świadomość zawodu. W pierwszej chwili pomyślałam, że to George zwraca się do mnie, używając tego śmiesznego imienia.

— Nie mów tak do mnie... to nie moje imię!

Otworzyłam oczy i ze zdziwieniem zobaczyłam, że siedzę oparta o zewnętrzną stronę muru wokół ogrodu w Asphodel Meadows, w cieniu starych magnolii, a przed sobą mam stajnie i maneż.

— Słucham?

Zamrugałam gwałtownie i spojrzałam w ciemnozielone oczy, które wydały mi się jakby znajome. Szybko wstałam i od nagłego ruchu zakręciło mi się w głowie. Jedną ręką trzymając się muru, potrząsnęłam głową, żeby oprzytomnieć.

— O Boże, przepraszam... chyba coś mi się śniło.

Tucker wolno pokiwał głową.

— Nie powinnaś usiąść? Wyglądasz, jakby ci było trochę słabo.

Bez odpowiedzi osunęłam się z powrotem na trawę i wyciągnęłam przed siebie nogi.

— Siedziałam sobie tu, w cieniu, i odpoczywałam, czekając na dziewczynki. I chyba zasnęłam.

Usiadł na trawie przy mnie, krzyżując w kostkach długie nogi.

— Szukałem cię, aby ci powiedzieć, że dziewczynki trochę się spóźnią. Pływaliśmy w stawie i straciliśmy poczucie czasu.

Zauważyłam, że wciąż ma mokre włosy, i odwróciłam wzrok, żeby ukryć rozczarowanie, którego doznałam we śnie, bo jeszcze się z niego nie otrząsnęłam.

— Któregoś dnia będziesz musiał przekroczyć linię boczną i wkroczyć w ich życie.

Skrzywił się, patrząc na liście magnolii.

— Tak dobrze znasz się na małych dziewczynkach?

— Byłam jedną z nich. Lalki, kokardy, konie i jeszcze raz konie.

Uśmiechnął się i wyraźnie odprężył.

— To mi przypomina córki... zwłaszcza Lucy. Sara lubi jeździć, ale przede wszystkim kocha konie. Lucy też je kocha, ale najbardziej pociąga ją wyzwanie, jakim jest komunikowanie się z koniem. Mówi, że jest gotowa spróbować kłusa.

Wyprostowałam się.

— Jeździ dopiero od miesiąca, Tucker. Przyznaję, że dobrze jej idzie i pewnie czuje się w siodle, ale nie powinniśmy jej popędzać.

— Nie popędzam jej. Myślę, że jest dobrze przygotowana. Poza tym sama chce spróbować. Zadzwoniłem już w kilka miejsc, żeby znaleźć dla niej miłą, łagodną klacz. Żeby miała przedsmak, jak to jest jeździć na prawdziwym koniu.

— A co z Sarą? Jak będzie się czuła, gdy Lucy dostanie konia, a ona będzie musiała jeździć na kucu?

— Sara powiedziała mi, że nie chce konia, choćby urosła. Kocha Oreo.

Przygryzłam wargę; nie byłam zdziwiona jej odpowiedzią.

— Mimo to uważam, że Lucy ma jeszcze czas.

Tucker pochylił się ku mnie i spojrzał na mnie badawczo.

— Nie pamiętasz, jak to jest? Jak ważna jest pasja, która przesłania wszystko inne w twoim życiu? Tak że masz ochotę rano wyskoczyć z łóżka? To było tak dawno temu, że już zapomniałaś?

Poczułam, że moja pierś się unosi i opada, jakby ktoś wtłoczył mi powietrze w płuca, zmuszając mnie do oddychania. Tak! — miałam ochotę zawołać. Tak, pamiętam. Zamiast tego powiedziałam jednak:

— Wszyscy mamy jakieś ograniczenia. W jej przypadku są nimi wiek i wzrost. A także brak doświadczenia. Nie należy jej popychać ku czemuś, do czego nie jest jeszcze przygotowana.

— Ciebie tak popychano, Earlene? Dlatego doznałaś kontuzji i nigdy więcej nie wsiadłaś na konia? Dlatego tak ci zależy, żeby Lucy zatrzymała się na etapie kuca?

Odwróciłam się do niego z gniewem, nie zauważając, że w jego oczach nie ma złości, tylko chęć zrozumienia.

— Owszem, popychano mnie... ale tylko dlatego, że tego chciałam. Bo pragnęłam być najlepsza ze wszystkich i jedynym sposobem, aby to osiągnąć, było dawać się popychać, dopóki sama nie nauczyłam się mobilizować.

— I byłaś najlepsza?

Cała drżałam, przypominając to sobie. Czułam smak potu i oczekiwania na zwycięstwo. Ale nie mogłam powiedzieć mu prawdy. Jeszcze nie.

— Chciałam być. Próbowałam. W domu w Savannah, w którym się wychowałam, wujek zostawił pustą ścianę, żeby wieszać moje trofea, złote medale olimpijskie, które miałam zdobyć. — Zarumieniłam się na wspomnienie dumy w oczach dziadka i wyrazu twarzy babci, która odwróciła wzrok i wyszła z pokoju. Niedługo potem usłyszałam trzaśnięcie tylnych drzwi i zorientowałam się, że wyszła do ogrodu.

— Musisz znowu zacząć jeździć, Earlene. Nie boisz się koni, widzę to. I pasujecie do siebie z Kapitanem Wentworthem. On zdecydowanie jest gotów, aby go dosiąść. Potrzebuje doświadczonego jeźdźca. Myślę, że czeka na ciebie.

Miotały mną sprzeczne uczucia. Przypomniałam sobie, co powiedziała mi Helen o tym, jak Tucker szukał w grobie skarbu piratów, i odniosłam wrażenie, że widzę w nim tamtego chłopca. Był z zawodu lekarzem, pragnął leczyć innych, ale nie widział i nie chciał widzieć, że on sam ma rany, które należałoby opatrzyć.

Pokręciłam głową, bo nie byłam pewna, czy dostatecznie rozumiem przyczyny swojej niechęci, aby jeszcze wytłumaczyć ją komuś innemu. A może za bardzo się wstydziłam. Poczułam gniew na siebie i szybko skierowałam go przeciwko Tuckerowi.

— Przestań wywierać na mnie presję. Za bardzo bolą mnie plecy i kolano, żebym mogła jeździć konno. Mam w nodze śruby, które trzymają ją razem, jeśli to ci bardziej przemówi do wyobraźni.

Nie odwrócił wzroku. Wyraz jego oczu przypomniał mi Helen, jej zdolność przenikania poza słowa. Zrozumiałam, że go nie oszukam.

— Jestem lekarzem. Znam się na tym. Wiem także, że są ćwiczenia, które wzmacniają mięśnie, co łagodzi ból i zwiększa elastyczność. Emily na pewno ci pomoże, jeśli ją o to poprosisz.

Wstałam, zastanawiając się, czy wszyscy sprzysięgli się przeciwko mnie.

— Słyszałam, dziękuję ci. Próbowałam już różnych ćwiczeń

i niewiele to dało. Ale jeśli dzięki temu dacie mi święty spokój, wrócę do nich, w porządku? Jednak nie wsiądę już na konia. Nigdy, więc przestań mnie nagabywać.

On także wstał i uśmiechnął się do mnie promiennie, co mnie zaskoczyło.

— Zobaczymy. Tymczasem powiem Lucy, że będzie musiała poczekać z jazdą na Kapitanie Wentworcie, dopóki ty go nie dosiądziesz. Zresztą to był jej pomysł, nie mój.

Rozbawiła mnie wizja Lucy negocjującej warunki jazdy na koniu, ale się nie zaśmiałam. Zamiast tego prychnęłam.

— Moja Lucy ma poczucie humoru — zauważył.

Moja Lucy. Byłam ciekawa, czy zorientował się, że tak powiedział.

— Po kimś je odziedziczyła.

— Co masz na myśli?

— Nazywasz się William Tecumseh Gibbons. Ktoś w twojej rodzinie musiał mieć poczucie humoru, żeby nadać ci imiona jankeskiego generała, który dla większości mieszkańców Savannah wciąż stanowi uosobienie szatana. To tak, jakby dać Brytyjczykowi na imię Napoleon czy coś takiego.

Urwał kilka długich źdźbeł trawy i zmiażdżył je w palcach.

— Matka tak mnie nazwała. Nie wiem, czy dlatego, że ma poczucie humoru, czy po prostu chciała wkurzyć babcię. Poza tym to nie ma znaczenia. Babcia zaczęła mówić do mnie Tucker od chwili, gdy mnie zobaczyła, i tak już zostało.

Znowu na mnie spojrzał.

— Moja żona... Susan... nazywała mnie William. Jakby uważała, że używanie przybranego imienia to rodzaj oszustwa, które pozwala udawać kogoś innego.

Przełknęłam ślinę, bo nagle zaschło mi w ustach. Chciałam mu zdradzić, kim jestem, ale przypomniałam sobie, że nie śmiał się, kiedy mu powiedziałam o swoich olimpijskich marzeniach, i że został z córkami tamtej nocy, gdy zwróciłam mu uwagę pod dębami, że powinien spędzać z nimi więcej czasu. Polubiłam Williama T. Gibbonsa, podobało mi się, że mówią na niego Tucker, i wiedziałam, że jakakolwiek wytworzyła się między nami relacja, będzie po niej, gdy mu powiem, że nazywam się Piper Mills i okłamywałam go od chwili, gdy się poznaliśmy.

Miałam świadomość, że powinnam skierować rozmowę na inne tory, ale nie mogłam. Nie potrafiłam zapomnieć o grobie na niepoświęconej ziemi za rodzinnym cmentarzem, intrygowała mnie też postać matki, która porzuciła Lucy i Sarę.

— A jak jej się przedstawiłeś, gdy się poznaliście?

Odpowiedział dopiero po chwili.

— Właściwie to się nie przedstawiłem. Była... pacjentką mojego mentora w szkole medycznej, psychiatry. Teraz prowadzę z nim praktykę. Poznałem ją w jego gabinecie.

Spojrzałam na niego ze zdziwieniem.

— Była jego pacjentką?

— Wtedy o tym nie wiedziałem... tajemnica lekarska i w ogóle... ale przychodziła do niego w różnych sprawach, głównie ciężkiej depresji i uzależnień, z którymi zmagała się od okresu dojrzewania. Kilka razy była na odwyku, próbowała poradzić sobie ze skutkami dorastania w rodzinie dysfunkcyjnej. Terapia bardzo jej pomagała, więc kiedy się poznaliśmy, nie sądziłem... — Zacisnął usta, jakby był rozdarty między poczuciem lojalności a pragnieniem zwierzenia mi się. — Nie zdawałem sobie sprawy, jak była rozchwiana emocjonalnie, dopóki na drugim roku studiów się z nią nie zaręczyłem.

— I nie zerwałeś zaręczyn?

Uciekł wzrokiem w bok.

— Odkryła, że jest w ciąży, i chciała tego dziecka. Nie mogłem pozwolić, żeby wychowywała je sama. To było także moje dziecko. Poza tym uznałem, że jeśli będę przy niej, zadbam o jej zdrowie psychiczne, jeśli nie ze względu na nią, to ze względu na dziecko.

— Lucy?

Skinął głową.

Milczałam przez moment.

— Jak znosiła macierzyństwo?

— Po urodzeniu Lucy wróciła do środków antydepresyjnych. Wydawało się, że znowu jest sobą, więc pomyślałem, że jakoś nam się ułoży, teraz gdy jesteśmy rodzicami.

— Ale tak się nie stało.

Tucker pokręcił głową.

— Susan coraz bardziej uzależniała się ode mnie, prawie tak, jakbym był substytutem środków odurzających, które kiedyś brała. Jeśli nie poświęcałem jej tyle uwagi, ile potrzebowała, przez całe dnie nie wychodziła ze swojego pokoju, dopóki nie zrobiłem czegoś, żeby uzyskać jej przebaczenie. — Oparł rozpostarte dłonie o mur i przyjrzał się swoim palcom z odciskami. — Wiedziałem, że od dzieciństwa miała poważne problemy. Nie znałem szczegółów, ale z tego, co mówiła, wynikało, że najlepiej będzie, jeśli zerwie kontakty z rodziną. Codziennie jednak walczyła z nękającymi ją demonami. Niedługo po narodzinach Lucy Susan zaczęła podkradać leki na receptę z mojego gabinetu. Początkowo tego nie zauważyliśmy, bo podbierała próbki, ale w końcu zorientowaliśmy się, co się dzieje, i od razu domyśliliśmy się, czyja to sprawka. Poszła na odwyk... znowu... i to jakby pomogło.

W jego oczach pojawiła się udręka, którą widziałam tamtego dnia, gdy się poznaliśmy, i miałam ochotę odwrócić wzrok.

— I wtedy sytuacja się poprawiła?

— Na jakiś czas. Ale potem Susan zaszła w ciążę z Sarą. Nie powinienem był do tego dopuścić... — Wzruszył ramionami. — I później, gdy Sara przyszła na świat, było już tylko gorzej. Poprzednie antydepresanty przestały działać i dopiero po jakimś czasie zorientowaliśmy się dlaczego. Kiedy Sara miała trzy lata, wziąłem urlop bezpłatny i przeniosłem się z rodziną do Asphodel, bo liczyłem, że zmiana otoczenia pomoże Susan, a w każdym razie odetnie ją od źródła narkotyków. W tamtym okresie leczyła się sama i to uniemożliwiało nam stwierdzenie, co jej pomaga, więc przeprowadzka była ostatnią nadzieją. — Obiema rękami odgarnął ciemne włosy z czoła. — Potem pomyślałem, że nasze modlitwy zostały wysłuchane, bo Susan zainteresowała się genealogią i wszystko wskazywało na to, że znalazła cel w życiu. Może identyfikowała się z osobami, których losy odtwarzała, i miała wrażenie, że w jakiś pokrętny sposób wymazuje własną przeszłość. Nie zastanawiałem się nad tym. Była zadowolona i podekscytowana, pierwszy raz, odkąd wzięliśmy ślub. A potem... z półtora roku temu... wszystko legło w gruzach.

— Co się stało? — zapytałam, patrząc, jak wstaje i zrywa kolejną garść trawy, żeby zgnieść ją w dłoniach.

— Nie bardzo wiem. Poprosiła Malily, żeby udostępniła jej wszystkie dokumenty rodzinne. Malily zdradziła jej coś, co miało pozostać między nimi, ale to nie powstrzymało Susan. Zdaje się, że węszyła w pokoju Malily, gdy ta wyjechała na jakąś imprezę jeździecką, i coś w nim znalazła. Malily chyba odkryła, że to coś zniknęło, i zażądała zwrotu. Nigdy jednak się nie dowiedziałem, co to było. Ale po tym Susan się załamała.

— Pytałeś Malily, o co chodziło?

— Tak. Powiedziała, że to list do przyjaciółki, który napisała, ale którego nie wysłała. Susan jednak była rozstrojona i potraktowała wszystko bardzo poważnie. Zdaniem Malily tak się przejęła jej historią, że zaczęła ją przeżywać, jakby przydarzyła się jej samej... Może coś przypomniało jej własne dzieciństwo. — Upuścił pogniecioną trawę na ziemię. — Chyba nigdy się tego nie dowiem. Tydzień później się utopiła. Po prostu...

weszła do rzeki. Nie potrafię tego zrozumieć. W końcu mamy tu staw. Ale ona wybrała rzekę.

List do przyjaciółki. Te słowa zawisły między nami, ale musiałam powstrzymać się od pytań.

Tucker spojrzał na mnie, jakby dopiero teraz uświadomił sobie, że tu jestem.

— Przepraszam. Nie wiem, dlaczego ci to wszystko mówię.

Zastanowiłam się przez chwilę; zdałam sobie sprawę, że od czasu wypadku nawet obcy ludzie na ławkach w parku czy w kolejkach do sklepu zaczynają mi się zwierzać. Niemal się uśmiechnęłam, gdy uzmysłowiłam sobie powód.

— Nie przejmuj się. Nie ty jeden to robisz. Ludzie widzą, że jestem ułomna, więc być może sądzą, że zrozumiem ich lepiej niż partnerzy czy przyjaciele. Jakbym potrafiła rozwiązać ich problemy, bo sama mam znacznie większe.

Popatrzył na mnie. Najwyraźniej zastanawiał się nad odpowiedzią, która by mnie nie uraziła.

— Niekoniecznie. Może ty sama traktujesz swój wypadek jako wymówkę. Dopóki masz sztywne, bolące kolano, nie musisz próbować. Ale przecież nikt od ciebie nie wymaga, żebyś znowu skakała, Earlene. Jednak czy nie byłoby fajnie znowu przejechać się konno... dla przyjemności?

Miałam wielką ochotę wyjawić mu, że jestem Piper Mills i że nigdy nie przyszło mi do głowy, żeby jeździć dla przyjemności. Nie byłam typem wspinacza, który zdobywa górę, bo ma ją przed sobą. Jeździłam konno, bo byłam w tym dobra, a chciałam być najlepsza. Jeździłam konno, bo coś pchało mnie, żeby wybić się ponad przeciętność.

Spojrzałam na miedzianozielone liście magnolii; były zupełnie nieruchome, gdy tak czekały na następny powiew wiatru, który by je poruszył.

— Jesteś lekarzem, więc sądzisz, że twoim zadaniem jest wszystkich leczyć. Ale nie każdy tego potrzebuje, a nawet chce.

Poczułam, że mi się przygląda, i pragnęłam spojrzeć w jego zielone oczy, bo mogłam w nich zobaczyć równie wielki ból, jak ten, który sama czułam. Ale nie zrobiłam tego. Bo za każdym razem, gdy w nie spoglądałam, dostrzegałam coś jeszcze, coś, na co nie byłam przygotowana. Dwoje kalekich ludzi nie tworzy pary.

— Każdy potrzebuje leczenia. — Nie czekając na moją reakcję, powiedział: — Zanim zapomnę: chyba znalazłem twój wisiorck, ten, którego szukałaś. — Wsunął rękę do kieszeni i wyjął złotego anioła z dyndającą zawieszką, niczym pytanie bez odpowiedzi. — To dziwne, bo Malily ma taki sam... nawet pomyślałbym, że należy do niej, gdybym nie zobaczył, że ma swój na szyi, zanim znalazłem ten na ścieżce ogrodowej.

Wyrzuciłam z siebie bez namysłu:

— Wisiorki w kształcie aniołów były dla naszych babć czymś takim jak dla nas obrączki zmieniające kolor. Wiele kobiet z tego pokolenia ma podobny.

— Z taką samą inskrypcją? — Pytająco ściągnął brwi.

— Uhm. Łacina była wtedy popularna.

— Pewnie tak. — Uśmiechnął się, co tylko wywołało we mnie poczucie winy. — Mam nadzieję, że nie masz nic przeciwko temu, iż naprawiłem łańcuszek.

— Dziękuję — wykrztusiłam. Zanim zdążyłam powiedzieć coś jeszcze, zawiesił mi łańcuszek na szyi i zapiął go, podczas gdy ja uniosłam włosy. Nasze spojrzenia się spotkały i zrozumiałam, że jeśli nie powiem prawdy teraz, to potem, gdy sama wyjdzie na jaw, nie będę miała nic na swoją obronę.

— Muszę ci się do czegoś przyznać...

Nie dokończyłam, bo pojawiła się Lucy, która wybiegła zza muru. Była ubrana jak do jazdy konnej i trzymała w ręce fluorescencyjną purpurową szpicrutę, którą kupiłam dla niej pod wpływem impulsu w miejscowym sklepie z artykułami jeździeckimi.

— Gdzie Sara? Nie ma jej w pokoju ani w ujeżdżalni, a pora na naszą lekcję. A na łóżku wciąż leży jej strój do jazdy konnej. Nie chcę, żebyśmy się spóźniły, bo potem będę krócej jeździć.

— Gdzie ostatnio ją widziałaś? — zapytał stanowczo, ale łagodnie Tucker.

— W kuchni, z Odellą. Odella robiła nam kanapki z serem o smaku paprykowym, bo Sara go uwielbia. Potem miałyśmy pójść na górę, żeby zdjąć kostiumy. Ja poszłam pierwsza, bo Sara jest powolna i jeszcze nie skończyła jeść.

— Zajrzałaś potem do kuchni?

Lucy pokręciła głową.

— Nie, bo dawno już powinna była stamtąd wyjść.

Jakby po namyśle Tucker delikatnie pociągnął córkę za jeden z warkoczy z kokardą, żeby się nachyliła.

— Pewnie wciąż tam jest, słucha którejś z rozwlekłych opowieści Odelli. Pójdę po nią i ją popędzę. Tymczasem ty i panna Earlene możecie zacząć lekcję.

Patrzyłam za nim, jak odchodzi. Musiałam wstrzymać się ze swoim wyznaniem, dopóki znowu nie znajdziemy się sami. Zwróciłam się do Lucy:

— Czekając na Sarę, poćwiczymy kilka nowych rzeczy. Nauczę cię czegoś, co nazywa się dosiadem dwupunktowym... wiesz, co to takiego?

Lucy kiwnęła głową z przejęciem.

— Czyli nauczę się skakać, prawda?

— Nie od razu — odparłam ostrożnie. — Wzmocnisz mięśnie czterogłowe... to znaczy mięśnie ud... i wyrobisz sobie prawidłową pozycję, wymaganą podczas jazdy, a także skoków.

— Aha. — Wydawała się rozczarowana. — A kiedy wreszcie zacznę skakać? — Popatrzyła na mnie z powagą w brązowych oczach. — Myślę, że tata chciałby, żebym została dobrym skoczkiem.

Zatrzymałam się i przyklękłam przed nią.

— Lucy, jeśli chcesz zostać dobrym skoczkiem, to sama musisz tego pragnąć. Wspaniale mieć kogoś, kto cię kocha i wspiera, stojąc za barierką, ale na torze jesteście tylko ty, koń i przeszkoda... rozumiesz? Dla nikogo innego nie ma tam miejsca.

Oczy pociemniały jej jeszcze bardziej.

— Chcę być najlepsza. Marzę o tym od dawna. Mama wprawdzie mówiła, że marzenia to tylko pożywka dla bólu serca, ale jej nie wierzyłam. Chociaż nigdy jej tego nie powiedziałam. Źle znosiła, gdy ktoś się z nią nie zgadzał, więc udawałam, że jej wierzę. Ale nigdy nie przestałam marzyć.

Pokiwałam głową, wiedząc, ile ją kosztowało to nielojalne wyznanie.

— Myślę, że warto mieć marzenia. Jeśli jest się gotowym ciężko pracować, aby je zrealizować.

— Ja jestem gotowa skakać, panno Earlene. Naprawdę. Czuję to tak bardzo, że aż boli.

Powściągnęłam uśmiech i poklepałam ją po kasku.

— Jeszcze nie jesteś gotowa. Ale dojdziemy do tego. Obiecuję.

Zrobiłyśmy kilka kolejnych kroków w stronę maneżu, gdy Lucy nagle się zatrzymała.

— Panno Earlene? Sara zostawiła swoją ulubioną lalkę na tratwie. Przypomniała sobie o tym, gdy jadłyśmy lunch. Powiedziałam jej, że może po nią pójść po lekcji jazdy konnej. Myśli pani, że poszła od razu? Mam nadzieję, że nie, bo nie umie pływać. Musi nosić kamizelkę, ale sama nie potrafi jej włożyć.

Letnie powietrze jakby nagle znieruchomiało; ucichły nawet cykady. Staw. Rzadko się do niego zbliżałam, nie zamierzałam w nim pływać, choćby dlatego, że w kostiumie kąpielowym widać było moje blizny. Ale gdy pomyślałam o Sarze i jej ukochanej lalce, przestraszyłam się, że po nią poszła.

Zaczęłam biec, przypływ adrenaliny zagłuszył ból w kolanie.

— Lucy... poszukaj ojca i powiedz mu, żeby przyszedł nad staw. Szybko!

Nie zwlekałam, żeby sprawdzić, czy wypełnia polecenie, tylko ruszyłam biegiem w kierunku stawu, czując, że na czole zbiera mi się pot. Dotarłam do brzegu, naprzeciwko pomostu połączonego z platformą do skakania, przy której w ciemnozielonej wodzie pływały kolorowe zabawki.

— Saro! — zawołałam. W panice przeniosłam wzrok z jednego końca stawu na drugi. — Saro! — krzyknęłam ponownie. Zmusiłam się do zachowania spokoju, żeby niczego nie przeoczyć. Moją uwagę przykuło coś różowego na platformie do skoków. Niewykluczone, że widziałam to już wcześniej i uznałam za jeszcze jedną zabawkę, tym razem jednak dostrzegłam białe serduszka, które dziewczynka miała na kostiumie. Brzegiem stawu pobiegłam w tamtą stronę.

Sara wyciągała rękę najdalej, jak mogła, próbując dosięgnąć lalki, która leżała na unoszącej się na wodzie tratwie.

— Saro, nie! Ja to zrobię!

Dziewczynka odwróciła się do mnie i uśmiechnęła, a potem znowu sięgnęła po zabawkę. Zauważyłam, że podwija palce u nóg, i w chwili gdy z roztargnieniem pomyślałam, że jej paznokcie są takiego koloru jak kostium kąpielowy, straciła podparcie.

Zdążyłam wykrzyknąć jej imię raz jeszcze, gdy wpadła głową do wody. Plusk zabrzmiał w moich uszach głośniej, niż powinien. Podbiegłam do końca pomostu, ale się zatrzymałam. Może wreszcie nauczyłam się najpierw myśleć, a potem działać, a może teraz stawka była dużo większa. W każdym razie stanęłam i spojrzałam na powierzchnię wody, tam gdzie przed chwilą zniknęła Sara. Próbując przeniknąć wzrokiem mętną toń, dostrzegłam tylko cień znikającego w głębinie różu. Patrząc w tamtą stronę, zaczerpnęłam powietrza w płuca i wskoczyłam do wody.

Otworzyłam oczy; słońce rozświetlało dzielącą mnie od powierzchni przestrzeń, gdy dotknęłam stopami dna. Rozejrzałam się za Sarą, poruszając osad, który uniósł się leniwie. Starałam się opanować panikę. Wiedziałam, że dziewczynka musi być blisko, czułam, jak miota się w wodzie. Musiałam tylko wstrzymać oddech i zachować spokój, choć mój głos wewnętrzny mówił mi, że to się nie uda.

Pomyślałam o Helen i o tym, że potrafi usłyszeć różne dźwięki jeszcze przed Mardim. Zamknęłam oczy, skupiając się na tym, co słyszę. Początkowo myślałam, że to bicie mojego serca, ciche tętnienie krwi w żyłach. Mocniej zacisnęłam powieki i wytężyłam słuch — ten dźwięk dochodził zza moich pleców. Poczułam, że pali mnie w piersi, i uświadomiłam sobie, że zaczerpnęłam za mało powietrza przed skokiem do wody. Ale byłam tak blisko; już prawie czułam Sarę, ruszała się coraz słabiej. Wypuściłam powietrze z płuc, co przyniosło mi chwilową ulgę, i odwróciłam się w stronę dziewczynki. Wyciągnęłam rękę w ciemność, czując, jak zimna woda obmywa mi twarz, przywołując wspomnienia.

Moje palce uchwyciły miękki materiał z lycrą. Zacisnęłam je i przyciągnęłam Sarę do siebie. Wzięłam dziewczynkę w ramiona, otworzyłam oczy i zobaczyłam słońce, które zaczęło wypierać mrok, gdy odbiłam się od grząskiego dna i uniosłam ku mętnemu światłu. Wyskoczyłyśmy na powierzchnię wody, głośno łapiąc powietrze.

Tucker i Lucy właśnie dobiegali do pomostu, za nimi spieszyła Odella, wszyscy byli tak rozpędzeni, że przez chwilę miałam wrażenie, że nie zdążą się zatrzymać. Tucker przykląkł i wziął ode mnie Sarę, gdy palcami uchwyciłam się platformy, żeby nie ześlizgnąć się z powrotem do wody. Dziewczynka krztusiła się i pluła, przytulając się jednocześnie do ojca. On przycisnął ją do siebie, ucałował w skroń, a następnie przekazał Odelli, która owinęła małą w duży różowy ręcznik.

Potem Tucker pochylił się i wyciągnął mnie z wody, jakbym ważyła nie więcej niż Sara. Znalazłam się w jego ramionach, wyczerpana, ale szczęśliwa. Powróciło do mnie to dziwne wspomnienie, które naszło mnie pod wodą: wtedy, szukając po omacku Sary i wiedząc, że mam tylko jedną szansę, poczułam się tak samo jak po udanym skoku.

Oparłam głowę na ramieniu Tuckera i oboje spojrzeliśmy na Sarę. Dziewczynka przyciskała do siebie lalkę, która omal nie stała się przyczyną nieszczęścia. Wtedy uświadomiłam sobie, że dokonałam czegoś niezwykłego.

ROZDZIAŁ 16

Lillian przeszła korytarzem do pokoju dziewczynek tak szybko, jak pozwalały jej na to artretyczne stawy. Jej laska stukała niecierpliwie o długi chodnik. Otworzyła drzwi i zajrzała do środka, po czym zamrugała gwałtownie, bo poraziło ją słońce, które wpadało przez okna i rozświetlało kolorowe ściany i meble.

Sara siedziała na swoim łóżku, oparta o duże puchate poduszki, w towarzystwie ojca na krześle po jednej stronie i Earlene po drugiej. Na życzenie Tuckera zawieźli dziewczynkę na pogotowie, żeby sprawdzić, czy nie nałykała się wody. Potem Tucker, zadowolony z jej stanu zdrowia, przywiózł ją z powrotem do domu i zapakował do łóżka, żeby odpoczęła.

Teraz, sądząc po rumieńcach na policzkach dziewczynki oraz stosach ulubionych lalek i pluszaków, które leżały wokół niej, czuła się już całkiem dobrze. Lillian przypuszczała, że Sarze wręcz podoba się uwaga, jaką skupia. Można było odnieść wrażenie, że nawet mokra lalka, którą trzymała w zagięciu łokcia, ma zadowoloną minę, że wreszcie obie doczekały się zainteresowania.

Tucker wstał i odstąpił Lillian krzesło, z czego skwapliwie skorzystała. Oparła laskę o łóżko, a potem, próbując powstrzymać łzy, ujęła rączkę Sary. Wiedziała, co znaczy stracić dziecko i jakiej trzeba siły, aby to przeżyć. A Tucker jeszcze nie przebolał ostatniej straty. Zamknęła oczy, zmawiając w duchu dziękczynną modlitwę — nie tylko za ocalenie Sary, lecz także za ocalenie jej ojca.

— Nie płacz, Malily. Mnie i Samancie nic się nie stało.

Lillian uniosła głowę i uśmiechnęła się, zauważając, że Sara i jej lalka mają takie same koszule nocne. Uścisnęła małą rączkę.

— Tak, wiem. Ale musisz mi obiecać, że już nigdy więcej nie zbliżysz się do stawu bez kogoś dorosłego i bez kamizelki na sobie. A Samantha chyba powinna zostać w domu, gdy następnym razem pójdziesz popływać.

Sara otworzyła szeroko oczy, bo coś jej przyszło do głowy.

— Myślisz, że to samo przydarzyło się mamie? Że wpadła do wody przez przypadek, a w pobliżu nie było nikogo, kto by ją wyciągnął?

Lillian uniosła wzrok i spojrzała na Tuckera. Ze zdziwieniem zobaczyła spokój tam, gdzie spodziewała się ujrzeć niedawne cierpienie. Może wypadek Sary uświadomił mu, że życie toczy się dalej i że czasami ktoś z zewnątrz może przyjść nam na ratunek.

Tucker odgarnął jasne włosy z czoła Sary.

— Może. Ale najważniejsze, że ciebie znalazła panna Earlene i że jesteś już bezpieczna. Tylko przyrzeknij, że nigdy więcej nie zbliżysz się do wody sama, bez osoby dorosłej.

Sara przewróciła oczami identycznie jak Lucy i Lillian prawie się zaśmiała.

— Dobrze, tatusiu. To wcale nic było zabawne. I teraz Samantha ma sztywne włosy.

Earlene pochyliła się, żeby wziąć od niej lalkę i przyjrzeć się jej włosom.

— Spróbujemy umyć je szamponem. Albo zadzwonimy do producenta i zapytamy, co mamy zrobić.

Sara uśmiechnęła się radośnie i wyciągnęła ręce po lalkę. Earlene wstała, położyła przy niej Samanthę i przykryła obie kołdrą. Gdy się nachyliła, żeby cmoknąć dziewczynkę w czoło, spod kołnierzyka jej bluzki wysunął się łańcuszek z wisiorkiem, który miała na szyi, i Lillian zaparło dech w piersiach. Skrzydła złotego anioła zalśniły w słońcu, odbijając światło, które poraziło ją w oczy. Sięgnęła ręką do własnego wisiorka. Gdy jej zniekształcone palce go dotknęły, pochwyciła spojrzenie Earlene.

Kobieta powoli usiadła, chowając swój wisiorek pod bluzką, ale było już za późno. Lillian go widziała i ten widok przywołał wspomnienia. Nagle uświadomiła sobie, że siedemdziesiąt lat można zawrzeć w jednym błysku oka albo odbiciu światła od skrzydeł złotego anioła.

— Skąd to masz? — zapytała przerażająco spokojnie.

Earlene uniosła brodę jak kiedyś Annabelle w wyrazie uporu i Lillian zachciało się śmiać z własnej głupoty. Czuła to od początku — tę dziwną zażyłość, tajemnicze powinowactwo. Powój księżycowy. Może wiedziała od pierwszej chwili, ale jak dziecko, które otwiera drzwi ciemnej szafy i boi się zajrzeć do środka, wolała nie dopuszczać tego do świadomości. Bo gdyby zobaczyła, co jest za drzwiami, domyśliłaby się, co musi nastąpić, a na to nie była jeszcze gotowa.

— Babcia przekazała mi go przed śmiercią. — Earlene zacisnęła szczęki i zrobiła to w ujmująco znajomy sposób.

— *Perfer et obdura; dolor hic tibi proderit olim* — zacytowała wolno Lillian, z trudem wypowiadając dawno niesłyszane słowa. — Wiesz, co to znaczy? — Miała jeszcze słabą nadzieję, że się myli, że może ta dziewczyna to ktoś inny.

Earlene odparła spokojnie, patrząc na nią śmiało:

— „Bądź cierpliwy i silny; pewnego dnia ból przyniesie ci korzyść". To z Owidiusza.

Tucker przeniósł wzrok z Lillian na Earlene i z powrotem.

— Earlene powiedziała, że coś takiego było modne za czasów twojej młodości... że mnóstwo dziewcząt miało takie wisiorki. To prawda?

Lillian zapatrzyła się na stare dęby za oknem, sztywne konary opornie poruszające się na wietrze. Przymknęła oczy, czując ból w palcach — wiedziała, jak to jest. Zaczerpnęła powietrza i odrzekła:

— Z tego, co wiem, tylko trzy. I wszystkie miały wygrawerowany ten sam napis. — Spojrzała znowu na Earlene, która starannie unikała wzroku Tuckera. — A ty masz czyj?

Zobaczyła, że dziewczyna znowu unosi głowę w znajomy sposób.

— Annabelle. Annabelle Mercer z domu O'Hare była moją babcią ze strony matki.

Lillian pokiwała głową. Czuła zadziwiający spokój, jakby to nie była dla niej żadna nowość.

— A tak naprawdę nazywasz się... — Nie mogła tego wypowiedzieć, bo czuła, że ogarnia ją przerażająca ciemność zza drzwi.

— Piper Mills. — Dziewczynie zadrżała broda, gdy wypowiadała swoje imię i nazwisko, jakby to nie było dla niej łatwe.

Tym razem Lillian się zaśmiała — był to głośny, wyzwalający śmiech ulgi. Spodziewała się tego. Od czasu, gdy dostała pierwszy list Piper, wiedziała, że to nieuniknione, mimo że usiłowała się temu oprzeć. Gdyby wierzyła w coś takiego jak przeznaczenie, przyznałaby, że to jest właśnie to, że wszystkie grzechy wracają do człowieka niezależnie od tego, ile minęło czasu. Śmiała się też z radości, jakby obecność tej dziewczyny oznaczała powrót Annabelle, która zrobiłaby to samo co wnuczka, żeby dowiedzieć się prawdy.

Tucker ostrożnie wstał z wezgłowia łóżka, gdzie z głową opartą na jego piersi spała Sara. Twarz mu pobladła i Lillian, mimo okoliczności, uznała ten objaw emocji za dobry znak.

— Piper Mills? Jesteś Piper Mills? — zapytał ostrym tonem, ale Lillian nie wiedziała, czy jest zły na Piper za to, że dopuściła się oszustwa, czy na siebie za swoją łatwowierność.

Piper także się podniosła i stanęła naprzeciwko Tuckera. Wyciągnęła rękę, aby go dotknąć, ale opuściła ją, kiedy się cofnął.

— Przepraszam. Nie chciałam nikogo okłamać.

Tucker zrobił szyderczą minę.

— Naprawdę? To o co ci chodziło?

Przez moment Piper nie wiedziała, co odpowiedzieć.

— Musiałam dowiedzieć się pewnych rzeczy o babci. Pisałam do Lillian trzy razy... na dwa pierwsze listy nie doczekałam się odpowiedzi, a po trzecim odpisałeś mi, że Lillian jest zbyt chora, aby się ze mną spotkać, i w ogóle nie pamięta Annabelle. — Uniosła wyżej brodę. — A wiedziałam, że jedno i drugie nie jest prawdą.

— Więc postanowiłaś tu przyjechać, udawać kogoś innego i uzyskać to, co chciałaś.

Piper splotła dłonie przed sobą.

— Nie wiedziałam, jak inaczej mogłabym uzyskać dostęp do twojej babci. — Rzuciła Lillian przepraszające spojrzenie.

— Nie wiedziałaś czy nie chciałaś wiedzieć? — Pokręcił głową i zamierzał powiedzieć coś jeszcze, ale jego spojrzenie padło na Sarę, która wciąż spała. Cicho dokończył: — Nie mogę... muszę już iść. — Nie patrząc na nikogo, delikatnie pogłaskał Sarę po czole, a potem wyszedł z pokoju, mijając w drzwiach siostrę.

— Piper? — zapytała Helen, wchodząc do środka.

— Jestem tutaj, z Lillian i Sarą. — Piper podeszła do Helen, wzięła ją pod ramię i zaprowadziła do zwolnionego przez siebie krzesła.

Helen, zanim usiadła, ujęła ją za ramiona.

— Powiedziałaś im?

— Nie. Ale Lillian zobaczyła mój wisiorek.

Helen niezgrabnie opadła na krzesło.

— Och, no to świetnie. Mówiłam ci, żebyś powiedziała im sama, zanim się domyślą.

— Wiedziałaś? — Lillian próbowała wykrzesać z siebie oburzenie, ale wcale jej nie zdziwiło, że Helen znała już sekret Piper. Wnuczka zawsze dostrzegała więcej niż inni.

— To tak naprawdę nie ma znaczenia, Malily. Obie nie mówiłyście prawdy, mam rację? Ona tylko chce cię zapytać o swoją babcię. A wiem, że znałaś Annabelle O'Hare, bo stale piszesz o niej w albumie... a przynajmniej w tej części, którą mi czytałaś. — Pochyliła się w stronę Lillian. — Całej sprawy można było uniknąć, gdybyś powiedziała „tak", kiedy Piper się do ciebie zwróciła. Annabelle nie żyje... Co ci szkodziło?

Lillian wróciła myślami do czasów, gdy w wieku ośmiu lat spadła z konia na plecy. Próbując złapać oddech, zastanawiała się gorączkowo, czy można utonąć na suchym lądzie, i teraz przyszło jej do głowy to samo pytanie. Nagle ogarnął ją spokój — zaczęła myśleć o utonięciu i o tym, że Susan musiała czuć się podobnie, gdy wchodziła w zimny nurt rzeki Savannah.

Absurdalnie miała ochotę się roześmiać, jakby to była jedyna normalna reakcja na dziwne koleje losu — jakby to, że Sara otarła się o śmierć, miało jej przypomnieć, że życie jest ulotne i że można je stracić w tak krótkim czasie, w jakim powój księżycowy tuli płatki o brzasku.

Nie zdradzając żadnych emocji, tak jak ją nauczono, Lillian odrzekła:

— Jeśli to będzie jakieś pocieszenie, niedawno powiedziałam Tuckerowi, że zmieniłam zdanie i że chcę nawiązać kontakt z Piper. Nawet zadzwonił do niej w moim imieniu, ale nikt nie odbierał telefonu stacjonarnego, którego numer podała. Zamierzał napisać więc do niej list. Ale teraz to chyba nie będzie konieczne. — Przerwała, żeby do wszystkich dotarły jej słowa. — Właściwie nie wiem, dlaczego zmieniłam zdanie. Annabelle i ja byłyśmy przyjaciółkami. Może skłoniła mnie do tego ciekawość. — Znowu skupiła uwagę na Sarze. — Chociaż to już nie ma znaczenia. Tucker pewnie nie będzie chciał, żeby Piper tu została.

Starała się zapanować nad wyrazem twarzy. Czuła się jednocześnie uradowana i zawiedziona. Była rozdarta między pragnieniem uwolnienia się od ciężaru wspomnień a zachowaniem stworzonego przez siebie wizerunku Lillian Harrington--Ross — kobiety, która niczego nie żałowała.

Czując się starsza, niż przystało na jej dziewięćdziesiąt lat, Lillian pochyliła się i pocałowała Sarę w miękki policzek. Potem wstała i wygładziła spódnicę.

— To było wyczerpujące popołudnie, muszę położyć się na chwilę przed kolacją. Nie wiem, czy jeszcze będziemy się widziały, Piper, więc pożegnam się z tobą.

Piper popatrzyła na nią niepewnie.

— Ale nawet nie zapytała pani... dlaczego.

Lillian uniosła brew. Kiedyś taką miną poskramiała ludzi. Na Annabelle to jednak nie działało i na jej wnuczce też najwyraźniej nie zrobiło wrażenia.

— Pewnie dlatego, że Annabelle umarła, a ty miałaś poczucie winy, że nie zadałaś sobie trudu, aby poznać jej życie, gdy jeszcze był na to czas.

Piper się zarumieniła.

— Nie wiedziałam nawet, że miała jakieś życie, dopóki nie dostałam listów, które napisała do pani, tu, do Asphodel, prosząc o wybaczenie czegoś, co kiedyś zrobiła. Ale pani o tym nie wiedziała, prawda? Bo wszystkie te listy wróciły nieotwarte.

Lillian zwalczyła pokusę, żeby zagłębić się ponownie w fotelu.

— I to wszystko?

Piper zmrużyła oczy.

— Nie. Znalazłam także wyrwane kartki z albumu, który prowadziłyście razem z dziewczyną imieniem Josie, i naszyjnik, który nazwałyście Lolą. Byłyście przyjaciółkami, wszystkie trzy. A potem dostałam list od Tuckera, który pisał, że nie pamięta pani mojej babci. Więc zorientowałam się, że pani kłamie. Chciałam się dowiedzieć dlaczego. A także... — Urwała nagle, umykając spojrzeniem w bok.

— A także co? — zapytała Lillian, starając się ustać na nogach i oddychać miarowo.

— Nic — odparła Piper i spojrzały sobie w oczy, świadome swoich sekretów, błyskotek spoczywających na dnie studni, których wydobycie jest zbyt niebezpieczne. — Nie chce pani przeczytać po latach zapisków Annabelle? Naprawdę odegrała w pani życiu tak małą rolę, że nic z tego nie ma już dla pani znaczenia?

Lillian była zmęczona myśleniem, ukrywaniem tajemnic. Świadomością, że tylko ona jedna pozostała przy życiu. Wzięła głęboki oddech i spojrzała Piper prosto w oczy.

— Annabelle była kiedyś dla mnie jak siostra. Więc uważaj, co mówisz. I zastanów się, czy rzeczywiście chcesz poznać prawdę. Bo może wolałabyś pewnych rzeczy nie wiedzieć.

Położyła wnuczce rękę na ramieniu.

— Helen, proszę, zaprowadź mnie do pokoju. Nagle poczułam się bardzo zmęczona. Potem wezwij Emily, niech posiedzi przy Sarze, żeby mała nie obudziła się sama.

Piper odezwała się spokojnym głosem, mimo że musiała być zdesperowana:

— Mogę tu zostać?

Lillian ze zmęczenia tylko nieznacznie wzruszyła ramionami. Czując się jak tchórz, odparła:

— Decyzja nie należy do mnie. Porozmawiaj z Tuckerem.

Rzuciwszy ostatnie spojrzenie na śpiącą Sarę, pozwoliła, żeby Helen wzięła ją pod ramię, i obie, pomagając sobie nawzajem, zostawiły Piper pośrodku pokoju. Dziewczyna tak bardzo przypominała Annabelle, że Lillian znowu zachciało się śmiać.

Patrzyłam, jak wychodzą, i czułam się, jakbym trzymała w rękach pudełko z diabłem na sprężynie — czekając, aż się ono otworzy, byłam podniecona i jednocześnie przestraszona. Ale, inaczej niż w przypadku zabawki, nie wiedziałam, co znajdę w środku.

Wciąż miałam w pamięci rozmowę z Lillian pierwszego dnia po przyjeździe do Asphodel. Powiedziała wtedy, że nie pozostał już nikt, kto by znał prawdę. Pomyślałam znowu o niebieskim sweterku i kocyku, które znalazłam w domu dziadków, i kłamstwie Lillian, że nie pamięta mojej babci. Prawda. Może właśnie ze strachu przed nią nie powiedziałam nic o odkryciu notatki z gazety na temat zwłok dziecka wyłowionych z rzeki. A może postąpiłam tak dlatego, że znalazłam zastępczą rodzinę, której nie chciałam stracić.

Opuściłam dom, zauważając, że na niebie zbierają się ciemne chmury. Poszłam tam, gdzie spodziewałam się zastać Tuckera — było to miejsce, do którego ja sama chodziłam, gdy chciałam coś przemyśleć. Wrota stajni były otwarte po obu stronach, tak że łatwo dostrzegłam Tuckera. Stał przy boksie Kapitana Wentwortha. Musiał słyszeć moje kroki, ale nie odwrócił głowy.

Koń zarżał cicho na powitanie, jakby chciał mi zrekompensować niegrzeczne zachowanie Tuckera, który cofnął się, gdy wyciągnęłam rękę, żeby pogłaskać zwierzę.

— Hej, mały. Dobrze się sprawujesz? — Pogładziłam go po pysku i zobaczyłam, że zastrzygł uszami.

Tucker zaskoczył mnie, bo odezwał się pierwszy.

— Musiałaś się świetnie bawić za każdym razem, gdy

pytałem cię o doświadczenie jeździeckie. Boże, ale zrobiłem z siebie głupca.

Stanęłam naprzeciwko niego.

— Nie, Tucker. To wcale nie było tak. Czułam się nie w porządku i wiele razy zamierzałam wyznać ci prawdę. Słowo. Ale spodziewałam się... właśnie czegoś takiego. Wiedziałam, że będziecie na mnie źli. A nie chciałam... stracić tego, co tu znalazłam. Wrażenia, że znowu do kogoś przynależę, że znowu jestem potrzebna i szanowana. Od dawna nic takiego nie czułam.

Przeczesał palcami włosy.

— Ale akurat Piper Mills, ze wszystkich ludzi. Zwyciężczyni Grand Slam i przyszła olimpijka, na miłość boską!

Kapitan Wentworth trącił go w ramię.

— Przepraszam, mały. Nie mam nic dla ciebie. Może później. — Pogłaskał długą szyję wałacha, ale wciąż patrzył na mnie. — To dlaczego to zrobiłaś? Dlaczego skłamałaś?

Odwróciłam głowę, bo nie wiedziałam, co odpowiedzieć. Spojrzałam na swoje buty, teraz pokryte pyłem oraz wiórami z podłogi stajni, i wciągnęłam w nozdrza zapach, który towarzyszył mi przez całe dzieciństwo i młodość, aż do wypadku. Tamto życie wydało mi się tak odległe, że z trudem mogłam uwierzyć, iż należało kiedyś do mnie. Zaczerpnęłam powietrza i ponownie popatrzyłam Tuckerowi w twarz. Próbowałam ująć w słowa coś, co sama dopiero zaczęłam sobie uświadamiać.

— Bo chciałam się obudzić. Bo słyszałam, że życie toczy się dalej obok mnie, i pragnęłam się do niego włączyć. Bo tęskniłam za pokonywaniem przeszkód nie do pokonania i poczuciem, że cudem uniknęłam śmierci, gdy lądowałam na ziemi. A także dlatego, że życie to coś więcej niż tylko żal i że wolałam przeżyć resztę mojego życia, żałując, że zrobiłam coś głupiego i mnie przyłapano, niż gryząc się, że się na to nie odważyłam.

Tucker stał w miejscu, oparty o boks Kapitana Wentwortha. Koń stracił zainteresowanie nami i wrócił do żłobu, jakby specjalnie chciał zostawić nas samych.

— Najgłupsze jest to, że w pewnym sensie to rozumiem — odpowiedział cicho.

Wiedziałam, że tak musi być; od śmierci Susan minęły prawie dwa lata i jego poprzednie życie musiało wydawać mu się tak dalekie jak mnie moje. Może on także słyszał, że życie toczy się dalej, ale nie wiedział, jak się do niego włączyć.

— Ale dlaczego akurat teraz? Wypadek miałaś sześć lat temu.

Wciągnęłam powietrze, zastanawiając się, co mu powiedzieć, a co pominąć. W końcu wyznałam mu wszystko, opowiedziałam o śmierci dziadków, o ukrytym pomieszczeniu na strychu, o dzierganym sweterku i kocyku, o listach, które moja babcia napisała do jego babci, prosząc o przebaczenie, i które wróciły nieotwarte; i wreszcie o kartkach z albumu oraz o naszyjniku. Wtedy wreszcie się poruszył i dotknął mojego ramienia. Chciał mi w ten sposób dać znak, że choć wciąż jest na mnie zły i nie wie, czy będzie w stanie mi wybaczyć, to rozumie, bo sam miota się w ciemnościach i skierowałby się ku każdemu światłu, niezależnie od jego źródła.

Pochylił głowę, wciąż patrząc mi w twarz.

— Jest jeszcze coś, mam rację? Coś, czego mi nie powiedziałaś.

Spojrzałam na niego ze zdziwieniem.

— Dlaczego tak sądzisz?

Uniósł brew, co tak przypomniało mi Lillian, że prawie się uśmiechnęłam.

— Bo tę Piper Mills, o której czytałem, musiałoby zaintrygować coś szczególnego w dziejach babci. Ją pociągają prawdziwe wyzwania. Mam rację czy nie?

W pierwszej chwili chciałam zaprzeczyć, i to nie tylko

dlatego, że zataiłam tę sprawę przed Lillian. Po prostu bałam się tego, czego nie wiedziałam — bo byłam prawie pewna, że ona znała prawdę o dziecku i być może miała coś wspólnego z jego śmiercią. Odpowiedziałam na spojrzenie Tuckera. Znowu zobaczyłam chłopca, który bał się burzy, i uświadomiłam sobie, że wciąż ma tamtą wrażliwość, tuż pod skórą. To do mnie przemówiło; odnosiłam wrażenie, że jeśli wyciągnę do niego rękę, uleczę nasze dusze, choćby szanse na uzdrowienie wydawały się znikome.

Odetchnęłam głęboko.

— W albumie babci odkryłam notatkę z gazety z trzydziestego dziewiątego roku o znalezieniu zwłok niemowlęcia w rzece Savannah. Zapiski urywają się przed datą artykułu, więc nie ma żadnych informacji dotyczących tego, co to mogło być za dziecko ani dlaczego babcia zachowała ten wycinek. A przecież musiał być jakiś powód.

Po niebie przetoczył się grzmot i Kapitan Wentworth znieruchomiał, nastawiając uszu.

Tucker jednak nie odrywał wzroku od mojej twarzy.

— Malily podejrzewa, że Susan przed... śmiercią znalazła jej list do Annabelle, w którym przepraszała ją za kłamstwo. Nie wiem, o co chodziło... Nie powiedziała mi. Ale to być może wyjaśnia, dlaczego Susan tak... się zmieniła. Właściwie w ciągu jednej nocy. Przestała spać i spędzała niemal całe dnie w swoim biurze w domku, w którym teraz mieszkasz. Znowu zaczęła brać leki; jestem tego pewny, choć nie mam dowodów. I wciąż przeglądała te papiery: kartki z albumu Malily i listy. Dostała obsesji. Na początku, gdy identyfikowała się z Malily z czasów młodości, zarówno jej lekarz, jak i ja uważaliśmy, że to dobrze, bo znalazła coś, co wypełnia pustkę, którą kiedyś próbowała wypełnić lekami. Ale potem... coś... coś sprawiło, że się załamała.

Spojrzałam na niego z przerażeniem.

— I twoim zdaniem te dwie sprawy mogą mieć związek.
Wzruszył ramionami.

— Naprawdę nie wiem, co myśleć. Wiem tylko to, co powiedziałyście mi ty i babcia. A jeśli Susan trafiła na coś, co łączy te dwie historie, i było to tak straszne, że nie wytrzymała?

— Jak umyślne uśmiercenie dziecka?

Patrzył na mnie przez chwilę lodowatym wzrokiem. Niebo na zewnątrz rozdarła błyskawica i konie poruszyły się jak źdźbła trawy pod wpływem wiatru, wyczuwając zmianę pogody. Tucker spojrzał przez okienko w boksie Kapitana Wentwortha na chmury zwiastujące burzę.

— To co teraz? — zapytałam ostrożnie, bo nie wiedziałam, na czym stoję. — Lillian nie zażądała, żebym wyjechała. Uznała, że decyzja należy do ciebie.

Niechętnie oderwał wzrok od okienka i zobaczyłam, że toczy wewnętrzną walkę — jak koń przed wysoką przeszkodą, którą ma przeskoczyć. Czasami, żeby nakłonić wierzchowca do skoku, wystarczyły odpowiedni ruch i przekonanie, że się uda.

— Nie bardzo wiem — odparł powoli. — Chyba podobnie jest z Malily. Powiedziała ci, żebyś ze mną porozmawiała. Wcześniej zmieniła zdanie na temat kontaktu z tobą. Ale teraz... — Pokręcił głową. — Chyba postanowiła przed śmiercią oczyścić sumienie, jednak nie jestem pewien, czy chce, aby świat się dowiedział, co zamiatała pod dywan przez te wszystkie lata.

Zebrałam się na odwagę.

— Muszę to zrobić, Tucker. — Zbliżyłam się do niego o krok. — Lillian powiedziała, że już tylko ona zna prawdę. Chcę tę prawdę poznać. Muszę. Jestem to winna swojej babci.

Zacisnął szczęki.

— Okłamałaś mnie. Po Susan... — Pokręcił głową. — Nie mogę znieść kłamstwa. Nie wiem, czy jestem w stanie ci zaufać.

Przestąpiłam z nogi na nogę, jak konie przed burzą. Czekałam, obawiając się tego, co zaraz usłyszę.

— Ale nie mogę też zapomnieć, że uratowałaś Sarze życie.

Na dworze zerwał się wiatr, napierał na drewniane ściany stajni i rozwiewał mi włosy. Przypomniałam sobie, jak jeździłam konno pod wiatr. I przez krótką chwilę wyobraziłam sobie, że znowu siedzę w siodle. Czekałam na strach, niepewność. Ale czułam tylko pustkę, żadnej pasji ani uniesienia, i po raz pierwszy od wypadku dostrzegłam dla siebie nadzieję.

— Mogę zostać? Proszę. Przynajmniej dopóki nie znajdę odpowiedzi, których szukam. — W moim głosie zabrzmiała desperacja, ale już się tym nie przejmowałam.

Tucker zerknął na ciemniejące niebo.

— Zbiera się na burzę. — Stanął obok mnie i na moment przymknęłam oczy, wciągając w nozdrza zapach deszczu, koni i Tuckera. On położył mi rękę na ramieniu, więc otworzyłam oczy, ale nic nie powiedział. W oddali błysnął piorun.

— Helen mówiła mi, że kiedyś bałeś się burzy — rzuciłam.

Odsunął się i przez chwilę wydawał się nieobecny, jakby był w miejscu, którego nie mogłam zobaczyć.

— Rzeczywiście, zapomniałem już o tym — powiedział, gdy pierwsze krople spadły na udeptaną ścieżkę prowadzącą do stajni. Wyciągnął do mnie dłoń. — Chodźmy. Pobiegniemy do domu, zanim rozpada się na dobre.

Zawahałam się przez chwilę, doszukując się w jego słowach czegoś, czego tam nie było. Potem chwyciłam go za rękę. Ale gdy biegliśmy do starego domu dziwną aleją dębową, pomyślałam, że może jest już za późno.

ROZDZIAŁ 17

W nocy zawołał lelek, więc się uspokoiłam, że nie jestem sama. Burza trwała jeszcze długo po tym, jak Tucker odwiózł mnie do domku. Oczyściła ziemię i powietrze, co współgrało z moim nastrojem, poczuciem, że zaczynam wszystko od nowa. Od dawna nie byłam u spowiedzi i po raz pierwszy od wielu lat zrobiło mi się lekko na duchu, jak po wyznaniu grzechów i odbyciu pokuty.

Burza jednak szalała długo w noc, nie pozwalając mi zasnąć, a bardzo potrzebowałam snu. Kiedy wreszcie się uspokoiła, leżałam z otwartymi oczami, myśląc o zapiskach babci w albumie. Zamierzałam wreszcie przeczytać je do końca, licząc, że tymczasem nadarzy się okazja, aby porozmawiać z Lillian. Tucker wciąż nie odpowiedział na moje pytanie, więc nie wiedziałam, jak długo zostanę w Asphodel.

Gdy zabrałam się do czytania, z dachu kapały krople deszczu, niebo przejaśniło się i znowu zaśpiewał lelek.

4 lutego 1937 roku

Lillian przepadła. Znowu. Zdarzało jej się to i będzie jej się zdarzać, ale tym razem ojciec ją przyłapał. Przyjechał dziś rano, spocony i zdenerwowany, żądając, żebym po nią poszła, bo chce ją zabrać do domu. Nie widziałam jej prawie od miesiąca, ale wiedziałam, gdzie jest, a nie było to miejsce ani towarzystwo, które przypadłoby do gustu jej ojcu. Więc skłamałam. Ostatnio się w tym wprawiłam — a to przez Lillian i przez to, że nie potrafię zdecydować, czego tak naprawdę chcę.

W naszym życiu wszystko się zmieniło. Zaczęło się to chyba od balu debiutanckiego Lily, ale być może wiatr zmian powiał już wcześniej. Myślę, że to efekt dorastania w niepewnym świecie. Bardzo pragnę zrównania praw mężczyzn i kobiet, tak jak pragnę zostać lekarzem i pomagać potrzebującym. Ale nie potrafię zabrać się do realizacji swoich marzeń. Mam poczucie, że przez większość czasu pomagam Josie i Lily określić ich własne; jestem dumna, że zwracają się do mnie ze swoimi sprawami, że cenią moją pomysłowość i inteligencję. Mimowolnie czuję jednak, że jeśli nie skupię się na własnych potrzebach, zaprzepaszczę je na zawsze.

Powiedziałam panu Harringtonowi, że Lily odwiedza panie z miasta, a ja nie pojechałam z nią, bo musiałam pomóc ojcu. Wszystko się zaczęło od tego, że pan Harrington oznajmił Lillian, że powinna wyjść za mąż w ciągu roku, a ona bez słowa wróciła do swojego pokoju. Że zniknęła, odkrył dopiero wieczorem, gdy nie pojawiła się na kolacji, i uznał, że pojechała do mnie. Po części miał rację.

Uspokoiłam go i wyjaśniłam, że ojciec dostał kaszlu, więc musiał położyć się do łóżka — po raz pierwszy, odkąd pamiętałam (co zresztą było prawdą). I że potrzebowałam Lily do pomocy, bo stan ojca się nie poprawia. Zapewniłam go, że tata po tygodniu odpoczynku na pewno dojdzie do siebie i wtedy odeślemy Lily do domu. Mam

269

tylko nadzieję, że uda mi się ją znaleźć, zanim będzie za
późno i jej reputacja zostanie zrujnowana.

Przyznaję jednak, że trochę Lily zazdroszczę. Ona nie
boi się podążać za swoją pasją niezależnie od
konsekwencji. Ja się boję, dlatego nie mogę podjąć
decyzji. Lily twierdzi, że przez takie podejście utknę
pośrodku drogi. Ja natomiast się obawiam, że ją
namiętność zaprowadzi dokądś, skąd nie będzie powrotu.
Może, gdy będziemy stare, spojrzymy w przeszłość i Lily
mnie wyśmieje, bo będzie miała za sobą szczęśliwe życie.
Ja spojrzę wstecz i będę się zastanawiać, czy kiedykolwiek
zrobiłam coś z pasją, nawet gdybym potem miała tego
żałować.

Jedynym wartym odnotowania wydarzeniem w ostatnich
czterech miesiącach jest to, że Freddie oficjalnie mianował
mnie członkiem miejscowego oddziału National Association
for the Advancement of Colored People. Jego pierwszym
celem jest rejestracja wszystkich czarnych, żeby mogli
brać udział w głosowaniu zgodnie z piętnastą poprawką do
konstytucji, mimo społecznej i prawnej presji, aby im to
uniemożliwić. Ponieważ Freddie zwrócił na siebie uwagę
tych, którzy woleliby, żeby się wycofał i zaprzestał swoich
wysiłków, postanowiliśmy, że ja go zastąpię. Ze względu
na ojca mam dostęp do domostw kolorowych
w najbiedniejszych dzielnicach, więc przyjdzie
mi to bez trudu.

Jeden z pomocników Freddiego, który spisywał
potencjalnych wyborców, zniknął w zeszłym miesiącu. Dwa
tygodnie później znaleziono jego ciało pod mostem
Houlihan. Wiem, na co się narażam. Ale wiem też, że moja
dusza byłaby zagrożona, gdybym nie walczyła o równość
dla wszystkich obywateli w zakresie prawa wyborczego,
edukacji i zatrudnienia. Lily mówi, że jestem dwulicowa,

że nie oddałam się sprawie czarnych całkowicie, bo wciąż
mieszkam w ładnym domu z kolorową służącą. Usiłowałam
jej wytłumaczyć, że żadnej sprawie nie oddaję się
całkowicie; po prostu rozumiem pragnienie, aby wznieść
się wyżej, i wspieram środki, które mogą wszystkim nam
w tym pomóc.

Wybrałam wisiorek w kształcie dzwonka, żeby
zobrazować moje życie w ostatnich czterech miesiącach
i zirytować Lily, bo to jednocześnie sugestia, że powinna
powoli myśleć o ślubie. Niebawem będzie musiała się
ustatkować, bo potem może być za późno. A kiedy już
się upewnię, że jest bezpieczna, i gdy Josie zacznie
w Nowym Jorku karierę śpiewaczki, złożę podanie
o przyjęcie na studia medyczne i zobaczymy,
co z tego wyjdzie.

Obudziłam się z twarzą na kartkach z albumu i z Lolą
w zaciśniętej dłoni. Śnił mi się pan Harrington, który walił
do drzwi, ale nie do domu przy Monterey Square, lecz sekretnego
pomieszczenia na strychu. Stałam za nim w ciemności i zobaczyłam, że drzwi się otwierają, ale zanim ujrzałam, kto
za nimi jest, obudziłam się. Zamrugałam i rozłożyłam dłoń.
Leżał na niej wisiorek w kształcie dzwonka, zawieszony
między małą nutą szesnastką a okrągłym złotym serduszkiem.
Reprezentowały one trzy kobiety, których życie upamiętniał
ten naszyjnik.

— Piper?! Jesteś tam?

Usiadłam zamroczona i spojrzałam nieprzytomnym wzrokiem na zegar na ścianie kuchni, a potem zerwałam się z krzesła,
bo zobaczyłam, że jest już po dziesiątej.

— Piper? — usłyszałam znowu.

Odwróciłam się gwałtownie w stronę drzwi domku i zobaczyłam w progu Helen z plikiem kartek w obu rękach.

— Przyjechałaś sama? — zapytałam i natychmiast zrobiło mi się głupio, że popełniłam gafę, choć jednocześnie zdałam sobie sprawę, że Helen byłaby zdolna do czegoś takiego.

Ona się roześmiała i weszła do środka.

— Nie, podwiozła mnie Emily. Odella dała nam zakupy dla ciebie i Emily je właśnie wypakowuje. Przepraszam, że tak wchodzę, ale Emily zajrzała przez okno kuchenne i zobaczyła, że śpisz. Pomyślałyśmy, że cię obudzimy, zanim dostaniesz trwałego skrętu szyi.

Roztarłam kark, rzeczywiście zesztywniał mi od snu w nienaturalnej pozycji.

— Dzięki. Czy coś się stało? — zapytałam.

— Nie. Tylko chciałam się upewnić, że jeszcze tu jesteś. Domyślam się, że zeszłego wieczoru odbyłaś rozmowę z Tuckerem, i postanowiłam sprawdzić, czy jest na tyle głupi, żeby cię stąd wyrzucić.

— Jeszcze nie wyrzucił. Wciąż się nad tym zastanawia. Jest dość zły i nie mam do niego pretensji. Ale chyba zrozumiał, czym się kierowałam.

Helen uniosła głowę, co skojarzyło mi się z kwiatem, który nie może dłużej ukrywać sekretu swojej urody.

— Tak, możliwe. Ale jest pamiętliwy. Będziesz musiała się postarać, żeby odzyskać jego zaufanie.

— Wiem. Mam nadzieję, że da mi drugą szansę. Powiedział, że nie toleruje kłamstwa.

Helen spojrzała swoim niewidzącym wzrokiem gdzieś za mnie i niemal obróciłam się, aby zobaczyć, na co patrzy.

— To z powodu Susan. Chyba nie poznał jej do końca. Zawsze miałam wrażenie, że próbowała prześcignąć swoją przeszłość, wymyślając nową. A kiedy nie mogła już biec, zaczęła brać narkotyki, żeby zapomnieć.

Oparłam się o stół, bo jeszcze nie całkiem oprzytomniałam.

— Dlaczego miałaby zmyślać na temat swojej przeszłości?

Helen przeniosła wzrok na mnie i wzruszyła ramionami.

— Nie wiem. Nigdy nie mówiła, skąd jest, ani nie wspominała o rodzinie poza tym, że pochodzi z Nowego Orleanu. — Uśmiechnęła się. — Stąd imię Mardiego... tak naprawdę nazywa się Mardi Gras Cotton Picker. Ale tylko tyle o niej wiedzieliśmy. Nigdy nie jeździła do rodziny; zawsze mówiła, że wszyscy już umarli. Wysłaliśmy wiadomość o jej śmierci, ale nikt z jej bliskich nie przyjechał na pogrzeb.

— Jakie to smutne. — Wzięłam ją pod rękę i zaprowadziłam do krzesła przy stole kuchennym.

Usiadła i spojrzała na mnie wyczekująco.

— Chcę cię o coś prosić, ale najpierw prezent na zgodę.

Dotarło do mnie, co trzyma w dłoniach, i przygryzłam wargę, gdy zobaczyłam, że mi to wręcza.

Lekko drżącymi rękami wzięłam od niej kartki z albumu.

— To Lillian?

Kiwnęła głową.

— Ale nie wszystkie... tylko te, które razem przeczytałyśmy. Malily nie wie, że je zabrałam... jeszcze nie. Odella pomogła mi je przejrzeć. Obiecałam jej, że powiem Malily później. Ale chciałam, żebyśmy znalazły się na tej samej stronie, że się tak wyrażę.

Spojrzałam na sfatygowane kartki z poszarpanymi brzegami w miejscu, gdzie zostały wydarte z albumu. Pismo jednak było inne, jakby bardziej okrągłe i pochyłe, podczas gdy pismo mojej babci było bardziej zwarte, drobniejsze i śmielsze.

— Nie chcę, żebyś narobiła sobie kłopotów.

Zwróciła ku mnie zielone oczy.

— Malily zawsze mi mówiła, żebym się nie wahała, jeśli chcę coś zrobić. Poza tym wiem, że swoim milczeniem nie chroni siebie, tylko mnie. A ja nie potrzebuję ochrony, i to od dawna, czego nikt nie dostrzega.

Dotknęłam jej ręki.

273

— Dziękuję — powiedziałam. Położyłam kartki na stole obok zapisków mojej babci i odczułam dziwną satysfakcję, że widzę je razem.

Emily stanęła w drzwiach.

— Czy mogę wnieść te wszystkie rzeczy i wyładować je w kuchni?

— Oczywiście. Potrzebujesz pomocy?

— Nie. Dzięki. Nie chcę, żebyś się nadwerężała, zanim zaczniemy fizykoterapię.

Ze zdziwieniem spojrzałam na Helen.

— Słucham? Nie umawiałam się na żadną fizykoterapię.

Emily wyglądała na autentycznie zaskoczoną.

— Helen powiedziała, że jesteś gotowa zacząć. Przepraszam... mam nadzieję, że niczego źle nie zrozumiałam...

Wtrąciła się Helen:

— Nie, spokojnie. Dziewczynki i ja uznałyśmy, że pora, aby Piper zaczęła chodzić normalnie. I Tucker się z nami zgodził.

Patrzyłam na nią przez chwilę, blednąc jednocześnie.

— Co to ma znaczyć? To nie jego sprawa... ani twoja, jeśli o to chodzi.

Helen tylko się uśmiechnęła.

— O, buntuje się. Wiedziałam, że tak będzie. Spodziewałam się tego po Piper Mills, ale jak dotąd nie słyszałam, żeby Earlene Smith przejawiała jakieś emocje. Dobrze wiedzieć, że coś czuje. Tak, Tucker i ja ośmieliliśmy się wtrącić w twoje sprawy. Przepraszam.

Spojrzałam na Emily, ale ona tylko wzruszyła ramionami, podeszła do blatu, na którym postawiła torby, i zaczęła je opróżniać. Oczywiście mieli rację, ale nigdy nie lubiłam, gdy ktoś mi mówił, co mam robić. Dlatego byłam taką dobrą zawodniczką — kiedy słyszałam, że coś jest dla mnie za trudne, chciałam dowieść, że jest wręcz przeciwnie.

— Dlaczego sądzicie, że nie próbowałam już fizykoterapii? Może nie przyniosła skutku?

— Bo wciąż utykasz. I to fatalnie. A wcale nie musisz. Gdybym sądziła, że coś pomoże mi odzyskać wzrok, na pewno bym tego spróbowała, choćby to było przykre czy bolesne.

Poczułam wstyd zamiast gniewu, ale nic nie powiedziałam.

— Powinnaś znowu jeździć konno, Piper. To część twojej natury niezależnie od tego, kim byłaś kiedyś. A w tym celu musisz wzmocnić nogi.

— Już nigdy nie będę jeździć — oświadczyłam. Zabrzmiało to mniej przekonująco, niż zamierzałam, jednak wciąż czułam wstyd i chciałam naprawić gafę. — Ale jeśli to ma ci sprawić przyjemność, popracuję dziś z Emily. Pewnie skończy się na jednym dniu, bo Tucker zdecyduje, że mam jednak wyjechać z Asphodel.

— Och, potrzeba nam więcej niż jednego dnia — zaćwierkała Emily, otwierając lodówkę i wstawiając do niej galon mleka.

— Dobrze, już dobrze — powiedziałam. — Tylko przestańcie mi suszyć głowę. Ale zdania na temat jazdy konnej nie zmienię. — Wtedy znowu zabrzmiały mi w uszach słowa Helen: „To część twojej natury niezależnie od tego, kim byłaś kiedyś" i uświadomiłam sobie, że ślepota musi bardzo pomagać w przenikaniu ludzkich dusz.

Helen pochyliła się nieco.

— Nie każe ci wyjechać. Za bardzo mu na tobie zależy. Jest tylko głęboko urażony. Ale przejdzie mu.

Poczułam, że się czerwienię, i byłam zadowolona, że Helen tego nie widzi.

— Rumienisz się? — zapytała.

— Skąd, u licha, to wiesz?

Parsknęła śmiechem.

— Nie wiedziałam... ale już wiem.

Uśmiechnęłam się wbrew woli.

— Chyba się mylisz, Helen. Ale chętnie zostanę. Zdążyłam się do was... przywiązać. I jakoś nie mogę sobie przypomnieć, jak wyglądało moje życie, zanim tu przyjechałam.

Helen wzięła moją rękę i ją uścisnęła.

— My też nie pamiętamy, jak wyglądało nasze życie przed twoim przyjazdem.

Jakby czując, że znowu oblewam się rumieńcem, Helen zmieniła temat.

— Mogłabyś mi dać jakieś kartki z albumu twojej babci? Odella by mi je przeczytała. Dzięki temu poznałabym obie wersje tej historii.

— Istnieją więcej niż dwie wersje; nie mamy zapisków Josie. To ta trzecia przyjaciółka, która w trzydziestym dziewiątym wyjechała do Nowego Jorku... a w tym roku kończą się zapiski mojej babci. W każdym razie Josie stała się znana. W internecie jest mnóstwo informacji o niej i jej karierze. Przypuszczam jednak, że zabrała swoją część albumu.

Helen powoli zamrugała.

— Ale pozwolisz mi zapoznać się z notatkami Annabelle?

Poczułam lekką panikę, jakby poproszono mnie, żebym jeszcze raz pochowała babcię. Zerknęłam jednak na zapiski Lillian i uznałam, że to uczciwa transakcja.

— Tylko o to chciałaś mnie prosić? — Wypuściłam z płuc powietrze, czując dziwną ulgę, że mam wspólniczkę. — Jeszcze nie skończyłam ich czytać, ale dam ci te, które już przeczytałam, a potem resztę. Jeśli mnie tu już nie będzie, przywieziesz mi je i dokonamy wymiany.

— Dobrze. Albo gdy zapoznam się z pierwszą częścią, przeczytasz mi drugą. — Zmarszczyła czoło. — Chociaż jestem zaskoczona, że nie przeczytałaś jeszcze wszystkiego.

Wstałam, wzięłam od Emily dużą butelkę detergentu i schowałam ją do szafki pod zlewem.

— Ja też — przyznałam i wyjrzałam na zewnątrz, gdzie słońce już prawie wymazało ślady po nocnej burzy. Emily wyszła z domku, żeby wyładować następną partię towarów z wózka golfowego.

— Puszka Pandory — zauważyła cicho Helen.

Obróciłam ku niej twarz.

— Ja naprawdę nie... — zaczęłam.

— Owszem, tak. Nie należysz do tych, którzy się wahają. Chwila niepewności przed skokiem może okazać się zgubna w skutkach, prawda? A ty masz te kartki od dawna i jeszcze ich nie przeczytałaś.

Otworzyłam usta, żeby ponownie zaprzeczyć, ale powstrzymały mnie następne słowa.

— Ja codziennie stykam się z nieznanym. Jednak postanowiłam się tego nie bać, bo inaczej ze strachu nie wstałabym z łóżka. A tak nie można żyć, czy jest się ślepym, czy nie. — Położyła dłoń na stole i czubkami palców dotknęła kartek z albumu. — Powinnaś poznać historię swojej babci. Obie musimy dojść do prawdy.

Odnalazła po omacku plik przeczytanych kartek i zaczęła je z roztargnieniem przekładać. Zatrzymała się przy pustych stronach, między które włożyłam wycinek z gazety. Jej długie wymanikiurowane palce musnęły go, potem dotknęły dolnego brzegu kartki, a następnie zawisły w powietrzu. Po chwili wróciła do wycinka i spojrzała na mnie pytająco.

— Co to takiego?

Zastanowiłam się chwilę nad odpowiedzią.

— Puszka Pandory — wyjaśniłam. — To notatka z gazety o znalezieniu w rzece zwłok niemowlęcia.

Milczała przez chwilę, potem obie zwróciłyśmy się w stronę drzwi, gdy do domku z naręczem siatek weszła Emily.

— Czy Tucker wie? — zapytała Helen.

— Tak, powiedziałam mu wczoraj, gdy się przed nim tłumaczyłam.

— Wciąż myślisz, że twoja babcia może mieć coś wspólnego z tym nieszczęściem?

— Tak. Wycinek został umieszczony w albumie nie bez powodu.

Helen ściągnęła brwi.

— A może Josie była w to zamieszana; w końcu dziecko miało ten sam kolor skóry co ona. Sprawdziłaś ten trop?

Pokręciłam głową.

— Nie miałam kiedy. Zamierzałam pojechać do archiwów miejskich w tym tygodniu. Możesz wybrać się ze mną, jeśli chcesz. Przeczytałabym ci to, co znajdę. Pomogłabyś mi poskładać wszystko w całość. Albo po prostu zapytajmy Lillian. Chyba dlatego nie podjęłam dalszych poszukiwań. Lillian zna odpowiedzi na pytania, które wyłaniają się z tych kartek.

Helen wzięła wycinek; trzymała go w dłoniach ostrożnie jak noworodka.

— Pokażę go jej i zapytam, czy wie, dlaczego znalazł się wśród zapisków twojej babci. Potem przekażę ci, co powiedziała... jeśli zechce cokolwiek mi powiedzieć. — Wstała. — Wciąż nurtuje mnie, czy Susan do tego dotarła. Może prawda tak nią wstrząsnęła... że znowu zaczęła brać leki. — Pokręciła głową. — Nie powiem o tym Tuckerowi. Jeszcze nie. Ma poczucie winy z tylu powodów, że nie będę mu dokładać jeszcze jednego.

— Ale dlaczego ma poczucie winy? Susan miała nieszczęśliwe dzieciństwo i była uzależniona, zanim jeszcze ją poznał.

Helen jakby się przestraszyła.

— Nie miałam jej na myśli. Mówiłam o sobie.

Chciała wyjść, ale delikatnie ujęłam ją za rękę.

— Co chcesz przez to powiedzieć?

Oczy jej pociemniały.

— Zaraziłam się od niego odrą i dlatego straciłam wzrok.

— Odrą?

Wzruszyła ramionami.

— Rodzice nie chcieli nas zaszczepić, nie wierzyli w szczepionki. Wrócili z odrą z Afryki i Tucker się od nich zaraził. Był w izolatce... nasz ojciec jest lekarzem, dlatego Tucker był leczony w domu... i wszystko szło dobrze, dopóki nie przyszła burza. Przestraszony, przybiegł do mojego pokoju, więc pozwoliłam mu wejść do łóżka, jak zwykle. A kiedy się od niego zaraziłam, usiłowałam to ukryć, bo nie chciałam ściągnąć na niego kłopotów. I poważnie się rozchorowałam, ponieważ późno zaczęto mnie leczyć.

— Ale to przecież nie była jego wina. — Pokręciłam głową, przypominając sobie wyraz twarzy Tuckera, kiedy mu powiedziałam, że wiem, jak w dzieciństwie bał się burzy.

— Tak, owszem, ty i ja to wiemy, ale z poczuciem winy tak już jest. Poczekajmy więc i zobaczmy, czego uda nam się dowiedzieć. Położę się i pooglądam w telewizji opery mydlane, a ty poćwiczysz z Emily. A potem poszukam Malily i sprawdzę, czy zechce nam pomóc.

Pomogłam jej ułożyć się na kanapie i włożyłam do ręki pilota, podziwiając jednocześnie sukienkę z jedwabnej dzianiny, którą miała na sobie. Pomyślałam, że ta niewidoma kobieta to najmniej niepełnosprawna osoba, jaką znam.

❧

Lillian dotknęła pąka róży, siedząc na swojej ulubionej ławce w ogrodzie Helen. Podniosła z ziemi w pełni rozkwitły kwiat, który jakby oderwał się od łodygi na skutek eksplozji własnej urody. Brzegi jego płatków już zbrązowiały i lekko się pomarszczyły. Gdy tak na niego patrzyła, zaczęła się zastanawiać, czy nie przedłużyć mu życia o dzień lub dwa, zabierając go do domu i wstawiając do wazonu z wodą. Dawniej rozsypałaby płatki po ziemi, żeby użyźnić glebę; teraz jednak życie wydawało jej się zbyt cenne. Oglądała różę w ostatnim stadium rozkwitu przed zwiędnięciem i pomyślała z ciekawością, jak wyglądałaby jej własna śmierć, gdyby miała szansę uzyskać zrozumienie i przebaczenie.

— Malily?

Odwróciła się i zobaczyła Helen stojącą niepewnie przy bramie.

— Jestem tutaj. Na ławce.

Posługując się laską, Helen ruszyła przed siebie. Wiedziała, że ma skręcić w prawo, gdy ścieżka przejdzie w ceglany chodnik. Lillian zaprojektowała to tak z myślą o wnuczce, którą kochała jak córkę.

Nie proponując Helen pomocy, boby ją to uraziło, Lillian czekała, aż laska uderzy w rząd kamieni na ścieżce, które wskazywały miejsce, gdzie znajdowała się ławka. Helen powoli usiadła na niej i położyła sobie laskę na kolanach.

— Czuję zapach ziemi — powiedziała. Uniosła nos, a jej kremowa skóra zalśniła w słońcu późnego popołudnia.

Lillian spojrzała na worki z ziemią, które stały oparte o mur ogrodu, i na kopiec przy ścieżce.

— Piper ciężko pracuje. Bratki trochę za bardzo wyrosły, więc postanowiłyśmy je powyrywać. Piper chce posadzić w tej części ogrodu inne kwiaty.

Poczuła, że Helen na nią patrzy.

— Nie mogę uwierzyć, że pozwoliłaś komuś przeprojektować swój ogród.

— Ta dziewczyna uczyła się od mistrzyni... tej samej osoby, która przekazała mi swoją wiedzę o ogrodnictwie. Od swojej babci, Annabelle O'Hare.

Helen pokiwała głową. Nic nie powiedziała, bo nie musiała. Lillian zawsze miała wrażenie, że jej wnuczka, jakby w rekompensacie za brak wzroku, ma w głowie czujnik, który pozwala jej odbierać wszystko, co nie zostało powiedziane głośno.

W końcu Helen się odezwała:

— Piper rozmawiała zeszłego wieczoru z Tuckerem. Ale nie zdecydował jeszcze, czy ma wyjechać, czy nie.

Lillian prychnęła nieelegancko.

— On wie, czego chce. Tylko boi się to powiedzieć. Przy Susan zaczął wątpić we własne uczucia i teraz się waha, gdy ma sięgnąć po to, czego pragnie. Ale szybko się uczy. I nie mam wątpliwości, że Piper zostanie, niezależnie od mojego zdania w tej sprawie.

— A twoim zdaniem powinna wyjechać?

Lillian opuściła głowę i spojrzała na czerwony kwiat w swojej dłoni. Jego kolor sprawiał, że wszystko inne przy nim bladło.

— Decyzja nie należy do mnie, prawda? — Obróciła kwiat z poczuciem, że pewnych rzeczy nie da się uniknąć, że to Annabelle postawiła Piper na jej drodze, żeby wyrównać rachunki.

Helen zaczęła po chwili:

— Piper dała mi do przeczytania kartki z albumu swojej babci, a ja dałam jej twoje... te, z którymi mnie zapoznałaś. Gdy będziemy już wiedziały tyle samo, zwrócimy się do ciebie z prośbą, żebyś nam udostępniła resztę swoich zapisków. Proszę, nie gniewaj się na nas. Przyznaj, że tak być musi. Za długo milczałaś, Malily. A to przecież także część mojej historii.

Lillian uniosła brew, przypominając sobie poniewczasie, że ujdzie to uwagi Helen. Potem westchnęła ciężko i odparła łagodnie:

— Chyba masz rację. Nie jestem zachwycona, ale zrobię to dla ciebie.

Helen odszukała jej rękę i ją uścisnęła. Obie milczały przez dłuższy czas. W końcu Helen odwróciła się do niej.

— A tak z ciekawości, Malily, kiedy kończą się twoje zapiski?

Lillian znieruchomiała, bo nie bardzo wiedziała, dlaczego Helen o to pyta. Starała się jednak nie wyobrażać sobie najgorszego. Nie udawała, że zastanawia się nad tym pytaniem; pamiętała datę, jakby to było wczoraj.

— Trzeciego września tysiąc dziewięćset trzydziestego dziewiątego roku.

Helen zamilkła na chwilę i Lillian stężała.

— Coś mnie zastanawia, Malily. W następnym roku wyszłaś za mąż, więc było o czym pisać. A tymczasem przestałaś prowadzić zapiski... podobnie jak Annabelle... Zarzuciłyście to mniej więcej w tym samym czasie. Na pewno każda z was miała wiele do opowiedzenia.

Lillian pochyliła głowę, tak że rondo kapelusza zasłoniło jej twarz.

— Dużo się wtedy działo. Czułam, że stałam się kobietą. Album oraz Lola wydawały mi się dziecinadą. Już ich nie potrzebowałam.

Helen kiwnęła głową, po czym wsunęła rękę do kieszeni sukienki.

— Piper znalazła to między stronami albumu babci. Nosi datę ósmego września tysiąc dziewięćset trzydziestego dziewiątego roku.

Słońce stało już nisko na niebie i owiał je wiatr znad rzeki, który poruszył płatkami kwiatu w dłoni Lillian i sprawił, że stare dęby w alei zaczęły świstać lekko, płaczliwie. Starsza pani wiedziała, co Helen trzyma w ręce, choć widziała to przedtem tylko raz. Ujęła wycinek drżącymi palcami, zadowolona, że Helen tego nie widzi.

— Był wśród rzeczy Annabelle?

— Tak. Piper powiedziała, że tkwił między kartkami albumu, jakby specjalnie go tam wsadzono.

— Dziwne — wydusiła z siebie Lillian. Ręka tak jej się trzęsła, że tekst stał się wręcz nieczytelny. Za każdym razem inaczej wyobrażała sobie tę chwilę; mimo wielu lat milczenia, jakie je dzieliły, Lillian zawsze sądziła, że to przed Annabelle wyzna swoje grzechy. Annabelle, w narzuconej sobie roli męczennicy, zrozumiałaby ją i przegnała demony. Ale Annabelle umarła i teraz tylko Lillian znała prawdę.

Odczekała chwilę, aby odzyskać głos.

— Czy wśród jej zapisków jest jakieś wyjaśnienie? — Ręce tak ją rwały, że prawie nie czuła bólu w sercu.

— Nie. Zapiski Annabelle kończą się w lipcu tamtego roku. — Helen odwróciła się do niej. Wiatr uniósł jej włosy, co przypomniało Lillian czasy, gdy wnuczka była małą dziewczynką. Myślała wtedy z nadzieją, że dzięki niej dostanie drugą szansę.

Helen ciągnęła:

— Piper uważa, że jej babcia mogła coś o tym wiedzieć albo że sama brała w tym udział. Dlatego zwleka z przeczytaniem jej zapisków do końca i dalszymi poszukiwaniami. Boi się tego, co odkryje.

Lillian starała się zapanować nad głosem.

— A ty, Helen? Ty się nie boisz poznać tej historii?

Świsty przybrały na sile. W powietrzu poniosły się przykre dla ucha dźwięki i Lillian ogarnął lęk.

— Nie, Malily. — Zielone oczy Helen się rozszerzyły, co znowu przywiodło Lillian na myśl dawną niewinną dziewczynkę. — Bo cię znam. Lepiej niż własną matkę, bo znam cię sercem. Uratowałaś mnie, pamiętasz? Gdy byłam chora i miałam wysoką gorączkę, wzięłaś mnie na ręce, wsadziłaś do samochodu i zawiozłaś do szpitala. A potem spałaś w moim pokoju, dopóki gorączka nie przeszła, i trzymałaś mnie za rękę, gdy budziłam się w ciemnościach. Wtedy też mnie ocaliłaś. Pamiętasz to? A pamiętasz, co mi powiedziałaś?

Lillian powoli kiwnęła głową.

— „Dopóki trwa życie, dopóty jest nadzieja".

— I to naprawdę dało mi nadzieję; dzięki temu nie bałam się już świata ciemności. Więc nie, Malily, nie boję się poznać tej historii. Nic, co mi powiesz, nie wpłynie na moją miłość do ciebie ani nie zmieni tego, co o tobie myślę. Jesteś dziś, kim jesteś, właśnie z powodu tego, co zrobiłaś w przeszłości. Mogę być tylko dumna, że jestem twoją wnuczką.

W magnolii cykada zaczęła śpiewać ostatnią przed zachodem słońca piosenkę. Lillian bardzo długo czekała na ten moment, miała wrażenie, że prowadziły do niego wszystkie minione godziny. Teraz jednak, gdy wreszcie nadszedł, nie umiała znaleźć słów — tak jak się stanie z Helen, gdy pozna prawdę. Nie spodziewała się tego — oczekiwała, że poczuje jedynie ulgę, gdy wreszcie uwolni się od brzemienia, które nosiła przez siedemdziesiąt lat.

Między brwiami Helen pojawiła się drobna zmarszczka.

— Co to było za dziecko i jaki miało związek z Annabelle O'Hare?

Lillian poczuła na szyi wisiorek, zimny i ciężki. „Bądź cierpliwy i silny; pewnego dnia ból przyniesie ci korzyść". Słowa, według których żyła, teraz wydały jej się bez znaczenia. Na końcu języka miała kłamstwo, które przybrało formę wobec strachu, że stanie sama w obliczu śmierci. Nagle zatajenie prawdy wydało jej się małą ceną do zapłacenia.

— Panny wpadają w kłopoty i to nie tragedia, jak mówią. Ale może młoda dziewczyna nie widziała innego sposobu, żeby ratować się przed hańbą.

— To było dziecko Josie?

Lillian przez dłuższą chwilę patrzyła na Helen, usiłując znaleźć właściwą odpowiedź.

— Nie wiem — odparła ostatecznie. — Nic mi o tym nie powiedziała; nie widywałam się z nią zbyt często w tym ostatnim roku, przed jej wyjazdem na północ.

Helen pokiwała głową, pogrążona w myślach.

— Wiedziałaś o sekretnym pomieszczeniu na strychu w domu Annabelle?

Lillian zważyła słowa; każde było cięższe od poprzedniego.

— Tak. Pokazała mi je kiedyś. Nie wiedziała, do czego służyło. Dlaczego pytasz?

Nie odpowiadając bezpośrednio, Helen oznajmiła:

— Piper i ja jedziemy jutro do Savannah. Obejrzymy dom i pomieszczenie na strychu, a potem wybierzemy się do biblioteki. Dam ci znać, jeśli coś znajdziemy.

— Dobrze. Chętnie posłucham.

— A po powrocie przyjedziemy do ciebie i poczytamy twoje kartki z albumu. Bo to autentyczna historia, prawda?

Lillian skinęła głową. Było jej słabo. „Bo cię znam. Lepiej niż własną matkę, bo znam cię sercem".

— Czy Piper ma przy sobie Lolę... to znaczy naszyjnik? Chciałabym go znowu zobaczyć.

— Powiem jej, żeby go wzięła.

Siedziały przez chwilę wśród dźwięków wieczoru i westchnień dębów, wdychając upajającą woń kwiatów, które je otaczały.

Helen odetchnęła głęboko.

— Uwielbiam zapach tego ogrodu. To zawsze będzie moje ulubione miejsce na ziemi.

— Moje też — powiedziała Lillian i wstała. Strzeliło jej w kościach. Wzięła mały sekator, który leżał obok niej na ławce, i podeszła do różanego krzewu. Jego czerwone kwiaty jaśniały w ostatnich promieniach słońca. Znalazła pędy z pączkami pozbawionymi koloru, bo zależało jej, żeby nie traciły energii na utrzymanie barwnego kwiatu, a potem uważnie odcięła je u dołu.

Po usunięciu kolców wróciła do Helen i włożyła jej do ręki ucięte pędy.

— Owiń ich nóżki wilgotnym ręcznikiem papierowym, a potem daj Piper. To do ogrodu jej babci. Zawsze chciałam podarować je Annabelle, ale nie miałam okazji.

Helen zacisnęła dłoń, a potem uniosła twarz ku babci.

— Dlaczego? Dlaczego nie miałaś okazji?

Bo nie miałam odwagi wyznać prawdy, chciała odpowiedzieć.

Spojrzała na powój księżycowy; jego kwiaty zaczęły rozkładać płatki, otwierając się wraz z nadejściem ciemności.

— Bo widziałam w niej siebie. Musiałam się od niej uwolnić. Więc nasze drogi się rozeszły.

Helen milczała przez chwilę.

— A dlaczego prosiła cię w listach o wybaczenie... w tych, które odesłałaś nieotwarte?

W ogrodzie zapadała noc, spowijając mrokiem róże i słodki jesienny powojnik.

— Nie wiem — odparła Lillian. Drugie kłamstwo przyszło jej już łatwiej. — I chyba nigdy się nie dowiem. Pewnie myślała, że zrobiła coś, co wpłynęło na naszą przyjaźń, ale skąd mam wiedzieć? Biedna Annabelle.

Helen także wstała.

— Jest już ciemno?

— Tak. Powój księżycowy rozkwita.

Helen zrobiła krok do przodu, a wtedy Lillian wzięła ją za rękę i poprowadziła ku mlecznobiałym płatkom, tak samo jak to robiła przez pierwsze miesiące, gdy wnuczka straciła wzrok, i w każdym przełomowym momencie jej życia. Moja duchowa córka, pomyślała.

Helen się uśmiechnęła.

— Wciąż je widzę. Nie zapomniałam, jak wyglądają.

Lillian spojrzała na nią, ale nie odpowiedziała uśmiechem.

— Są rzeczy, których nie powinno się zapomnieć. — Jak dawna przyjaźń i sekret, który zabiera się ze sobą do grobu.

Ujęła rękę Helen i przełożyła ją sobie pod ramię, a potem wyszła z wnuczką z ogrodu w blasku dalekiego księżyca, przy świstach starych dębów, które płakały za dawnymi przyjaciółmi, za rzeką i sekretami na jej mulistym dnie.

ROZDZIAŁ 18

Obudziłam się wcześnie, gotowa jechać do miasta. Nie dostałam żadnej wiadomości od Tuckera, więc korzystałam z odroczenia wyroku, aby kontynuować poszukiwania. Ponieważ miałam pojechać po Helen dopiero za godzinę, sięgnęłam po kartki z albumu babci, żeby przeczytać je do końca. Ogarnęła mnie niecierpliwość, której dotąd nie odczuwałam, i nie bardzo wiedziałam, skąd się wzięła. Może wzbudziła ją świadomość, że Lillian staje się coraz słabsza, albo poczucie, że jeszcze mogę czegoś dokonać, które towarzyszyło mi, odkąd wyciągnęłam Sarę ze stawu.

Zostawiłam kartki z albumu i pudełko na stole, bo już nie musiałam ich ukrywać, więc po prostu odszukałam stronę, na której skończyłam lekturę. Spojrzałam na przyklejone u dołu zdjęcie, na które wcześniej ledwie zerknęłam, bo uznałam, że nie ma na nim nikogo, kogo bym znała. Ale gdy usiadłam przy stole, żeby wrócić do czytania, coś przykuło moją uwagę. Uniosłam kartkę, żeby przyjrzeć się jej bliżej.

Fotografia przedstawiała niewielką grupę mężczyzn. W wysokim przystojniaku w tylnym rzędzie natychmiast rozpoznałam Freddiego. Pozostali, z wyjątkiem jednego białego, byli czarnoskórzy, mieli na sobie garnitury z kamizelkami, a kilku nawet nosiło kieszonkowe zegarki. Zlustrowałam nieznane mi twarze i zatrzymałam wzrok na białym mężczyźnie, zachodząc w głowę, skąd go znam.

Był bardzo młody. Włosy miał schowane pod ciemną fedorą i nie wiedziałam, jakiego są koloru. Ale potem przesunęłam wzrokiem po jego ubraniu i dostrzegłam dewizkę od zegarka z breloczkiem w kształcie klucza. Zmrużyłam oczy, żeby obraz był wuraźniejszy, i usiłowałam sobie przypomnieć, gdzie go wcześniej widziałam. I wtedy doznałam olśnienia. Podczas swojej ostatniej wizyty u mnie pan Morton wyjął z kieszeni zegarek właśnie z takim breloczkiem. Uśmiechnęłam się do siebie, bo z tego, co pisała babcia, kiedyś robił do niej słodkie oczy. Postukałam palcem w fotografię, cały czas myśląc intensywnie. Pan Morton wiedział o mojej babci więcej, niż chciał przyznać, ale pragnął, żebym sama odkryła prawdę.

Kręcąc głową, pochyliłam się i zaczęłam czytać.

30 grudnia 1938 roku

Minęły już prawie dwa lata od mojego ostatniego wpisu w albumie. Nie miałam serca prowadzić notatek. Dużo się zdarzyło, ale prawie nic z tego nie miałam ochoty utrwalić, więc wsadziłam album pod łóżko, licząc, że o nim zapomnę. Josie i Lily też chyba wyrzuciły go z pamięci. Mam jednak poczucie, że to jedyne, co pozostało jeszcze z naszej młodości, więc wydobyłam go rano i odkurzyłam, żeby opisać dalszy ciąg naszej historii.

Ojciec nie doszedł do siebie po zapaleniu płuc. Jego lekarz uważa, że choroba odbiła się na stanie serca, dlatego tata jest taki słaby. Wszelki wysiłek bardzo go wyczerpuje, chociaż pomagam mu chodzić po pokoju trzy razy dziennie. Nie ma jednak wątpliwości, że nie będzie mógł wrócić do pracy. Jesteśmy zdruzgotani. Nigdy nie

przypuszczaliśmy, że do tego dojdzie. Zawsze był silny,
fizycznie i psychicznie, więc kiedy zachorował, nikt z nas
się nie spodziewał, że nie wyzdrowieje.

Byłam przy nim przez prawie całą chorobę, kiedy tracił
przytomność i majaczył w gorączce. Ale jedna z rzeczy,
które powiedział, bardzo mnie poruszyła. Myślałam, że to
skutek wysokiej temperatury. Lecz powtórzył to i uścisnął
moją rękę, jakby chciał się upewnić, czy zrozumiałam.
Wtedy do mnie dotarło, że obawia się śmierci
i prawdopodobnie pragnie mi się zwierzyć. Siedziałam
przy nim jeszcze długi czas po tym, jak zasnął ze
zmęczenia, i zastanawiałam się nad jego słowami.
Wiedziałam, że muszą być prawdą. Nagle wszystko
nabrało sensu... te drobne rzeczy, które dawno powinnam
była zauważyć, ale których nie zauważałam. Byłam
szczęśliwie ich nieświadoma; odkąd pamiętam,
ignorowałam tropy tuż pod moim nosem.

Początkowo byłam zła, zła na jego tchórzostwo. Wyznał
mi prawdę tylko dlatego, że bał się śmierci, a po niej nie
będzie musiał stawić czoła skutkom swojego wyznania.
Jakie to niesprawiedliwe wobec mnie i wszystkich innych;
nie mieliśmy nawet szansy pogodzić się z nowym dla nas
stanem rzeczy ani przygotować się na to, co musi nastąpić.
Cokolwiek by to miało być.

Jedno jest pewne: Lillian się ucieszy. Przyjęła teorię,
która była nieprawdziwa — na szczęście — i teraz
zrozumie, że się myliła, a ja zostanę oczyszczona
z podejrzeń. Kiedy Lillian dostanie ten album i to
przeczyta, na pewno zapyta, co mam na myśli. Może nawet
jej powiem. I wtedy, miejmy nadzieję, obie zaśmiejemy się
z tego nieporozumienia i znowu staniemy się sobie bliskie,
jak kiedyś, zanim sprawy sercowe wzięły prymat w naszym
życiu. A może tylko się zdziwi.

Prawnik ojca, pan Morton, powiedział mi, że dom jest spłacony i że tata nie tylko ma akcje, lecz także poczynił pewne inwestycje, więc będę miała mały dochód, który pozwoli mi całkiem wygodnie, choć oszczędnie żyć. Nigdy nie należałam do rozrzutnych, nie zależało mi na modnych sukienkach, więc to nie powinno być problemem. Martwię się tylko o pacjentów ojca, bo kto się nimi teraz zajmie?

Paul, syn pana Mortona i goniec w jego kancelarii, stał się tymczasem moim bliskim przyjacielem, mimo że jest pięć lat młodszy ode mnie. Uważa, że powinnam pójść na studia medyczne. Przyjaźni się też z Freddiem i bardzo zaangażował się w naszą sprawę. Nie jestem jednak pewna, czy jego zaangażowanie nie wynika przypadkiem z — jak powiada Freddie — nieodwzajemnionego uczucia do mnie. Mówię Freddiemu, że jest głupi. Sądzę, że zostanę zaprzysięgłą starą panną i sawantką, jeśli nie będę mogła wyjść za mąż z miłości.

Już nie ma mowy o powrocie Freddiego na uczelnię i teraz wiem dlaczego. Ojciec nie zarabia już jako lekarz, więc nie mogę płacić Justine tyle co dawniej. Ale ona nie chce odejść, co oznacza, że nie będzie jej stać na lekcje śpiewu dla Josie. A moim zdaniem Josie powinna kontynuować naukę. Wobec tego, niestety, będę musiała sprzedać swoją ukochaną Lolę Grace, którą wciąż trzymam w Asphodel. Nie uzyskam za nią dobrej ceny, ale nie stać mnie na nią. Zresztą i tak nie mam czasu, żeby na niej jeździć. Tego jednak będzie mi brakowało najbardziej.

Powiedziałam Paulowi — bo wyznałam mu wszystko — że złożę podanie do szkoły medycznej, gdy tylko Josie zacznie karierę, a Lily wyjdzie za mąż. One są jak wystrzępione końce liny, a ja zamierzam być węzłem, który utrzyma nas wszystkie razem.

Dlatego wybrałam do Loli wisiorek w kształcie węzła żeglarskiego. Teraz łączą nas więzy silniejsze niż przyjaźń, takie, jakich w moim przekonaniu nie da się rozerwać.

Słysząc chrzęst opon na żwirze, uniosłam głowę i zobaczyłam na zewnątrz jeepa, którym jeździł Tucker. Obok Tuckera, na miejscu dla pasażera, siedziała Helen, czujna jak zwykle. Zerwałam się z krzesła i otworzyłam drzwi w chwili, gdy Tucker wyciągał rękę w stronę gałki. Stanęliśmy naprzeciwko siebie i żadne z nas się nie cofnęło.

Jego włosy były mokre, jakby dopiero co wyszedł spod prysznica, oczy miał przekrwione i lekko zalatywało od niego alkoholem.

— Ciężka noc, co, Tucker?

Potarł ręką ogoloną twarz.

— Miewałem cięższe. — Opuścił dłoń i przez chwilę patrzyliśmy na siebie w milczeniu.

— Chcesz mnie prosić, żebym wyjechała? — zapytałam. Czekając na odpowiedź, splotłam ręce na piersi, żeby nie widział, jak drżą.

Zrobił taką minę, jakby wcale nie był pewien odpowiedzi.

— Nie, nie chcę.

— Dlaczego? — Zaraz pożałowałam tego pytania. Nigdy nie umiałam się zatrzymać, gdy byłam na prowadzeniu. To dawało mi przewagę podczas zawodów, ale w relacjach towarzyskich miewało fatalne skutki.

— Bo uratowałaś życie Sarze.

Nie spodziewałam się takiej odpowiedzi i starałam się nie spuścić wzroku.

Przymknął na chwilę oczy i dostrzegłam jego zmęczenie oraz bruzdy wokół ust wywołane cierpieniem. Były jednak mniejsze niż wtedy, kiedy przyjechałam do Asphodel.

— Bo mam wrażenie, że wszyscy utknęliśmy w miejscu...

ja, Sara i Lucy... a tymczasem... jak to ujęłaś... życie toczy się dalej. — Uśmiechnął się smutno. — Malily nie wierzy w żal. Może jeśli się dowiem, dlaczego Susan odebrała sobie życie, wreszcie przestanę mieć poczucie winy.

Miałam ochotę pogładzić go po twarzy, ale wciąż trzymałam ręce na piersi.

— Więc nie masz już do mnie pretensji?

— Nadal jestem na ciebie zły. Ale muszę się przemóc, bo Lucy i Sara nigdy by mi nie wybaczyły, gdybym z tego powodu cię wyrzucił. — Wsunął ręce do tylnych kieszeni dżinsów i popatrzył w stronę jeepa. — Chciałbym zobaczyć ten sekretny pokój. I całą resztę. Może się na coś przydam.

— Rozumiem, że Helen się zgadza?

— Uhm. Sama to zaproponowała. Uświadomiła mi, że może właśnie tego teraz potrzebuję. Wszyscy potrzebujemy. — Spojrzał mi prosto w oczy. — Jeśli, oczywiście, nie masz nic przeciwko.

Zaprzeczyłam ruchem głowy i zdobyłam się na uśmiech.

— Nie. Może przyda nam się pomoc.

— Świetnie. — Ponownie wskazał samochód. — Wsiadaj, Helen nie lubi czekać.

— Czy to znaczy, że mamy rozejm? — zapytałam, podchodząc do auta.

Ze ściągniętymi brwiami otworzył mi drzwi.

— Na razie tak. Tylko nie okłamuj mnie więcej, dobrze?

Kiwnęłam głową.

— Poczekaj chwilę... muszę wrócić po coś dla Helen. — Pobiegłam do domku i zebrałam kartki, które już przeczytałam.

Gdy znów podchodziliśmy do samochodu, Tucker powiedział cicho:

— A przy okazji: wróciłem do domu przed północą. Możesz spytać Emily, która pozwoliła Lucy zaczekać na mnie. Zdążyłem ułożyć małą do snu.

Skinęłam jedynie głową, ale poczułam, że oblewam się rumieńcem, więc czym prędzej się schyliłam, wsiadłam do samochodu i przywitałam się z Helen. Czekając, aż Tucker usiądzie za kierownicą, podałam jej kartki.

— Dogoniłyście mnie z Lillian?

— Tak. Malily była zmęczona zeszłego wieczoru, ale nalegała, żebyśmy przeczytały wszystkie zapiski twojej babci. Potem dałam je Tuckerowi. Malily pyta, czy jest ich więcej; nie przypomina sobie, by je znała, więc to będzie dla niej miła niespodzianka.

— Wśród zapisków, które ci daję, są ciekawe tropy. Chyba od nich zaczniemy poszukiwania.

— A o co chodzi? — zapytał Tucker. Wrzucił pierwszy bieg i ruszyliśmy żwirową drogą w stronę bram posiadłości.

— Zastanawiałam się, z czego Freddie płacił za studia, a Josie za lekcje śpiewu. Byli dziećmi gospodyni, ale nawet jeśli rodzina O'Hare bardzo ją ceniła, nie wyobrażam sobie, żeby mogli sobie na to pozwolić.

— Więc kto za to płacił? — Helen uniosła twarz w stronę otwartego dachu jeepa.

— Nie wiem... jeszcze. Mam nadzieję, że uda nam się znaleźć w archiwach ich świadectwa urodzenia. Jeśli się dowiemy, kto był ojcem Freddiego i Josie, może znajdziemy odpowiedzi na wiele pytań.

Opadłam na oparcie fotela w powiewach świeżego powietrza, które wpadało przez okna. Nie wiedziałam, co odkryję, ale już się tak bardzo tego nie bałam. Może zaczynałam sobie uświadamiać, że poznanie prawdy nie zmieni przeszłości ani nie wymaże minionych godzin, tak jakby ich nigdy nie było.

✍

Podczas jazdy starą autostradą Augusta do Savannah Helen wystawiała twarz do słońca. Uwielbiała czuć, jak jedwabna sukienka muska jej gołe nogi, a wiatr zwiewa włosy do tyłu. Przypomniała sobie, że matka czesała ją w warkocze, aby okiełznać jej długie kręcone włosy, ale gdy tylko znikała, Helen je rozplatała. Nadal uważała, że nie ma nic przyjemniejszego na ziemi, niż czuć, jak wiatr zwiewa włosy z twarzy.

Usłyszała, że dźwięki z autostrady stopniowo ustępują odgłosom miasta, z jego zadbanymi placami o kwitnących żywopłotach i egzotycznych drzewach, w których gałęziach gniazdowały przedrzeźniacze, z ogrodami Forsyth Park pełnymi pachnących kwiatów, które podsunęły Malily pomysł, żeby urządzić wonny ogród w Asphodel, choć się tego wypierała.

Piper pochyliła się nieco na tylnym siedzeniu, żeby było ją lepiej słychać. Helen słuchała jednym uchem jej rozmowy z Tuckcrem, odnotowując, że toczy się ona już znacznie swobodniej, i jednocześnie się zastanawiała, kiedy ci dwoje wreszcie wpadną na to, że patrząc w lusterka, mogą się widzieć.

— Skręć w lewo, w Bull Street. Pierwszy plac po drodze to Monterey — instruowała Piper. — Objedź go i skręć w East Taylor. Mój dom to ten pierwszy po prawej.

— Podaj mi tylko adres. Kiedyś tu mieszkałem, pamiętasz? — W głosie Tuckera nie słychać było zniecierpliwienia, do którego Helen już się zdążyła przyzwyczaić. Ciekawa była, czy to ze względu na Piper, czy wreszcie zaczął się wyzwalać z poczucia winy.

Samochód się zatrzymał i Tucker wyłączył silnik. Po chwili zaczął opisywać jej dom:

— To dwupiętrowy budynek z szarej cegły, typowy dla Savannah. Ma balustrady z kutego żelaza i biały portyk z kolumnami. Nad nim znajduje się balkon, też z żelazną barierką. — Przerwał. — Z boku jest duże podwórko, kiedyś pewnie był tu ogród.

— A co jest tam teraz? — zapytała Helen.

— Nic, chwasty i sucha ziemia — odpowiedziała powoli Piper z tylnego siedzenia. — Ale kiedyś było tu tak pięknie jak w ogrodzie Lillian.

Helen zwróciła ku niej twarz.

— Malily dała mi dla ciebie kilka pędów róż ze swojego ogrodu. Wzięłam je ze sobą. Powiedziała, że zawsze chciała je dać twojej babci, ale nie miała okazji. Może znajdziesz dziś czas, żeby je zasadzić.

Piper odparła niepewnie:

— Jeśli tylko pamiętam, jak to się robi. Poprosiłabym George'a, żeby je podlewał, gdy mnie nie będzie.

— George'a? — zapytał Tucker. Wysiadł z jeepa, a następnie otworzył drzwi Piper. Helen słyszała, że potem obszedł wóz i również jej otworzył drzwi. — Kto to taki?

Piper nie od razu odpowiedziała.

— George Baker. To... stary przyjaciel. Wnuk pana Mortona, prawnika mojego dziadka. Pod moją nieobecność zajmuje się domem i całą resztą. Pomagał mi nawet w poszukiwaniach.

Helen, która trzymała Tuckera pod ramię, gdy prowadził ją na chodnik, poczuła, że brat zesztywniał.

— Tylko przyjaciel? — zapytał z przymusem, co wywołało uśmiech na jej twarzy.

— Earlene!

Helen odwróciła się w stronę, z której dobiegł męski głos, a Tucker przystanął.

— George! — zawołała Piper. — Nie spodziewałam się, że cię tu dziś zobaczę.

Na chodniku rozległy się kroki.

— Prosiłaś, żebym przysłał ekipę do sprzątania, gdy cię nie będzie. Sądziłem, że nie chciałabyś, bym powierzył im klucze, więc przyjechałem, żeby ich wpuścić do środka.

Nastąpiła chwila ciszy i Helen wyczuła wahanie Piper, choć nie znała jego przyczyny. Spodobał jej się głos mężczyzny.

Mówił z typowym dla Savannah akcentem, głębokim i ciepłym jak woda w stawie w środku lata.

— Nie przedstawisz mnie swoim przyjaciołom? — zapytał nieznajomy.

Piper znowu się zawahała.

— Przepraszam. Zaskoczyłeś mnie. George Baker, to doktor Tucker Gibbons i jego siostra Helen.

Poczuła, że Tucker podaje George'owi rękę, więc zrobiła to samo. George miał gładką skórę, długie palce i stanowczy uścisk dłoni. Uśmiechnęła się do niego wesoło.

— Bardzo mi przyjemnie — powiedziała. Uścisnął jej rękę trochę dłużej, niż było trzeba, a potem ją puścił. Stykała się z czymś takim, gdy ludzie zauważali, że jest niewidoma.

— Oni wiedzą, kim jestem, George. Powiedziałam im — odezwała się Piper.

— Och, co za ulga. — Mężczyzna zwrócił się do Tuckera i Helen. — Mówiłem jej, że to nie jest dobry pomysł, ale próbować coś wybić z głowy Earlene Mills to beznadziejna sprawa.

— Mówi pan do niej „Earlene"? — zapytała Helen.

— Owszem — włączyła się Piper. — To mnie irytuje, ale nie mogę go nakłonić, żeby przestał.

— Tak ma na imię, poza tym „Earlene" lepiej do niej pasuje niż „Piper". Nie ma tak nawet na drugie.

— To mnie właśnie zastanawiało — zauważyła Helen. — Skąd się wzięło imię Piper? Bo przecież nie pochodzi od Earlene?

Ruszyli przed siebie i Tucker dał jej znak, że są przed nimi schody, na które muszą wejść. Helen ze zdziwieniem poczuła, że George z drugiej strony ujmuje ją pod rękę.

— Nie — odpowiedziała Piper, która szła przed nimi, podzwaniając kluczami. — Dziadek zaczął mnie tak nazywać, gdy zauważył, że mam potencjał jako amazonka. Uważał, że to imię godne czempionki.

Helen poczuła, że Tucker znowu zesztywniał.

— I przygotował miejsce w salonie na dyplomy i trofea — dodał.

George przystanął i Helen się zorientowała, że dotarli do szczytu schodów. Usłyszała, że Piper przekręca klucz w zamku, otwiera drzwi i wchodzi do środka. Potem rozległy się jej kroki na drewnianej podłodze.

George zapytał ze zdziwieniem:

— Opowiadała ci o tym?

Tucker odezwał się po krótkiej chwili:

— Uhm. Owszem. Jej dziadek musiał być silną osobowością.

— Ale bardzo ją kochał. Tak jak umiał. Mój dziadek przyjaźnił się z obojgiem jej dziadków. Zawsze mówił, że Jackson Mercer to trudny facet, ale ma jeden słaby punkt... jest nim jego wnuczka.

— Będziecie tam stali przez cały dzień czy wejdziecie do środka? — Z wnętrza domu dobiegł głos Piper.

We troje nie zmieścilibyśmy się w drzwiach i Helen z rozbawieniem zauważyła, że George nie puszcza jej ramienia, co zmusiło Tuckera, aby się zatrzymał. George przeprowadził ją przez próg, pilnując, żeby się nie potknęła.

— Panno Gibbons, ta zielona sukienka pasuje do koloru pani oczu i mam wrażenie, że to nie przypadek. Miałem ciotkę, która straciła wzrok zaledwie po czterdziestce. Była bardzo atrakcyjną kobietą, która lubiła się ubierać, i uważała, że nie ma powodu, dla którego miałaby przestać to robić, tylko dlatego że przestała widzieć. Nauczyłem się od niej czegoś ważnego.

— Czego, panie Baker? — zapytała Helen, która z przyjemnością słuchała jego głosu.

— Że niewidomi widzą więcej, niż można by przypuszczać. I że ciotka dobrze wiedziała, gdzie ma walnąć torebką, gdy zdarzyło się przekląć w jej obecności. Ta kobieta niczego nie przeoczyła.

Helen się roześmiała. Przypomniał jej się fragment z albumu Malily o tym, jak babcia tańczyła z Charliem i że było to niezapomniane przeżycie. Pomyślała, że rozumie to teraz.

— Proszę mówić do mnie po prostu „Helen".

— Tylko jeśli pani będzie zwracać się do mnie „George".

Tucker dotknął jej ramienia.

— Przepraszam, że przeszkadzam, ale Piper chce nas zaprowadzić na strych. Schody są strome, więc weź mnie pod ramię.

Pozwoliła bratu objąć przewodnictwo, pragnąc, żeby George powiedział coś jeszcze, bo miała ochotę go słuchać. W domu pachniało starością i stęchlizną, w powietrzu czuć było też woń mydła oliwkowego i kurzu. Schody jęczały jak stara kobieta i Helen chciała poprosić Piper, żeby otworzyła okna i wywietrzyła pokoje. Tucker opisywał jej kolejne pomieszczenia odchodzące od wąskiego korytarza, którym szli, ale nie musiał tego robić. Mogła sobie wyobrazić antyczne meble, wyfroterowaną twardą klepkę na podłodze, staroświeckie obicia, kwieciste zasłony. Rozumiała, dlaczego Piper traktuje ten dom jedynie jako miejsce do spania; jej życie wykraczało poza te ściany.

Tucker przepuścił ją przodem, gdy doszli do schodów na strych, bo były jeszcze węższe i bardziej strome niż poprzednie, ale nie była pewna, czy rzeczywiście miał na względzie jej bezpieczeństwo, czy chciał tylko zwiększyć dystans między nią a George'em.

Zorientowała się, kiedy dotarli na strych, bo gdy przekroczyli jego próg, uderzyło ją panujące tam gorąco.

— Poczekajcie. Otworzę okna — powiedziała Piper i sądząc po krokach, podeszła do przeciwległej ściany.

— Może powinnaś pomyśleć o zainstalowaniu klimatyzacji, Earlene, zwłaszcza jeśli nadal zamierzasz używać tego pomieszczenia jako składziku. Są tu wszystkie twoje nagrody i trofea, a chyba nie chcesz, żeby uległy zniszczeniu pod wpływem temperatury i wilgoci — zauważył George, gdy wreszcie stanął między Tuckerem a Helen.

Brat oddalił się od niej.

— Wspaniała kolekcja, Piper. — Helen usłyszała, że otwierają się drzwiczki jakiejś szafki. — Świetne to twoje zdjęcie na okładce „Eventing". — Odchrząknął. — „Piper Mills zdobywa pierwszą nagrodę, Rolex Grand Slam" — przeczytał na głos.

George zwrócił się do Helen:

— To za kolejne zwycięstwa w Kentucky, Badminton i Burghley. Dokonała tego jako pierwsza.

— Oczekiwano, że Fitz i ja powtórzymy to w dwa tysiące czwartym roku i wejdziemy do drużyny olimpijskiej — dodała Piper.

— Ale miałaś wypadek — dopowiedział cicho Tucker.

— Uhm. Na Kentucky Rolex Three-Day, podczas biegu przełajowego. Popełniłam głupi błąd. — Piper mówiła to dziwnie lekkim tonem, jakby nie czuła już żalu i zawodu, ale jeszcze zupełnie się ich nie pozbyła. Przeszła przez strych i Helen usłyszała, że zamknęła drzwiczki szafki ze stanowczym trzaśnięciem.

— To niewiarygodne, że udało mi się namówić taką czempionkę, aby uczyła moje córki jazdy konnej — zażartował Tucker, ale było słychać, że jeszcze nie całkiem przebaczył Piper.

— Nie mówiłaś mi o tym, Earlene. Nie mieści mi się w głowie, że dobrowolnie zgodziłaś się zbliżyć do konia — zauważył George.

Helen usłyszała, że Piper obchodzi strych i otwiera okna, żeby go wywietrzyć. Twarz Helen owiało ciepłe powietrze i zwróciła się ku niemu.

— To... skomplikowane, George. Nie chcę o tym teraz rozmawiać. — Dziewczyna szarpnęła okno i je otworzyła, powodując przeciąg. — Lepiej pokażmy Helen i Tuckerowi, co odkryliśmy.

George poprowadził Helen do przodu.

— Odsunęliśmy szafę i znaleźliśmy za nią te drzwi — wyjaśnił. — Pan Morton, mój dziadek, przekazał Piper klucz do nich dzień po śmierci jej dziadka. Na jego polecenie. Pewnie nie chciał odpowiadać na ewentualne pytania wnuczki.

— A może po prostu nie znał odpowiedzi — zauważył Tucker, przechodząc za nim przez próg i wkraczając do dusznego pomieszczenia. — Niewykluczone, że spełnił prośbę żony.

W sekretnym pokoiku było jeszcze goręcej, ale Piper nie podeszła do okna, żeby je otworzyć, jakby chciała wyjść stąd szybko.

— Co tu jest? — zapytała Helen. Przytknęła dłoń do nosa, żeby wyczuć coś jeszcze poza wonią kurzu, która unosiła się w małym pomieszczeniu.

Piper wyjaśniła rzeczowym tonem:

— Małe pojedyncze łóżko, bez pościeli. Obok niego stolik z miską i dzbankiem, no i pusta komoda. — Urwała i głośno przełknęła ślinę. — Za drzwiami stoi wiklinowe łóżeczko dziecięce, w którym znalazłam robiony na drutach kocyk. Wydziergano go z tej samej włóczki co sweterek, który odkryłam w kufrze babci. Pod oknem znajduje się koszyk ze starymi czasopismami. — Helen usłyszała szelest papieru. — Na górze leży „Good Housekeeping" z trzydziestego dziewiątego roku, a pod nim magazyn „Life" z trzydziestego siódmego.

Tucker wyminął Helen, która usłyszała, że obrócił się, lustrując pomieszczenie.

— Nigdy nie widziałem żadnego z tych pomieszczeń; tylko o nich czytałem.

— Jak to? — zapytał George, poklepując dłoń Helen, która spoczywała w zgięciu jego łokcia.

— To pokój wstydu. Powiedział mi o nich wspólnik, z któ-

300

rym prowadzę gabinet lekarski... psychiatra. To pomieszczenie, w którym trzymano ułomne dzieci... upośledzone pod względem fizycznym albo umysłowym. Karmiono je i ubierano, ale nie wypuszczano ich na zewnątrz, tak że pozostawały w ukryciu i nikt o nich nie wiedział.

— Jak Margaret Louise — wtrącił George. — Prowadziłem dla Piper pewne poszukiwania i trafiłem na jej nazwisko. Widnieje w rodzinnej Biblii, urodziła się w tysiąc osiemset dziewięćdziesiątym ósmym roku, ale poza tym nie ma śladu jej istnienia. Być może to pomieszczenie stworzono dla niej i członkowie rodziny o tym wiedzieli. To wyjaśniałoby obecność łóżeczka dziecięcego i kocyka. Jeszcze nie zdążyłem przejrzeć rejestru pochówków na miejscowych cmentarzach, ale chyba zacznę od Bonaventure Cemetery.

— Dostać się do ich rejestrów nie będzie trudno — zauważyła w zamyśleniu Piper. — Przede wszystkim jednak chciałabym porozmawiać z panem Mortonem. Myślę, że wie znacznie więcej o tym wszystkim, niż można by przypuszczać. Dziś rano zobaczyłam go na zdjęciu w babcinej części albumu. Zdaje się, że działał z nią i Freddiem Montetem w tutejszym oddziale NAACP.

Helen odwróciła się w stronę drzwi, przez które weszła, i przesunęła ręką po drewnie.

— Po tej stronie nie ma gałki.

— Nie ma i nie miało być — potwierdził Tucker. — Pokój wstydu to eufemistyczne określenie celi więziennej.

Helen zrobiła kilka kroków na prawo i dotknęła wiklinowego łóżeczka.

— Jakiego koloru był kocyk?

— Niebieskiego, tak jak sweterek, który znalazłam w kufrze — odrzekła Piper.

Tucker podszedł do siostry. Zapytał z niepokojem:

— Ale jaki to wszystko ma związek z Malily?

301

Gorące powietrze nagle przytłoczyło Helen, jakby w sierpniowy dzień na jej ramiona opadł zimowy płaszcz. Ale nie chodziło tylko o upał; wyczuwała w tym pokoju coś jeszcze, co ją niepokoiło. Może była to wina obrazu, który miała w głowie — wizji gołego materaca i pustego łóżeczka; a może panującej tu atmosfery rozpaczy.

— Nie bardzo wiem — odparła Piper. — Mam tylko listy, które napisała do niej moja babcia, prosząc ją o wybaczenie czegoś. Jeszcze nie rozmawiałam o tym z Lillian, ale Helen miała już okazję i obie sądzimy, że nie powie nam nic więcej z tego, czego byśmy pragnęły się dowiedzieć. Nie chce wyjawić swojej historii... tej, o której jest mowa w albumie. Zarówno jej zapiski, jak i zapiski mojej babci kończą się przed znalezieniem dziecka w rzece. Co oznacza, że dowiemy się wszystkiego, tylko jeśli Lillian zechce nam o tym powiedzieć.

— Pytałaś o to swoją babcię? — zapytał Tucker z napięciem w głosie.

— Nie zdążyłam. Mieszkałam w tym domu razem z dziadkiem przez prawie sześć lat i nie przyszło mi do głowy, żeby zajrzeć do jej kufra ani zapytać ją o przeszłość, dopóki dziadek nie umarł. Zabrałam sweterek do domu opieki, w którym przebywała babcia, i jej pokazałam. Miałam wrażenie, że go rozpoznała. I... rozpłakała się.

— Powiedziała coś? — zapytał Tucker.

— Tak. Powiedziała: „On odszedł".

Tucker podszedł do Piper.

— I to wszystko? Nie mówiła nic więcej?

Ze łzami w głosie Piper odparła:

— Właściwie tak. Powiedziała coś o... tym, że każda kobieta powinna mieć córkę, żeby opowiedzieć jej swoją historię. Potem wyszłam. A dwa dni później umarła.

Helen zrobiło się słabo od atmosfery panującej w pokoju. Oczywiście znała te słowa. Takie same usłyszała od swojej babci. W tej układance brakowało tak wielu elementów, że trudno było skupić się na jednym. Jeszcze raz dotknęła łóżeczka, jakby mogło kryć wyjaśnienie zagadki albo przynajmniej jakiś trop, który pomógłby ją rozwiązać. Pociągnęła palcami wystającą gałązkę wikliny i wyciągnęła ją na zewnątrz. Czego tu brakuje? — zadała sobie pytanie, zastanawiając się, dlaczego ta wiklina ma dla niej takie znaczenie. Nagle przyszła jej do głowy odpowiedź, która ją poruszyła.

Zwróciła się do Piper:

— A co z Josie? Zupełnie o niej zapomniałyśmy... pewnie dlatego, że nie mamy jej zapisków z albumu. A przecież była w to tak samo zaangażowana jak Malily czy Annabelle. Była Mulatką, ale miała ciemną skórę; czy to nie mogło być jej dziecko? Może we trzy zawarły pakt, że nie powiedzą nikomu o tym, co się zdarzyło. Dlatego rozdarły album i rozeszły się w różne strony.

— To możliwe — stwierdziła Piper. — Josie wyjechała do Nowego Jorku mniej więcej w tym czasie, gdy zamieszczono notatkę w gazecie. Ale już nie żyje. I to moja babcia napisała do Lillian, prosząc ją o wybaczenie jakiegoś nieznanego grzechu. W jej listach nie ma wzmianki o Josie.

Helen ponownie odwróciła się do Piper.

— Może Josie miała dzieci... córkę. I opowiedziała jej tę historię.

— A może to wszystko nie ma żadnego związku — włączył się Tucker z nadzieją w głosie. Można było odnieść wrażenie, że nie chciałby, aby jego babcia miała coś wspólnego z czymś tak okropnym jak pomieszczenie, w którym ukrywano upośledzone dzieci, ani z dzieckiem znalezionym w rzece Savannah. Ani żeby Susan dowiedziała się o tym i żeby ta wiedza doprowadziła ją do samobójstwa.

— Wobec tego mam dzisiaj czym się zająć — podsumowała Piper. — W bibliotece przy Bull Street znajduje się sala poświęcona historii Savannah. Są też archiwa, w których mogę znaleźć więcej informacji o Josie. Potem wybiorę się do Georgia Historical Society w Hodgson Hall przy Whitaker Street i sprawdzę, czy jest tam coś na temat mojej babci i Josie, poszukam też innych wzmianek prasowych o znalezieniu zwłok dziecka w rzece.

George wystąpił do przodu.

— Earlene, daj spokój. Nie jesteś sama. Masz trzy pary rąk do pomocy, nie zapominaj o tym. Może podzielimy się tymi zadaniami? Helen i ja pojedziemy na przykład do biblioteki, a Tucker pójdzie z tobą do Hodgson Hall. Dzięki temu odwalimy robotę w znacznie krótszym czasie. Jeśli nam powiesz, czego mamy szukać.

Helen odwróciła głowę, bo nie chciała, żeby widziano wyraz jej twarzy. George powiedział „trzy pary rąk do pomocy", nie „dwie". Złożyła dłonie, choćby po to, żeby nie zrobić jakiegoś głupstwa, na przykład się nie rozpłakać.

— Dobrze — odparła Piper. — Jeżeli wszyscy się zgadzają, możemy tak zrobić.

Tucker i Helen mruknięciem wyrazili aprobatę.

— No to do roboty — zaproponował George. Położył Helen rękę na ramieniu i wyprowadził ją z małego pokoju.

Za drzwiami zaczekali na Tuckera i Piper. Potem Helen jeszcze przystanęła, odwracając się lekko w stronę sekretnego pokoju. Odniosła wrażenie, że coś usłyszała, coś, co brzmiało jak płacz dziecka, ale mógł to być ptak w kominie albo skrzypiący okap na dachu starego domu.

Wzdrygnąwszy się, odwróciła głowę i pozwoliła George'owi sprowadzić się ze strychu. Cały czas myślała jednak o pokoiku, w którym kryło się więcej tajemnic, niż można by przypuszczać.

ROZDZIAŁ 19

Tyle razy pokonywałam drogę z domu przy Monterey Square do Forsyth Park, że mogłabym ją przejść z zamkniętymi oczami. W moich pierwszych latach pobytu w Savannah, gdy dopiero zaczynałam poznawać sekrety ogrodnictwa, babcia zabierała mnie do parku na oglądanie kwiatów. Nie przyglądałyśmy się im jak botanicy, zainteresowani sposobami ich rozmnażania się czy przetrwania w letnim upale. Patrzyłyśmy na nie jak fotografowie, skupiając się na cechach charakterystycznych — przypominającym muszlę wnętrzu, drobnych żyłkach w delikatnych płatkach, cienkich jak pajęczyna pręcikach, których większość ludzi w ogóle nie dostrzega. Ale o pięknie kwiatu decydują wszystkie te elementy i babcia oraz ja uśmiechałyśmy się do siebie, świadome wspólnej wiedzy tajemnej o tym wspaniałym świecie, który istniał jakby tylko dla nas.

Tucker i ja szliśmy w milczeniu, skupieni na tym, żeby nasze ramiona się nie zetknęły. Gdy minęliśmy róg parku u zbiegu Gaston i Whitaker Street, Tucker wreszcie się odezwał.

— Czy ty i George jesteście...?

Prawie się zakrztusiłam.

— Nie. O nie. On pewnie by chciał, ale cóż, nie. Gdybym

miała brata, prawdopodobnie czułabym do niego właśnie coś takiego, co czuję do George'a. Jest miły, ale nie ciągnie mnie do niego.

Chcąc zmienić temat, zwróciłam się do Tuckera:

— Doceniam, że mi pomagasz. Wiem, że pewnie wolałbyś być teraz gdzie indziej.

Zwolnił kroku.

— Och, proszę, nie rób ze mnie jakiegoś bohatera. Mam swoje powody.

— Wiem. Chodzi ci o Susan. Ale i tak cię podziwiam.

Zatrzymał się, więc ja też przystanęłam i oboje staliśmy naprzeciwko siebie na chodniku.

— Dlaczego?

Nie musiałam zastanawiać się nad odpowiedzią.

— Bo codziennie wstajesz z łóżka. Bo się starasz. Bo kochasz Lucy i Sarę, chociaż nie bardzo wiesz, jak im to okazać. Bo ci się chce.

Popatrzył na mnie. Oczy mu pociemniały i już pomyślałam, że znowu go czymś zirytowałam. Ale w końcu odrzekł:

— Mógłbym powiedzieć to samo o tobie, Piper Mills.

Zamrugałam ze zdziwieniem i odwróciłam wzrok, a potem ruszyłam w stronę Hodgson Hall. Chwilę później Tucker mnie dogonił.

Byłam stałym bywalcem Georgia Historical Society w minionych latach, gdy usiłowałam pogrzebać swoje dawne życie, odgrywając genealoga. Tucker i ja weszliśmy po znajomych szerokich schodach z brunatnego piaskowca, otoczonych ciężką krętą balustradą, i stanęliśmy przed potężnymi mahoniowymi drzwiami w portyku z dwiema kolumnami.

Kiedy wkroczyliśmy do holu o wysokim na trzy piętra sklepieniu, Tucker przystanął i uniósł głowę.

— Chyba poważnie traktują tu historię — zauważył. Podążyłam za jego wzrokiem i spojrzałam na ścianę nad wejściem, gdzie wyryto złotymi literami w czerwonym cętkowanym marmurze: „Nie zezwala się w tych murach na jedzenie, picie, palenie ani zabawy".

Przytknęłam palec do ust.

— Ciii. Bo nas wyproszą.

Uniósł brew, a potem przewrócił oczami, jakby przedrzeźniał Lucy, i z trudem stłumiłam śmiech. Pokręciłam głową i zaprowadziłam go do rejestracji. Pokazałam legitymację i wpisałam się do księgi.

Miałam kartę biblioteczną i wcześniej, po przejrzeniu katalogu w internecie, zamówiłam interesujące mnie pozycje, tak że już na mnie czekały. Wzięłam więc laptopa — była to jedna z niewielu rzeczy, które można było wnieść do czytelni — i razem z Tuckerem przecięłam główną salę o dużych, sklepionych oknach, zaprojektowanych w czasach, gdy nie było dobrego sztucznego światła ani wentylacji. Potem udaliśmy się do czytelni, usiedliśmy przy jednym z czterech dużych stołów z solidnego orzechowego drewna na żelaznych nogach i spojrzeliśmy na siebie ponad pudłami i teczkami, które dla nas przygotowano.

— To co teraz? — zapytał Tucker.

Podsunęłam mu pierwsze z dużych pudeł.

— Te pudła należą do prywatnych zbiorów, które się tu znajdują. Poprosiłam o nie, bo zawierają wycinki prasowe i nekrologi od tysiąc dziewięćset dwudziestego piątego do sześćdziesiątego roku. Przejrzyj je, zwracając uwagę na nazwiska: Montet, O'Hare, Harrington i Ross... Chodzi o wszelkie informacje związane z narodzinami albo ze śmiercią. W wyniku wstępnych poszukiwań internetowych ustaliłam datę zgonu Josephine, ale tylko dlatego, że była stosunkowo znana. Nie mogę jednak znaleźć żadnych informacji o jej dacie urodzenia i zupełnie nic na temat Freddiego, co może wskazywać, że oficjalnie używał innego nazwiska. W każdym razie, gdy już ustalimy, że szukamy odpowiedniej osoby, przejrzymy nekrologi prasowe na mikrofilmach. Tu znajdziesz wszystkie interesujące nas dane... dotyczące nie tylko Josie, lecz także całej jej rodziny: gdzie mieszkali, gdzie zostali pochowani.

Zmarszczył czoło.

— A ty czym się zajmiesz?

— Pójdę na górę i przejrzę mikrofilmy. Mają tu świadectwa zgonów od tysiąc dziewięćset dziewiętnastego do tysiąc dziewięćset dziewięćdziesiątego czwartego roku, więc na pewno na coś trafię... zakładając, że będę szukała właściwego nazwiska.

Wciąż na mnie patrzył.

— Znasz się na tym. Robiłaś to już nieraz.

Kiwnęłam głową.

— Musiałam się czymś zająć.

Tucker zmierzył wzrokiem stojące przed nim pudła.

— O której godzinie zamykają bibliotekę?

— O piątej. O wpół do piątej przychodzą i proszą, żeby kończyć. Są bardzo zasadniczy, jeśli o to chodzi.

Przysuwając do siebie pudełko, Tucker stwierdził:

— To lepiej wezmę się do roboty.

Skierowałam się do katalogu mikrofilmów i wziąwszy te, które odpowiadały potrzebnym mi datom, pracowałam w ciszy przez kilka godzin, łącznie z porą lunchu. Mój żołądek protestował głośno, ale nie chciałam przerywać. Nie bałam się już, że odkryję historię babci; po prostu pragnęłam ją poznać. W ciągu ostatnich kilku miesięcy zaczęłam patrzeć na swoją apatię w minionych latach mniej fatalistycznie, już nie widziałam w niej czegoś nieuniknionego, uwarunkowanej genetycznie reakcji na porażkę. Poznając przeszłość babci, zdałam sobie sprawę, ile cech po niej odziedziczyłam i że moja ciekawość, dążenie do tego, aby jak najszybciej poznać prawdę, miały wiele wspólnego z energią, którą ona przejawiała jako młoda kobieta.

Znowu zaburczało mi w brzuchu i pomyślałam o batonie z muesli, schowanym w kieszeni swetra, który nałożyłam, żeby nie zmarznąć w klimatyzowanych pomieszczeniach. Ale zapałowi, z jakim pracownicy biblioteki dbali, by dzięki arktycznej temperaturze goście nie zasnęli, dorównywała skrupulatność, z jaką nie dopuszczali, żeby na rzadkie rękopisy i inne dokumenty spadł chociaż okruszek. Wiedziałam, że na najcichszy szelest opakowania wyłonią się z zakamarków budynku, aby wyrzucić mnie na chodnik.

Wróciłam więc do pracy, mrugając szybko zmęczonymi oczami i wzdychając z frustracją, gdy zdałam sobie sprawę, że zostały jeszcze tylko dwie godziny do zamknięcia. Przejrzałam rejestr zgonów, ale niewiele mi to dało poza tym, że poznałam daty śmierci ojców Lillian i Annabelle. Nie znalazłam jednak nic na temat Josie ani Freddiego, choć dowiedziałam się, kiedy umarła ich matka.

Jedyną alternatywą, która przychodziła mi do głowy, było określenie z grubsza roku, w którym mógł urodzić się Freddie, i przejrzenie świadectw urodzenia z tamtego czasu w nadziei, że moje przypuszczenia okażą się trafne.

Dochodziło wpół do piątej, gdy się zatrzymałam. Mój palec zawisł nad kartką z nazwiskami zmarłych. Zwróciłam uwagę na kobietę, która miała pięć nazwisk; albo nadano je jej przy urodzeniu, albo kilka razy wychodziła za mąż. Wtedy wpadłam na pomysł, jak znaleźć Josie i Freddiego. Szybko odsunęłam od siebie ten rejestr i przyciągnęłam inny, z 1981 roku, czyli tego, w którym zmarła Justine.

Otworzyłam księgę — i odnalazłam jej nazwisko pod „M". Z moich doświadczeń w poszukiwaniach genealogicznych wynikało, że niezamężne matki używały różnych sztuczek przy rejestracji dziecka w urzędzie, aby ukryć tożsamość biologicznego ojca albo chronić własną rodzinę przed skandalem. Przeważnie dawały niemowlęciu na nazwisko swoje drugie imię albo nazwisko panieńskie swojej matki. Było to zgodne z prawem i nie budziło niczyich podejrzeń.

Jeszcze raz przeczytałam dane personalne Justine. Na drugie imię miała Marie, a nazwisko panieńskie jej matki brzmiało Latrobe. Sprawdziwszy, czy nikt na mnie nie patrzy, wyjęłam zabroniony tu telefon komórkowy i wysłałam Tuckerowi SMS: „Szukaj także pod nazwiskiem Latrobe". Znowu zerknęłam na zegarek, szybko przysunęłam sobie księgę z rocznikiem urodzin Josie, czyli 1918, i otworzyłam ją na „L".

Do stołu podeszła pracownica biblioteki.

— Za piętnaście minut zamykamy. Może pani zostawić książki na stole, ale proszę już kończyć. — W jej uśmiechu kryła się groźba, że jeśli nie wyjdziemy pięć minut przed piątą, zostaniemy zamknięci razem z dokumentami w lodowatej bibliotece.

Skinęłam głową, a potem szybko wróciłam do rejestru, szukając nazwiska Latrobe. Wiedziałam, że po naszym wyjściu te wszystkie informacje nie znikną, ale żeby je uzyskać, musiałabym czekać jeszcze dwa dni, do wtorku, kiedy ponownie otworzą bibliotekę. Chociaż do tej pory się nie spieszyłam, teraz zrobiłam się niecierpliwa.

Prawie osłabłam z ulgi, gdy wreszcie znalazłam to, czego szukałam. W drzwiach czytelni stanęła ta sama bibliotekarka.

— Zamykamy. Proszę wychodzić.

Wstałam i szybko przebiegłam wzrokiem interesujące mnie informacje. Nie miałam czasu, żeby porobić notatki w laptopie, musiałam zdać się na własną pamięć. Na chwilę zaparło mi dech w piersiach, gdy rozpoznałam znajome nazwisko.

— Na dole jest mój znajomy — wyjaśniłam. — Pójdę tylko po niego i wyjdziemy razem. — Nie czekając na odpowiedź, ruszyłam w stronę schodów.

Tucker wstał, gdy weszłam, i uśmiechnął się szeroko.

— Załatwione? Bo jeśli nie, możemy tu wrócić we wtorek.

Spojrzałam na niego tępo. Irracjonalnie pomyślałam, że światła na suficie, które właśnie wyłączano, powinny świecić jaśniej albo przynajmniej błyskać, żeby zasygnalizować moje odkrycie.

Tucker wziął mnie pod rękę i zostaliśmy odprowadzeni do wyjścia przez dwóch pracowników i strażnika, który demonstracyjnie zadzwonił kluczami, po czym zamknął za nami drzwi. Stanęłam za progiem biblioteki, bo chciałam jak najszybciej podzielić się sensacyjną informacją, którą zdobyłam.

Odwróciłam się do Tuckera i ujęłam go za ramiona.

— Ojcem Josie i Freddiego był Leonard O'Hare. Jako lekarz sam wystawił świadectwo urodzenia, żeby nikt o tym nie wiedział. Josie i Freddie byli więc przyrodnim rodzeństwem Annabelle.

Uniósł obie brwi, a potem pociągnął mnie za rękę.

— Chodźmy. Ja chyba też coś znalazłem, ale wolałbym, żeby inni tego nie wiedzieli.

Zeszłam z nim po schodach i niecierpliwie podążyłam w ślad za nim do Forsyth Park. Wreszcie Tucker zatrzymał się przy ławce obok fontanny. Rozejrzał się wokół i powiedział:

— Usiądźmy.

Usiadłam i czekałam, żeby się do mnie przyłączył. Musieliśmy iść dość szybko, bo byłam trochę zdyszana, ale ze zdziwieniem zauważyłam, że kolano wcale mnie nie boli. Zaczęłam się zastanawiać, czy ćwiczenia, do których zmuszała mnie Emily, nie przynoszą jednak skutku.

— Myślisz, że Lillian wiedziała o Josie i Freddiem? — zapytał.

— Nie, jestem prawie pewna, że nie. Chyba będziemy musieli jej powiedzieć. — Zmrużyłam oczy, patrząc na niego w jaskrawym świetle słonecznym. — Ale ty też coś znalazłeś.

Odczekał chwilę, a potem wsunął rękę do kieszeni i wyjął pożółkły wycinek z gazety.

— Ukradłeś coś z archiwum! — Mój gniewny ton zwrócił uwagę kilku przechodniów, którzy spojrzeli w naszą stronę.

— Ciii — syknął Tucker. — Tylko pożyczyłem. Obiecuję, że będę tu punktualnie o dziesiątej rano we wtorek, żeby to odłożyć na miejsce. Ale za dużo tu informacji, żebym mógł je zapamiętać, a nie miałem czasu, żeby wszystko zanotować.

— Jeśli się zorientują, nigdy więcej mnie nie wpuszczą. — Starałam się zapanować nad ciekawością, ale daremnie. — Więc co to jest?

— Hm, gdy dostałem od ciebie SMS, od razu przystąpiłem do działania. Mój kolega ze szkoły medycznej nazywał się Latrobe, więc znalazłem teczkę z tym nazwiskiem i przejrzałem ją całą, żeby sprawdzić, czy to ta sama rodzina. Okazało się, że nie, ale to, co w niej odkryłem, zrobiło na mnie wrażenie. — Podał mi wycinek z wyrazem satysfakcji na twarzy. — To było w teczce. Musiało się tam znaleźć przez przypadek, z powodu nazwiska.

Uśmiechnęłam się. Wobec zapowiedzi kolejnego odkrycia przeszło mi poczucie winy. Wzięłam wycinek i wstrzymując oddech, zaczęłam czytać. Był to nekrolog Justine Marie Montet, która zmarła 25 maja 1981 roku i została pochowana na Laurel Grove Cemetery w Savannah. Wcześniej straciła syna, Frederica Latrobe'a, i córkę, Josephine Montet, mieszkającą w Nowym Jorku. Zostawiła po sobie wnuczkę, Alicję Montet Jones, zamieszkałą przy Tattnall Street w Savannah.

Spojrzałam na Tuckera.

— Josie miała córkę, która mieszkała w Savannah, i może nadal mieszka. — Zwróciłam się w stronę ulicy, gotowa ruszyć na dalsze poszukiwania.

— Więc mi wybaczasz? Bo jeśli tak, to mam coś jeszcze.

Mój gniew zniknął całkowicie. Wyciągnęłam rękę.

— Pokaż.

Wyjął spod koszuli coś, co wyglądało na fotokopię oficjalnego dokumentu. Przynajmniej go nie złożył i nie wsadził do kieszeni.

— Przypięto to do nekrologu Justine.

Było to świadectwo zgonu Freddiego. Spojrzałam na datę urodzenia i śmierci, żeby sprawdzić, czy odpowiada to temu, co o nim wiedzieliśmy, a potem przesunęłam wzrokiem po tekście dokumentu, ciekawa, dlaczego Tucker go „pożyczył".

— Spójrz na przyczynę zgonu — podpowiedział mi.

Odnalazłam właściwą rubrykę.

— Samobójstwo. Przez powieszenie. — Na chwilę przymknęłam oczy i pokręciłam głową. — Miał zaledwie dwadzieścia sześć lat. Co takiego się stało, że postanowił się zabić?

— Piper, to była Georgia trzydziestego dziewiątego roku, a on miał czarny kolor skóry. Możliwe, że sam się nie zabił. Twoja babcia wspomina w albumie, że zajmował się rejestrowaniem czarnych wyborców. Wtedy za mniejsze przewinienie można było stracić życie.

Z mętlikiem w głowie wyprostowałam się na ławce.

— A córka Josie... jak ona się nazywa?

— Alicia Jones.

— Musimy sprawdzić, czy wciąż tu mieszka... Powinno być łatwiej, bo znamy nazwę ulicy. Wiem, że kuszę los, ale zajrzyjmy do książki telefonicznej, może w niej figuruje. Jeśli nie, poszukam jej w internecie. Nie lubię płacić za takie informacje, ale jeśli już muszę, to znam dobre źródło.

Tucker się podniósł i podał mi rękę. Przyjęłam ją i z jego pomocą wstałam.

— Jesteś w tym niezła, Piper.

— Dzięki. — Jego pochwała sprawiła mi dziwną radość. — To przeważnie nudne, żmudne zajęcie, ale od czasu do czasu trafia się jakaś zagadka do rozwiązania i wtedy staje się całkiem interesujące.

Tucker nie ruszył się z miejsca.

— Mam wrażenie, że byłabyś dobra we wszystkim, czym byś się zajęła.

Odwróciłam wzrok, zmieszana.

— Chodźmy. Wrócimy do domu, żeby sprawdzić, czy Helen i George już tam są, i razem spróbujemy odnaleźć Alicię Jones.

Przeszliśmy krótkie przecznice do Taylor Street i po drodze ani razu nie pomyślałam, że jest gorąco albo że boli mnie kolano. Byłam zbyt zajęta analizowaniem tego, co powiedział Tucker: „Mam wrażenie, że byłabyś dobra we wszystkim, czym byś się zajęła".

Prawie wbiegłam po schodach, gdy doszliśmy do domu, a potem niecierpliwie wyjęłam klucze, żeby wejść do środka. Helen się śmiała czy raczej chichotała w salonie i kiedy do niego wkroczyłam, zobaczyłam, że siedzą razem z George'em na kozetce i trzymają się za ręce. Nie mieli nawet na tyle przyzwoitości, żeby na nasz widok je rozłączyć.

— Hej, Earlene, Tucker. Już się zastanawialiśmy, gdzie się podziewacie. Właśnie opowiadałem Helen o kilku moich sprawach sądowych, niektóre z nich są całkiem zabawne. — Poklepał Helen po ręce i wstał. — To co? Dowiedzieliście się czegoś ciekawego?

Padłam na fotel babci.

— O tak. Odkryłam, że Josie i Freddie byli przyrodnim rodzeństwem mojej babci. Zdaje się, że pradziadek przez wiele lat żył z ich matką i dla zachowania pozorów zatrudniał ją jako gospodynię.

— Ciekawe, czy Malily o tym wiedziała — rzuciła Helen, ściągając brwi.

— Z tego, co czytałam w jej części albumu, wynika, że nie — odparłam. — Ale najlepiej ją zapytam. Może powie mi coś więcej.

Tucker usiadł przy mnie na fotelu dziadka, tym zwróconym w stronę pustej ściany na trofea.

— Musisz wziąć ze sobą Helen. Malily nie potrafi jej niczego odmówić.

Kiwnęłam głową i spojrzałam na George'a.

— A ty i Helen znaleźliście coś nowego?

George uśmiechnął się do mnie z satysfakcją.

— A tak. Musisz wiedzieć, że tworzymy całkiem niezły zespół. Helen świetnie robi notatki i ma doskonałą pamięć. Powiedziałem jej, że powinna zatrudnić się w kancelarii prawniczej, tam mogłaby wykorzystać swoje umiejętności.

Z trudem powstrzymałam się, żeby nie zgrzytnąć zębami.

— I czego się dowiedzieliście?

— Po przejrzeniu całych kilometrów mikrofilmów... co, jak wiesz, jest bardzo męczące dla szyi...

Helen położyła mu dłoń na ramieniu i wyjaśniła za niego:

— Znaleźliśmy świadectwo pochówku i numer grobu Margaret Louise na Bonaventure Cemetery. Została pochowana w tysiąc dziewięćset dwunastym roku, a czasopisma w pokoiku na strychu pochodzą z lat późniejszych, co znaczy, że służył on do innego celu, już po śmierci Margaret Louise.

— Znaleźliście jeszcze jakieś wzmianki o dziecku wyłowionym z rzeki? — zapytał Tucker.

George pokręcił głową.

— Nie. Archiwa „Savannah Morning News" są do niczego, jeśli chodzi o interesujący nas okres. Powódź zniszczyła lwią część ich zasobów tuż przed tym, jak utrwalono je na mikrofilmach. Relacje z ważniejszych wydarzeń, nekrologi i tym podobne można znaleźć w innych źródłach, ale nie drobne sensacje.

Przełknęłam rozczarowanie i skupiłam się na ostatniej informacji, jaką uzyskaliśmy.

— Trafiliśmy na nekrolog Justine, z którego wynika, że pozostawiła po sobie wnuczkę, córkę Josie, mieszkającą przy Tattnall Street. Jest szansa, że mieszka tam nadal, więc zamierzam jej poszukać. Najpierw sprawdzę w książce telefonicznej. — Wstałam i skierowałam się do kuchni.

Helen zatrzymała mnie.

— A znaleźliście coś na temat Freddiego?

Przystanęłam na progu.

— Dowiedzieliśmy się, że stracił życie w wieku dwudziestu sześciu lat. Według świadectwa zgonu popełnił samobójstwo przez powieszenie.

Policzki jej zbladły.

— Jakie to smutne. Gdy o nim czytałam, zaczęłam mieć wrażenie, jakbym go znała. Nie spodziewałam się... czegoś takiego.

— Ja też nie. Chociaż zdaniem Tuckera w tamtych czasach często znajdowano czarnych mężczyzn powieszonych, zwłaszcza takich jak Freddie. Pewnie nietrudno było znaleźć kogoś, kto by za pieniądze wpisał fałszywą przyczynę śmierci.

— Tak — odparła cicho — rzeczywiście. — George znowu wziął ją za rękę, a ja wyszłam z pokoju, żeby zadzwonić.

Książka telefoniczna leżała tam gdzie zawsze, na stołku ze stopniami służącym jako drabinka, pod starym aparatem telefonicznym z długim kręconym sznurem w kolorze musztardowym. Moi dziadkowie byli oszczędni; mimo że dobrze im się wiodło, nigdy nie wydawali pieniędzy na wymianę starego sprzętu, jeśli działał, jak trzeba.

Wzięłam grubą książkę, otworzyłam ją na „J" i szybko przesunęłam palcem po liście Jonesów, mamrocząc pod nosem ich imiona oraz nazwiska i jednocześnie sprawdzając adres. Wreszcie doszłam do „Jones A." przy Tattnall Street; nazwisko i inicjał wyglądały niepozornie, ale serce szybciej zabiło mi w piersi.

Podniosłam słuchawkę z widełek i przez chwilę trzymałam ją z dala od ucha, słuchając przeciągłego sygnału zgłoszenia, jakby to był głos z przeszłości. Potem wolno wykręciłam numer. Sygnał dzwonka wydał mi się niezwykle głośny, rozległ się pięć razy, zanim zgłosiła się automatyczna sekretarka. Było to standardowe nagranie, więc nie wiedziałam, czy dodzwoniłam się do tej osoby, do której chciałam. Po sygnale nagrałam wiadomość, wyjaśniając, że jestem wnuczką Annabelle O'Hare, która w czasach młodości przyjaźniła się blisko z Josie Montet, jeśli dodzwoniłam się do córki Josie, Alicii, bardzo proszę, aby się ze mną skontaktowała. Podałam numer swojej komórki, a potem się rozłączyłam. Przez dłuższy czas trzymałam jednak dłoń na słuchawce, wsłuchując się w ciszę panującą w kuchni i czując obecność babci.

Wszyscy spojrzeli na mnie wyczekująco, gdy wróciłam do salonu.

— Zgłosiła się automatyczna sekretarka, więc zostawiłam wiadomość. Chyba musimy zaczekać, zanim poczynimy dalsze kroki, może Alicia oddzwoni.

— A jeśli nie oddzwoni, zatrudnisz się jako jej gospodyni, żeby w ten sposób dowiedzieć się, co wie?

Tucker powiedział to z kamienną miną, ale gdy Helen zachichotała, uśmiechnął się łobuzersko.

— Przepraszam, ale nie mogłem się powstrzymać. — Wstał. — Czas wracać. Malily bardzo nie lubić jeść sama.

Helen wyjęła z torebki wizytówkę i podała ją George'owi.

— Zadzwoń do mnie — powiedziała do niego.

Podeszłam znowu do drzwi.

— Poczekajcie jeszcze piętnaście minut, dobrze? Muszę coś zrobić.

Poszłam do jeepa i wyjęłam odnóżki róż w wilgotnym ręczniku papierowym, które Lillian dała Helen. Zabrałam je do zapuszczonego ogrodu, zastanawiając się, gdzie je zasadzić. Wybrałam tylną ścianę, gdzie mogły rosnąć dziko, swobodnie, bez ograniczeń, bo tak chyba zrobiłaby babcia. Ogród był jedynym miejscem, w którym pozwalała sobie wracać do przeszłości.

Drzwi szopy były szczelnie zamknięte, ale udało mi się je otworzyć. Znalazłam babcine narzędzia ogrodnicze, łopatkę i rękawice. A nawet kapelusz z dużym rondem. Kapelusza nie wzięłam, ale włożyłam rękawice i gdy wciągałam je na palce o takim samym kształcie jak jej, poczułam dłonie babci na swoich. Zaatakowałam ziemię łopatką, zdarłam twardą wierzchnią warstwę i kopałam głębiej, żeby dotrzeć do wilgotnej gleby, odkryć jej sekrety. Umieściłam odnóżki w pewnej odległości od siebie, żeby, gdy wyrosną, miały przestrzeń, a potem obsypałam je ziemią, którą ubiłam, aby stały prosto.

Wiedziałam, że to nie koniec. Potrzebowały czegoś więcej, opieki, ukierunkowania. Pomyślałam, że może nawet będę musiała je przesadzić, gdy się zorientuję, jak pada słońce. Przysiadłam na piętach i przyjrzałam się zwiniętym pączkom, które przypominały oczy noworodka. Miałam świadomość, że zrobiłam coś słusznego. To był dobry początek — jak nauka chodzenia, zanim zacznie się biegać. Moja babcia jeździła konno i walczyła o prawa obywatelskie, pragnęła zostać lekarzem, ale ogród to było jej życie i przysięgłam sobie w duchu, że o nim nie zapomnę.

Schowałam do szopy łopatkę i rękawice. Zanim zamknęłam drzwi, dotknęłam kapelusza. Wyszłam przez furtkę ogrodową, ale wcześniej zatrzymałam się na chwilę, żeby spojrzeć na samotne pędy róż pod ścianą. Słońce późnego lata rzucało na nie głęboki cień, który przypominał most między jednym życiem a drugim.

ROZDZIAŁ 20

Gdy zapadła noc, Lillian siedziała w swoim fotelu przy oknie i słuchała krzyku lelka. Odsunęła od siebie tacę z niezjedzoną kolacją, którą przyniosła jej Odella, i rzuciła kawałek kurczaka Mardiemu, który trwał przy niej cierpliwie, jakby oboje czekali na powrót jeepa.

Tucker zadzwonił wcześniej, aby ją uprzedzić, że na autostradzie zdarzył się wypadek, więc zawrócili i zjedli kolację w Savannah. To nie miało dla niej znaczenia. Lillian już dawno temu straciła apetyt i jedzenie traktowała jedynie jak osłonę przed działaniem lekarstw i alkoholu, które pozwalały jej funkcjonować.

Pochyliła się i rozmasowała obrzmiałe knykcie. Czuła w kościach, że zanosi się na zmianę pogody — jak stare dęby w alei, które nigdy nie żółkły i nie traciły liści, lecz zapowiadały zbliżanie się jesieni w bardziej subtelny sposób: inaczej świszcząc w nocy i prawie niezauważalnie zmieniając położenie gałęzi. Można by odnieść wrażenie, że wyczuwając zimowe chłody, nachylały się coraz bardziej ku ziemi i do siebie nawzajem, aby stawić czoła temu, co miało nadejść.

Lillian westchnęła. Znowu zatęskniła za Charliem. Tylko on ją osłaniał, chronił przed burzą, nawet gdy wydawało jej się, że tego nie potrzebuje. Ostatnio dużo o nim myślała, choć nie wiedziała dlaczego. Odszedł przed prawie piętnastu laty i od tamtego czasu myślała o nim z taką nostalgią jak o sukience, której już się nie nosi, bo nie pasuje. Oczywiście, to wszystko przez album i wspomnienia, które przywołał — wspomnienia dobre i złe. A także to, co nie zostało w nim zapisane, lecz istniało przez lata w sposób równie stały i nieodwołalny jak konieczność życia dalej, gdy odeszli wszyscy, których się kochało.

Odwróciła głowę, bo usłyszała warkot zajeżdżającego pod dom samochodu; drzwi frontowe się otworzyły, a następnie zamknęły i na schodach rozległy się kroki. Uśmiechnęła się mimo lęku i poczucia nieuchronności pewnych spraw. Piper, nieodrodna wnuczka Annabelle, mimo niepełnosprawnej nogi, oczywiście nie korzystała z windy.

Zanim ktokolwiek zapukał, Mardi podbiegł do drzwi i wsadził nos w szparę, gdy tylko Lillian zawołała:

— Proszę wejść!

W progu stanęli Tucker, Helen i Piper — wyglądali jak dzieci wysłane do gabinetu dyrektora szkoły. To ją rozbawiło, bo uzmysłowiła sobie, że w gruncie rzeczy zamienili się rolami. To ona powinna się bać, nie oni.

Wskazała sofę oraz fotel obok siebie i wszyscy zajęli miejsca: Tucker i Piper na sofie, a Helen na fotelu. Mardi złożył łeb na jej kolanach.

Piper podała Lillian kartki z albumu.

— To dalsze zapiski mojej babci. Została mi już tylko jedna kartka. Jeszcze jej nie przeczytałam, ale przekażę ją, jak tylko to zrobię.

Lillian popatrzyła na nią ze zdziwieniem.

— Zwlekasz z tym? Boisz się tego, co tam znajdziesz?

Spojrzenie Piper wyrażało zaskoczenie, ale nie odwróciła wzroku.

— Nie. Już nie. Rzeczywiście, zwlekam, ale dlatego, że chcę się pożegnać. To ostatnia rzecz, jaka mi po niej została. — Sięgnęła ręką do szyi. — No, prawie ostatnia.

Ostrożnie rozpięła łańcuszek, a potem na niego spojrzała. Złote wisiorki zalśniły w świetle lampy.

— Lola chyba należy do pani.

Piper wstała i stanęła przed Lillian. Zaczekała chwilę, aż kobieta odczyta jej intencje. Lillian pochyliła się, a wtedy Piper zapięła jej łańcuszek na karku, potem cofnęła się i wróciła na sofę.

— Zrobiłam listę wisiorków, wraz z adnotacjami, kto je dodał i kiedy. Co do kilku wciąż nie jestem pewna... zakładam, że większość z nich dodała Josie, bo nie mieliśmy okazji przeczytać jej zapisków. Jeszcze nie.

— Jak to? — Lillian poczuła, że ją mdli.

— Chyba odnaleźliśmy jej córkę. Mieszka w Savannah. Jeśli to rzeczywiście ona, może ma kartki Josie.

Lillian wyprostowała się na fotelu.

— Alicia — szepnęła.

— Znasz ją? — zapytała Helen.

— Nie. Tylko o niej słyszałam. Śledziłam dalsze losy Josie. Wiem, że miała córkę, którą nazwała Alicia. — Uśmiechnęła się do siebie, bo przypomniała sobie, jak czytała zawiadomienie o narodzinach dziecka. — Tak mam na drugie imię. Zawsze myślałam, że Josie w ten sposób daje mi znak, że o mnie nie zapomniała.

— Ale nie kontaktowałaś się z nią?

Lillian znowu poczuła rwanie w knykciach i je roztarła, wiedząc, że to nic nie da, że ból pozostanie.

— Nie. Rozstałyśmy się raz na zawsze. Nie próbowałyśmy się ze sobą kontaktować.

Piper pochyliła się i oparła łokcie na kolanach.

— Czy to Josie dodała wisiorek w kształcie wózka dziecięcego?

Jak łatwo byłoby odpowiedzieć, że tak. Ale Lillian pokręciła głową, choć ten wysiłek wiele ją kosztował.

— Nie. Alicia urodziła się w tysiąc dziewięćset pięćdziesiątym roku, a my przestałyśmy dodawać wisiorki do Loli w trzydziestym dziewiątym, gdy rozdarłyśmy album.

— Więc kto to zrobił?

Lillian zacisnęła dłonie, żałując, że nie może się napić drinka. Jakby czytając w myślach babci, Tucker wstał i podszedł do barku, a potem nalał jej duży kieliszek sherry. Niespiesznie pociągnęła z niego łyk, cały czas patrząc na Piper.

— Nie wybiegajmy naprzód. Mamy jeszcze do przeczytania kilka kartek Annabelle, a ty nie przeczytałaś moich do końca. Musisz poznać wszystkie fakty, zanim zaczniesz wyciągać wnioski. Choć może taka już jesteś. Mam rację, Piper? Działasz, zanim pomyślisz?

Zobaczyła, że Piper oblała się rumieńcem. Dziewczyna nie zdążyła powiedzieć nic na swoją obronę, kiedy wstał Tucker.

— Wystarczy tego, Malily. — Podszedł do barku i nalał jeszcze trzy kieliszki sherry.

Lillian opuściła wzrok na swoje ręce, bo wiedziała, że miał rację.

— Dobrze. Może mi powiecie, czego się dzisiaj dowiedzieliście? Chętnie się przekonam, jak zapis historyczny zniekształca fakty. — Zdziwiła się, że Lola tak ciąży jej na szyi. To brzemię lat nie pozwalało jej oddychać.

Tucker rozdał drinki. Helen ujęła swój kieliszek obiema rękami, a potem zaproponowała:

— Może najpierw poczytasz nam swoje zapiski z albumu? Nie zaszliśmy w nich zbyt daleko.

— Oczy mnie bolą, trudno mi odczytać ręczne pismo. Może Piper mnie zastąpi? — Nie bardzo wiedziała, dlaczego wyszła z tą propozycją. Po chwili uświadomiła sobie, że Piper mówi jak Annabelle, a Lillian, gdy była chora, zawsze lubiła słuchać głosu przyjaciółki. To były dawne sielskie czasy, nieskażone przez dorosłość.

— Z przyjemnością. — Piper wstała i podeszła do biurka, które wskazała Lillian.

— Kartki są ułożone w kolejności. Znajdź miejsce, w którym skończyłaś czytać. Nie robiłam notatek za każdym razem, gdy przechodziła na mnie Lola, więc zapisałam mniej stron niż Josie i Annabelle. — Napiła się sherry. — One obie potrafiły przedstawiać prozaiczne rzeczy jako coś ekscytującego. Ja wolałam żyć ekscytująco i nie czułam potrzeby, żeby ujawniać swoje sekrety.

Piper spojrzała na nią, a potem pochyliła się nad biurkiem i Lillian zauważyła, że włosy opadły jej na ramiona. Po raz pierwszy dziewczyna ich nie spięła. Taka fryzura przydawała jej łagodności, maskowała ostre rysy kobiety, która kiedyś bez zmrużenia oka pokonywała wszystkie przeszkody.

Wróciwszy na swoje miejsce obok Tuckera, Piper odchrząknęła i zaczęła czytać.

14 czerwca 1937 roku

Minął rok od czasu mojego debiutu w towarzystwie i tata zaczyna się niecierpliwić. Nie mogę mu powiedzieć, że nie ja sama decyduję o swojej przyszłości, że czekam, aż mój ukochany mi się oświadczy i zabierze mnie do siebie, żebyśmy wreszcie mogli żyć jak mąż z żoną.

Nie zdradziłam tego nikomu, zwierzam się tylko tutaj, na kartkach albumu, więc Josie i Annabelle będą zdziwione, gdy to przeczytają. To doprawdy znaczące, że duchowe siostry nie wiedzą nic o mojej miłości, nie znają sekretów mojego serca. Wiedzą jedynie o Charliem: że potrafi mnie rozśmieszyć, uwielbia tańczyć i powiedział, że będzie kochał mnie aż do śmierci.

Słodka Annabelle, sądzę, że domyślasz się mojej tajemnicy, ale lojalność nakazuje ci milczeć. A może to zazdrość? Twoja potajemna działalność, pomoc tym z nas, którym mniej sprzyja los, jest godna podziwu, ale obawiam się, że nie ogrzeje cię w nocy. Moja przyjaciółko, żebyś tylko dokonała właściwego wyboru.

Boję się, że sprawy sercowe wpłynęły na osłabienie naszej przyjaźni, i to mnie boli. Dlatego w zeszłym miesiącu zaprosiłam Annabelle i Josie do Asphodel. Nasza przyjaźń powinna trwać wiecznie i miałam nadzieję, że uda nam się przywołać dawne czasy. I tak się chyba stało. Wybrałyśmy się razem na konną przejażdżkę, tak jak kiedyś. Nakłoniłam nawet Josie, żeby wsiadła na konia, choć ledwie trzymała się w siodle. Annabelle natomiast wręcz wzlatywała nad żywopłotami i bramami — napędzając strachu Josie i mnie — i prezentowała się na koniu jak królowa. Naprawdę doskonale. Pamiętam, że pomyślałam wtedy, że życzę jej, aby w życiu też tego doznała — tej czystej radości i poczucia, że znalazła coś, co sprawia, że serce bije jej szybciej. Ludzie czasami przeżywają całe życie, nie znając tego uczucia. Ona go doświadcza, gdy pomaga innym. I gdy przelatuje na końskim grzbiecie nad żywopłotami.

A potem wybrałyśmy się na wiejski jarmark i mężczyźni nie mogli oderwać od nas oczu — to było takie pochlebne! Annabelle zamieniła kilka słów z młodym człowiekiem, który powiedział coś niemiłego pod adresem Josie. Przywołała go do porządku, tak że już nas więcej nie zaczepiał. Annabelle taka właśnie jest — kiedy już się odezwie, przemawia z mocą i ludzie jej słuchają. Myślę, że to jej bardzo pomoże, gdy już zostanie lekarzem i będzie mówić innym, co powinni robić.

Był tam konkurs śpiewaczy, więc Annabelle i ja

namówiłyśmy Josie, żeby wzięła w nim udział. Nie
wygrała, ale tylko dlatego, że była jedyną kolorową
kobietą, która występowała. Dla nas nie ulegało jednak
wątpliwości, że była najlepsza. Świetnie radzi sobie na
scenie i to tylko kwestia czasu, gdy ktoś ważny doceni jej
śpiew i zrobi z niej gwiazdę.

Na placu wzniesiono podest do tańca i nie brakowało
nam partnerów, jeśli mogę tak się wyrazić. Po raz pierwszy
w życiu skosztowałyśmy waty cukrowej, która tak
zasmakowała Annabelle, że kupiła sobie jeszcze jedną.
Potem jednak poszłyśmy się przejechać na diabelskim kole
i okazało się, że tego było dla niej za dużo — ledwie
zdążyła wysiąść z wagonika, zwymiotowała w krzaki. Była
bardzo zawstydzona, ale ja się śmiałam i ją też
rozśmieszyłam, i było jak za dawnych lat, gdy razem tak
dobrze się ze sobą bawiłyśmy.

Znowu się do siebie zbliżyłyśmy, prawda? Dopóki
Freddie nie wrócił do Asphodel z nową klaczą, którą
mojemu ojcu udało się odkupić od zrujnowanego
prawnika. Wtedy ponownie zrobiło się między nami
dziwnie. Szkoda. Bo przyjaźń powinna być wieczna,
niezależnie od spraw sercowych.

Piper zamilkła na chwilę, a potem uniosła wzrok.

— Jest jeszcze jeden wpis. Mam czytać dalej?

Wszyscy skinęli głowami, więc wróciła do głośnej lektury.

— Dziewiątego kwietnia tysiąc dziewięćset trzydziestego dziewiątego roku.

Zatrzymała się i spojrzała na Tuckera.

— To rok śmierci Freddiego, prawda?

Tucker potwierdził i Piper opuściła wzrok na kartkę, ale zanim zaczęła znowu czytać, milczała przez chwilę, jakby zastanawiała się nad tą zbieżnością.

Ojciec przestał do mnie pisać, ponaglając mnie do powrotu. Powiedziałam mu, że Annabelle ma pełne ręce roboty, musi opiekować się coraz słabszym ojcem, i te wszystkie dodatkowe zajęcia, które spadły na jej barki, bardzo ją wyczerpują.

Nie było to całkowite kłamstwo. Annabelle naprawdę wzięła na siebie prowadzenie domu i opiekę nad ojcem, choć mam wrażenie, że żywi do ojca jakąś urazę. Kiedy ją o to pytałam, złościła się na mnie, więc przestałam. Chyba jest między nimi konflikt i Annabelle nie chce o tym myśleć. Kilka razy już brała mnie na stronę i chciała mi coś powiedzieć, ale w końcu nie mogła. Czasami jednak ma dziwny błysk w oku, jakby wiedziała coś, co i ja powinnam wiedzieć, ale trzyma to w sekrecie dla mojego własnego dobra. Mam nadzieję, że z czasem jej przejdzie i w końcu mi się zwierzy. Chętnie jej wysłucham. Jestem jej to winna, zwłaszcza po tym, co dla mnie robi.

Powiedziałam ojcu, że chciałabym tu zostać jeszcze co najmniej przez sześć miesięcy — z oczywistych dla nas powodów, choć nie dla niego. Że chciałabym znaleźć sobie pracę, a tu, w mieście, jest to łatwiejsze. I w końcu Annabelle naprawdę mnie potrzebuje, chociaż nie mogę ojcu wyjawić dlaczego.

Tata mówi mi, że Charlie przynajmniej raz w tygodniu przyjeżdża do Asphodel, niby w odwiedziny do niego, ale wszyscy wiedzą, że próbuje dowiedzieć się czegoś o mnie. Tata twierdzi, że bank Charliego nieźle prosperuje, mimo ciężkich czasów, i każdy, kto ma oczy, widzi, że chłopak potrzebuje żony i już ją sobie upatrzył.

Charlie to dobry materiał na męża, wiem o tym. Kiedy o nim myślę, przypominam go sobie na moim balu, jak tańczyliśmy i jak mnie bawił. To nie było tak dawno temu, a jednak mam wrażenie, jakby zdarzyło się w innym życiu,

i w głębi duszy chciałabym wrócić do dawnych czasów,
chciałabym, żebyśmy wszyscy do nich wrócili i byli tacy
jak przedtem. Ale to niemożliwe.

Piper zatrzymała się i spojrzała na Lillian, siedzącą po przeciwnej stronie pokoju.

— Jest tu koperta włożona między kartki. — Spojrzała w dół, unosząc ją, jakby to był delikatny płatek kwiatu. — Czy to list, który znalazła Susan?

Lillian przełknęła ślinę i znowu naszyjnik z wisiorkami zaciążył jej na piersi.

— Nie. To list od Charliego. Przeczytaj go.

Piper niezgrabnie wyjęła kartkę z koperty.

— Tu jest napisane: „Wyjdź za mnie, Lily. Wróć do domu i wyjdź za mnie. Moje serce jest Twoje i nic, co byś powiedziała albo zrobiła, tego nie zmieni. Kocham Cię, moja słodka Lily. Wróć do domu i zostań moją żoną".

— Czy Charlie kiedykolwiek przyjechał do Savannah, żeby spotkać się z tobą? — Helen odstawiła nietknięte sherry na stolik i przysiadła na brzegu fotela.

— Przyjeżdżał co tydzień. Ale ja nie chciałam się z nim widzieć. Annabelle wymyślała różne wymówki i kazała Justine przekazywać je Charliemu, żeby żadna z nas nie musiała się z nim spotkać. Czasami godzinami siedział na ganku, czekając, aż zmienię zdanie. Ale daremnie.

Piper obiema rękami odgarnęła włosy z czoła.

— Myślałam, że go pani kochała. I w następnym roku za niego wyszła. Dlaczego narażała go pani na takie cierpienia?

Lillian skarciła ją wzrokiem.

— Znowu wybiegasz naprzód, moja droga. Cierpliwości.

Piper jednak nie usiedziała spokojnie.

— Wcale nie wybiegam naprzód. Staram się tylko wypełnić luki, nad którymi pani się prześlizguje. Na przykład ten list, który przeczytała Susan. Powiedziała pani Tuckerowi, że napisała go do przyjaciółki, ale w końcu nie wysłała. Czy to list do mojej babci? I co w nim było?

Lillian nie spuszczała z niej wzroku, ciekawa, która z nich wycofa się pierwsza, i wcale nie była pewna odpowiedzi.

Tucker położył dłoń na ramieniu Piper, a ona spojrzała na niego przeciągle i znowu usiadła. Odchrząknęła i zaczęła czytać dalej.

Annabelle wyznała mi dziś sekret. Zaprowadziła mnie na poddasze i poprosiła, żebym jej pomogła odsunąć starą szafę spod ściany. Za nią ukryte były drzwi, ale Annabelle miała do nich klucz. Powiedziała, że znalazła go wśród rzeczy ojca, gdy z panem Mortonem porządkowała jego dokumenty. Przed otwarciem drzwi stwierdziła, że chyba znalazła rozwiązanie wszystkich naszych problemów.

Za drzwiami znajduje się smutny pokoik. Stoi w nim wąskie łóżko, poza nim nie ma prawie żadnych mebli, ale natychmiast zrozumiałam jej intencje. To ustronne pomieszczenie, z dala od wścibskich oczu. Gdyby ktoś chciał zniknąć na jakiś czas, to byłoby idealne miejsce.

Teraz, gdy znalazło się rozwiązanie, czuję się lepiej. Mogłabym nawet spać w nocy, gdybym tylko wiedziała, gdzie jest Freddie. Josie mówi, że ani ona, ani Justine nie widziały się z nim od mojego przyjazdu i nie miały od niego żadnych wiadomości — podobnie jak Annabelle i ja. Chyba że Annabelle nie mówi mi wszystkiego. Ale nie mogę się na nią gniewać. Jest dla mnie prawie jak siostra i mogę być jej tylko wdzięczna.

Tym razem dodałam tylko jeden wisiorek: złoty kluczyk. Symbolizuje nasz azyl i jednocześnie zamknięte drzwi do przyszłości. Dla nas trzech przyszłość jest tajemnicą i zastanawiam się, która z nas pierwsza znajdzie sposób, żeby ją przeniknąć.

Helen przecięła pokój i podeszła do fotela babci, jakby relacjonowana historia była ich wspólna, jakby wszystkie ujawniane sekrety dotyczyły także jej. Położyła dłonie na ramionach Lillian.

— Weszliśmy dziś do tego sekretnego pokoju, Malily. Sądzimy, że został stworzony z myślą o dziewczynce, która urodziła się pod koniec lat osiemdziesiątych dziewiętnastego wieku, Margaret Louise O'Hare. Piper znalazła tam niebieski kocyk zrobiony na drutach. I odkryła niebieski sweterek w kufrze Annabelle. Były dla jakiegoś dziecka. Tylko czyjego?

Lillian odwróciła głowę, słuchając miarowego tykania zegara. Naszyjnik znowu zaciążył jej na szyi, gdy zastanawiała się, co odpowiedzieć.

— Chce pani, żebyśmy już wyszli? — Piper wstała, jakby też potrzebowała przerwy teraz, gdy była jeszcze nadzieja na szczęśliwe zakończenie. Annabelle także do końca nie potrafiła uwierzyć, że nieszczęście może spaść na człowieka dwa razy.

Lillian pokręciła głową. Miała wrażenie, że tykanie zegara przy łóżku jest głośniejsze niż zwykle i że świadectwo upływu czasu niesie się echem po pokoju.

— Nie. Jeszcze nie.

Piper instynktownie dotknęła wisiorka na szyi.

— Czy moja babcia była dobrą przyjaciółką?

Lillian skinęła głową bez wahania.

— Najlepszą. Nawet gdy na to nie zasługiwałam. Byłam zazdrosna o to, że działała razem z Freddiem w tym ruchu. Ja musiałam się trzymać z dala, bo mój ojciec miał powiązania z Klanem. Nie to, żebym była taka odważna czy nawet przydatna. Więc, żeby wzbudzić zazdrość Annabelle, flirtowałam zawzięcie z tym chłopcem z kancelarii prawniczej. Był sporo młodszy od nas, ale Annabelle chyba go lubiła.

— Chodzi o Paula Mortona?

— Tak. Tak się nazywał. Przystojny młody mężczyzna.

Myślę, że kochał się w Annabelle. Ale ona nigdy mi nic o tym nie mówiła. I pozwalała mi robić z siebie idiotkę. — Uśmiechnęła się do swoich wspomnień. — Josie i ja mawiałyśmy, że my jesteśmy kamieniami, a Annabelle zaprawą. Że trzyma nas razem.

Piper i Tucker spojrzeli na siebie porozumiewawczo. Dziewczyna wstała, podeszła do Lillian i przysiadła na jej podnóżku.

— Znaleźliśmy dziś świadectwa urodzenia Josie i Freddiego.

— Tak? — Tego Lillian się nie spodziewała.

— Wie pani, kto był ich ojcem?

Pokręciła głową.

— To nigdy mnie nie interesowało. Justine z dziećmi mieszkała w domu doktora O'Hare, odkąd jako dziecko bywałam tam z ojcem. Nigdy nie widziałam ojca Josie i Freddiego. On po prostu nie istniał i nigdy nie przyszłoby mi do głowy, żeby o niego pytać. Może byłam zbyt młoda. A co?

Piper chrząknęła.

— Ich ojcem był doktor Leonard O'Hare. Josie i Freddie byli przyrodnim rodzeństwem Annabelle.

Lillian przez dłuższą chwilę patrzyła przed siebie, bo początkowo to do niej nie docierało. Tykanie zegara stało się jeszcze bardziej uporczywe, coraz głośniejsze, choć dźwięk ten dochodził jakby z daleka. Podniosła głowę.

— Ale przecież Justine... była jego gospodynią.

— Najwyraźniej nie tylko, Malily — zauważył delikatnie Tucker.

— Czy... Annabelle o tym wiedziała?

— Według zapisków w albumie dowiedziała się dopiero wtedy, gdy jej ojciec się rozchorował.

Lillian rozejrzała się po pokoju. Czy oni też słyszą to tykanie? Gwałtownie machnęła ręką w stronę, z której dobiegał ten dźwięk, i strąciła zegar na podłogę. Podniosła dłoń, żeby powstrzymać Tuckera, który już wstawał.

— Zostaw go.

Piper odezwała się znowu:

— Annabelle i Josie nigdy nic pani nie powiedziały?

Lillian patrzyła na nią przez dłuższą chwilę, widząc w niej Annabelle — swoją przyjaciółkę, w której lojalność wierzyła bezgranicznie, która nauczyła ją hodować herbaciane róże i umiała dochowywać sekretów.

— Josie chyba nie wiedziała. A Annabelle nigdy mi nic nie powiedziała. — Zamknęła oczy i zaśmiała się głucho. — A ja byłam o nią zazdrosna. Myślałam, że ona i Freddie...

Helen się pochyliła.

— Ale dlaczego ci nie powiedziała? Przecież byłyście jak siostry. Myślałam, że ci się zwierzała.

Lillian wciągnęła powietrze. Wspomnienia z młodości były bezwzględne i nieustępliwe wobec jej słabego ciała.

— Owszem. Zwierzała się. Teraz to wiem, ale wtedy... — Pokręciła głową, bo wciąż nie mogła opowiedzieć tej historii do końca. Tykanie zegara, choć teraz stłumione, cały czas rozbrzmiewało jej w głowie.

Tucker wstał i podszedł do dzwonka na ścianie przy łóżku.

— Wezwę Odellę. Wyglądasz na zmęczoną, Malily. Możemy kontynuować jutro, gdy odpoczniesz.

Mrucząc jej coś do ucha, podniósł ją równie łatwo jak jedną ze swoich córek i położył na łóżku. Piper podeszła, poprawiła jej poduszki pod głową i okryła nogi kocem. Jej dotyk był tak delikatny i kojący, jak Lillian się spodziewała.

Pokiwała głową, bo poczuła zmęczenie w całym ciele. Powitała je chętnie jako wytchnienie od bólu. Ale doznała jednocześnie nowego uczucia. Zrobiło jej się lżej na duszy. Można by pomyśleć, że sekrety trzymały ją przy życiu i była teraz jak statek, który zerwał się z kotwicy i zsuwał powoli do morza.

Odwróciła głowę i zamrugała, widząc w nogach łóżka falujący obraz. Siedziała tam Annabelle, która sprawnie robiła na drutach; tykanie zegara zamieniło się w stukanie drutów. Na białej narzucie z kordonka rozwijała się niebieska włóczka, ale Lillian wiedziała, że to nie była ta narzuta. Wciąż dziergasz, Annabelle. Niekończące się robótki na drutach, gdy przez te ostatnie miesiące czekałyśmy na wiadomość od Freddiego. Jak ja tego nienawidziłam. I jak nienawidziłam ciebie, że miałaś się czym zająć.

Usłyszała, że Helen szepcze jej do ucha, całując ją w policzek:

— Dobranoc, Malily. Zobaczymy się rano.

Lillian znowu zamknęła oczy i stukanie drutów ustało.

Piper wzięła ją za rękę i Lillian przyciągnęła dziewczynę do siebie.

— Zostań. Proszę.

Piper przysiadła na brzegu łóżka, nie puszczając jej ręki.

— Dobrze.

Lillian odczekała, aż Tucker i Helen wyjdą, a potem powiedziała:

— Chcę, żebyś coś dla mnie zrobiła.

Piper kiwnęła głową.

— W górnej szufladzie biurka jest stare zdjęcie w ramce. Przynieś mi je.

Piper wstała i spełniła jej prośbę, a potem znowu usiadła na skraju łóżka.

— Kiedy zostało zrobione? — zapytała.

Lillian się uśmiechnęła. Znowu poczuła zapach wody kolońskiej Charliego i usłyszała magiczny głos Josie. Wyczuła jej obecność w pokoju i wiedziała, że jeśli obróci głowę, zobaczy ją i Annabelle w nogach łóżka, tak jak podczas tych długich miesięcy czekania.

— Tuż przed moim balem debiutanckim. To była najszczęśliwsza noc w moim życiu.

— To dlaczego trzyma je pani w szufladzie zamiast na widocznym miejscu?

Lillian westchnęła. Nie pamiętała, kiedy ostatnio była tak zmęczona.

— To przez Annabelle. Nie chciałam jej widzieć.

Piper opuściła zdjęcie i włożyła je Lillian do ręki.

— Ale dlaczego? Proszę, Lillian, niech mi pani powie dlaczego.

Lillian podniosła dłoń do naszyjnika i przesunęła palcami po wisiorkach. Dotarła do kluczyka i zamknęła go w ręce, tak że jego brzegi wbiły jej się w ciało.

— Może nie chcesz wiedzieć. Czy przyszło ci do głowy, że tak naprawdę wcale nie chcesz wiedzieć, co kryją niektóre cienie w mroku?

Piper cofnęła rękę i wstała, odwracając głowę, żeby ukryć łzy w oczach.

— Nie. Już nie. Muszę poznać prawdę. Muszę, bo...

Lillian uniosła się na poduszkach i zapytała silniejszym głosem:

— Bo co? Bo chcesz się dowiedzieć, co sprawiło, że twoja babcia z inteligentnej, pełnej życia młodej kobiety zamieniła się w tę bojaźliwą, zamkniętą w sobie istotę, którą była przed śmiercią? — Znowu usłyszała stukanie drutów o siebie, szybkie, nerwowe.

Piper się zawahała. Lillian spodziewała się, że kiedy dziewczyna zwróci ku niej głowę, zobaczy na jej twarzy wstrząs; ale zamiast tego ujrzała Annabelle, taką, jaką znała, przyjaciółkę, która walczyła do końca. Piper podeszła bliżej do łóżka, w jej oczach błyszczały łzy i niepewność.

— Może i tak. Ale głównie dlatego... — Urwała. Pierś jej falowała, gdy próbowała złapać oddech. — Dlatego, że chcę się przekonać, czy jestem do niej podobna.

Stukanie drutów nagle ucichło i Lillian wytężyła słuch, bo zastąpił je inny dźwięk, którego nie potrafiła jeszcze zidentyfikować. Był to cichy szum, jakby płynącej w oddali rzeki.

— Bo jesteś, prawda? Bo gdybyś była inna, nadal skakałabyś przez przeszkody.

Piper spojrzała na nią. Twarz stężała jej z gniewu. Dziewczyna zapytała, jakby Lillian nic nie powiedziała:

— Dlaczego na tak długo wprowadziła się pani do Annabelle? Ze względu na związki swojego ojca z Klanem? Czy z jakiegoś innego powodu? I o jakie dziecko chodziło w notatce prasowej? Czyje ono było i dlaczego skończyło w rzece? Czy o tym mówił list, który przeczytała Susan?

Rozległo się ciche pukanie do drzwi i weszła Odella. Lillian kolejny raz przymknęła oczy. Poczuła wyczerpanie i ulgę. Jestem taka zmęczona, pomyślała.

— Znowu skaczesz, Piper. Jak Annabelle... — Nie otwierała oczu, czekając, aż Piper się odwróci. — Poczekaj. — Lillian uniosła palec. — Zdjęcie. Chcę je mieć blisko. Postaw je na stole.

Po krótkim wahaniu Piper zrobiła, o co ją poprosiła.

— Myli się pani, Lillian, i wie pani o tym — powiedziała cicho dziewczyna, poprawiając zdjęcie na stole.

Lillian się uśmiechnęła, czując, że powoli zapada w sen, który koił jej ciało i umysł.

— Dowiedź tego.

Piper zesztywniała i zrobiła krok do tyłu. Jej miejsce przy łóżku zajęła energiczna Odella.

— Słyszysz je, Piper? — Lillian uniosła głowę, wsłuchując się w głosy wypowiadające słowa, których nie rozumiała.

— Drzewa? — Piper ściągnęła brwi, odwracając głowę i nasłuchując. — Nic nie słyszę. Może to tylko wiatr. A może słuch panią zawodzi.

Lillian uśmiechnęła się znowu, gdy Piper odwróciła się od niej. Młoda kobieta podeszła do drzwi, otworzyła je i zamknęła za sobą, nieświadoma tych wszystkich duchów, które tłoczyły się w pokoju, z aprobatą kiwając głowami.

ROZDZIAŁ 21

Zbiegłam po schodach, nie zważając na ból w kolanie. Posłusznie wykonywałam zalecone przez Emily ćwiczenia, więc moje stawy działały lepiej i już mi tak nie dokuczały. Od dawna miałam świadomość, że pewnie nigdy nie będę chodzić normalnie, i pogodziłam się z tym. Ale teraz, gdy już przeżyłam najgorsze, mogłam poprawić ten stan. Kiedyś, jak alkoholik, który pije, żeby uciec przed problemem, utykałam demonst-racyjnie, aby pokazać światu, że nie mogę już jeździć konno. Teraz myślałam, jak bardzo babcia by była rozczarowana, że wybrałam taką drogę.

Usłyszałam głosy Tuckera i Helen w salonie, więc przemknę-łam za drzwiami, bo nie miałam ochoty z nikim rozmawiać po ostatniej wymianie zdań z Lillian. Byłam zaniepokojona, nagle stałam się świadoma przyciągania ziemskiego i bałam się, że w każdej chwili może przestać działać.

„Gdybyś była inna, nadal skakałabyś przez przeszkody". Prześladowało mnie to zdanie Lillian, więc szłam szybciej, jakby wysiłek fizyczny mógł odpędzić złe myśli. Zostawiłam na stole kuchennym kartkę z informacją dla Odelli, że z samego rana odstawię wózek golfowy pod dom, a potem wyszłam tylnymi drzwiami.

Było już zupełnie ciemno, więc dom oświetlały reflektory. Przede mną rozciągała się aleja dębów. Zatrzymałam się przy zegarze słonecznym i poczułam wstyd, że boję się iść dalej. Gdzieś wysoko na gałęzi najbliższego dębu zahukała sowa, gdy ponownie przyglądałam się zegarowi i czytałam łacińską sentencję. „Czas mija, ale wspomnienia pozostają". Byłam ciekawa, czy moja babcia przystanęła kiedyś w tym miejscu i zastanawiała się nad tymi słowami, tak jak ja teraz. Czy wiedziała, jak bardzo są prawdziwe.

Nad dębami i starym domem wznosiło się bezchmurne nocne niebo i gdy wjechałam między drzewa, wcisnęłam pedał gazu. Ogarnął mnie niepokój, jakby dęby mnie obserwowały, chciały sprawdzić, co zrobię pod wpływem słów Lillian.

Po powrocie do domku zaparzyłam kawę i usiadłam przy stole kuchennym, gotowa spędzić przy nim długą noc. Miałam do przeczytania jeszcze jedną kartkę z albumu babci, a potem zamierzałam przeczytać wszystko od początku, robiąc notatki i zestawiając daty. Postanowiłam odkryć tajemnicę Lillian, zanim znowu pod jej wpływem zwątpię w powody, które mną kierowały.

Postawiłam obok siebie dzbanek z kawą oraz kubek i zaczęłam czytać.

7 lipca 1939 roku

Tyle się zdarzyło, a jednak mam wrażenie, jakby czas stanął w miejscu. Jestem w domu otoczona ludźmi, a czuję się, jakbym była sama. Gdyby nie częste wizyty Paula Mortona, na pewno już dawno temu straciłabym wszelką nadzieję.

Freddie przychodzi bardzo rzadko, a jeśli już, to zawsze w środku nocy. Boi się o swoje życie, ale stara się tego nie okazywać. Chce, żebyśmy wszyscy wyjechali, ukryli się aż do następnych wyborów, gdy zaczną obowiązywać nowe prawa, a dawne przestaną być wykorzystywane przeciwko tym, których miały chronić. Ale zapomina, że w tych stronach ludzie mają dobrą pamięć. Obawiam się, że ani on, ani jego rodzina nigdy nie będą bezpieczni, niezależnie od tego, jak daleko uciekną.

Przekonał jednak Justine, żeby wyjechała do Wirginii, do siostry. Wygląda na to, że ojciec czuje się lepiej i będzie mógł nas chronić, ale widziałam, że nie jest przekonana. Lecz Freddie potrafiłby namówić słońce, żeby świeciło, i Justine go posłuchała. Przyjęłam jej wyjazd z ulgą, bo dzięki temu ubyła mi jedna osoba z tych, które mam pod opieką.

Dwa tygodnie temu spłonął dom na farmie w hrabstwie Effingham — zginęła cała murzyńska rodzina: ojciec, matka i troje dzieci. Raport głosił, że krowa przewróciła latarnię w stodole, ale Freddie znał tego człowieka i wie, że nie hodował krów. Oburza mnie ta niesprawiedliwość, jednak czuję się bezradna. Freddie zapewnia mnie, że jeśli przetrwamy tę burzę, w końcu nastanie spokój.

Paul Morton przynosi nam pożywienie, ponieważ boję się teraz wychodzić z domu, żeby nie przyciągać uwagi ilościami jedzenia, które musiałabym kupować. Był w pokoju na strychu, bawił nas rozmową i przyniósł nam czasopisma. Napisał też do kilku szkół medycznych, prosząc o przysłanie na swój adres broszur i formularzy dla tych, którzy chcieliby ubiegać się o przyjęcie. To dla mnie, gdy będę już gotowa, jak mówi. Jestem mu bardzo wdzięczna, nie tylko za dobroć, lecz także za wiarę, iż mogę coś osiągnąć.

Już niedługo. Dużo robię na drutach, bo to pozwala mi nie myśleć. Josie żartuje, że wydziergałam już dość sweterków i kocyków dla całego sierocińca, ale przecież nie będziemy chodzić po prośbie.

Więc zabijamy czas, martwimy się o Freddiego, wykonujemy prace domowe, przypominamy sobie

najszczęśliwsze chwile z naszego dzieciństwa. To smutne,
bo przecież wciąż jesteśmy młode. Czujemy się jednak,
jakbyśmy miały tu tkwić do śmierci, czekając, aż zacznie
się nasze życie.
  Poprosiłam Paula, żeby zrobił nam trzem zdjęcie
w ogrodzie — moim ulubionym miejscu. Kwitną azalie
i purpurowe glicynie, są takie piękne, że ustawiłam nas
przed nimi. Lillian stanęła z tyłu, a my z Josie przyklękłyśmy
z przodu. Kwiaty trzymały się dobrze mimo upału,
a Lillian, nie zważając na temperaturę, włożyła na siebie
płaszcz. Wszystkie miałyśmy na szyjach wisiorki z aniołami
i uśmiechałyśmy się do fotografii. Wiemy, że będziemy ją
w przyszłości oglądać, choćby po to, żeby sobie
przypomnieć, jaką daleką przebyłyśmy drogę.
  Jeśli chodzi o Lolę, wzorem Lillian tym razem dodałam
dwa wisiorki. Pierwszy przedstawia bujany fotel, bo
kojarzy mi się z tym okresem oczekiwania. A drugi to
wózek dziecięcy, z oczywistych powodów.

  Uniosłam głowę i objęłam wzrokiem wpis babci, jakby był
niedokończony i dalszy ciąg powinien znajdować się na dole
strony. Dotknęłam palcami czarno-białego zdjęcia ukazującego
kobiety w ogrodzie, Lillian w wełnianym płaszczu i szalu.
Wszystkie wydobyły spod kołnierzyków łańcuszki z aniołkami,
które błyszczały w przymglonym słońcu, jakby konspiracyjnie
puszczały oko.
  Patrzyłam na tę fotografię długi czas. Próbowałam przeniknąć
wzrokiem gruby płaszcz i snułam różne domysły. Mimo późnej
pory wstałam, bo chciałam zadzwonić do Tuckera i Helen
i powiedzieć im, co przeczytałam.
  Telefon zadzwonił, gdy po niego sięgałam. Otworzyłam klapkę,
zanim do mnie dotarło, że nie znam numeru, z którego dzwoniono.
  — Halo?

— Dobry wieczór. Czy rozmawiam z Piper Mills?

Wtedy się domyśliłam i zaparło mi dech w piersiach.

— Tak, to ja. Czy to Alicia?

Nastąpiła chwila ciszy.

— Tak. Mogę z panią porozmawiać, jeśli jeszcze jest pani zainteresowana.

Pochyliłam się w fotelu, słuchając głębokiego głosu Alicii, która tłumaczyła mi, jak mam trafić do jej domu. Uśmiechnęłam się do siebie, gdy dotarło do mnie, że mam jeszcze szansę pobić Lillian w jej własnej grze.

❧

Działałam już od kilku godzin: odstawiłam wózek golfowy na miejsce i wykonałam poranne ćwiczenia, wracając na piechotę do domku. Zadzwoniłam do Tuckera i Helen, streściłam im ostatnie zapiski babci i umówiłam się z Helen na wyjazd do Savannah.

Czekała na mnie przy zegarze słonecznym. Była ubrana w żółtą sukienkę z jedwabnej dzianiny, ściągniętą szerokim gobelinowym paskiem, i mimo że trzymała w dłoni składaną laskę, poczułam się przy niej mało kobieco w bawełnianej spódnicy i bawełnianym pulowerze. Laska miała nawet żółty czubek, który pasował do sukienki. Ale już dawno przestało mnie dziwić, że gdybym chciała zapytać kogoś o radę w dziedzinie mody, byłaby to niewidoma kobieta.

— Pięknie wyglądasz, Helen! — zawołałam przez otwarte okno. — Będziesz musiała kiedyś zabrać mnie ze sobą na zakupy.

Helen roześmiała się, czekając, aż zatrzymam samochód i pomogę jej wsiąść.

— George zaprosił mnie na lunch, jeśli nie masz nic przeciwko temu. Ciebie też zaprasza, ale powiedział, że zrozumie, jeżeli będziesz miała inne zajęcia. Potem chętnie odwiezie mnie do domu.

Lekko odwróciła twarz, ale widziałam, że się rumieni.

— Świetnie, mam tu co robić, więc jeśli cię odwiezie, to w porządku.

— Proszę, tylko nie myśl o mnie źle. Lubię George'a. Od dawna nikt, kto nie byłby ze mną spokrewniony, nie okazywał mi tyle uwagi. Uwielbiam się bawić i chętnie korzystam z okazji, żeby pokazać się w nowych ciuchach. — Wzruszyła ramionami. — Poza tym podoba mi się to, że jest krewnym pana Mortona, który był chyba prawdziwym przyjacielem twojej babci. Myślę, że powinnyśmy się z nim umówić i zapytać go o różne rzeczy. Na pewno wie więcej, niż ci powiedział.

Wyłączyłam radio.

— Jest w tej chwili z żoną na dłuższych wakacjach, ale wysyłam mu e-maile, licząc, że sprawdzi pocztę, gdy będą w jakimś porcie. Pewien czas temu skontaktował się ze mną przez George'a w tak prozaicznej sprawie jak lokalizacja bezpieczników. A zeszłego wieczoru przysłał mi e-mail z odpowiedzią, która niewiele mi wyjaśniła.

— Jak to? Co takiego napisał?

— *Perfer et obdura; dolor hic tibi proderit olim.*

— „Bądź cierpliwy i silny; pewnego dnia ból przyniesie ci korzyść". — Helen zastanawiała się przez chwilę. — Co on, twoim zdaniem, chce ci powiedzieć?

— To samo co babcia, gdy zostawiła dla mnie ten wisiorek. Ale jeszcze tego nie rozgryzłam.

— Może pan Morton uważa, że musisz sama do tego dotrzeć, bez jego pomocy. Gdybyś dowiedziała się tego od kogoś, nie byłoby takiego efektu. Przez te wszystkie lata Malily powtarzała Tuckerowi i mnie, że rodzice nas kochają; ale lepiej by było, gdyby sami nam to powiedzieli.

Wzięłam Helen za rękę, a ona odpowiedziała uściskiem, świadoma, że wiem, co to pustka w sercu spowodowana brakiem rodziców.

— Czy Lillian wie, dokąd jedziesz? — zapytałam.

Helen pokręciła głową.

— Mardi i ja zeszliśmy na śniadanie wcześniej niż Malily, żeby uniknąć kłamstw. Ale niepotrzebnie; Odella powiedziała mi, że Malily nie czuła się dobrze i poprosiła, żeby przynieść jej tacę ze śniadaniem do pokoju. — Oparła głowę o boczne okno i przez chwilę miałam wrażenie, że obserwuje ruch na drodze. Ciągnęła: — Początkowo poczułam ulgę, ale potem zaczęłam się martwić. Malily nie jest z tych, co przyznają się do słabości, i zawsze schodzi na śniadanie w pełnym rynsztunku... to słowa Tuckera, nie moje... jeszcze przed nami wszystkimi. Po powrocie wezmę od ciebie ostatnie zapiski Annabelle i jej zaniosę, jeśli nie masz nic przeciwko temu.

— Ależ skąd. Pójdę z tobą. Dziś wieczorem przeczytamy do końca jej relację. Ta sprawa musi zostać zamknięta. Nie wytrzymam dłużej w niepewności. Poza tym mam zobowiązania wobec innych klientów i powinnam wrócić do domu.

Helen spojrzała na mnie.

— Wiem, że to nieuniknione, ale jakoś nie wyobrażam już sobie tego miejsca bez ciebie. A dziewczynki... trudno im będzie się z tobą pożegnać.

— Będę przyjeżdżać. Obiecuję. Muszę przecież sprawdzać, jak im idzie nauka jazdy konnej, no i czy Kapitan Wentworth robi postępy.

— Oczywiście. — Helen trąciła mnie łokciem, ale nic na to nie odpowiedziałam i dalsza jazda upłynęła nam w milczeniu.

Dom Alicii Jones znajdował się w części Savannah znanej jako Pulaski Ward. Wyłożona cegłami ulica otoczona była drzewami, które rosły w pasie zieleni między jezdnią a chodnikiem. Po obu jej stronach stały wiekowe szeregowce, bliźniaki i domy z centralnym holem i wykuszowymi oknami, wszystkie pięknie odnowione, z ogrodami za ceglanym murem.

Alicia mieszkała w schludnym szeregowcu, do którego prowadził ceglany chodnik, obrośnięty późnym różowym barwinkiem. Przy drzwiach wejściowych widniała antyczna wizytówka. Pani domu otworzyła nam drzwi, zanim zdążyłam zapukać, i przywitała nas powściągliwym uśmiechem. Z wnętrza domu dochodziła muzyka jazzowa.

Alicia zauważyła wisiorek z aniołem na mojej szyi i dotknęła własnego. Gdy wprowadzała nas do środka, z jej oczu zniknęła rezerwa. Przedstawiłam jej Helen, a potem zostałyśmy wprowadzone do przytulnego salonu z kolorowymi kwiecistymi zasłonami i obiciami. Na ścianach wisiały plakaty przedstawiające sławnych wykonawców jazzowych — Ellę Fitzgerald, Milesa Davisa, Caba Callowaya i innych, których nie rozpoznałam. W kącie znajdowało się pianino, a na nim stały zdjęcia w ramkach. Nad kominkiem zawieszono oprawioną w ramki okładkę płyty z wyświechtanymi brzegami. Przeczytałam głośno jej tytuł: *Hunting Angels*. Poniżej widniała napisana dużymi literami informacja: „Zawiera tytułowy przebój i single z pierwszych miejsc list przebojów: *Time Is a River* oraz *Moving On*".

Alicia stanęła obok mnie.

— To pierwszy album mamy. Prawie złoty. Choć to nie miało dla niej znaczenia. Dla niej najważniejsza była muzyka. Ale tę płytę — postukała w szkło — lubiła najbardziej. Zawsze mi mówiła, że pisząc teksty piosenek, żegna się z duchami. — Wskazała jedną z kanap. — Proszę, siadajcie. Zaraz wrócę.

Podprowadziłam Helen do kanapy i usiadłyśmy.

— To dziwny tytuł jak na płytę. — Zmarszczyła czoło. — W którym roku się ukazała?

— W tysiąc dziewięćset czterdziestym ósmym. Wiem tylko dlatego, że po telefonie od Alicii surfowałam trochę po internecie. Album ukazał się dziewięć lat po wyjeździe Josie z Savannah.

— Założę się, że Odella go ma. Chętnie go przesłucham. — Helen uniosła brew, gdy obie zwróciłyśmy się w stronę Alicii, która wróciła do pokoju z tacą.

— Masz śliczny dom — zauważyłam. Nalałam Helen mleka do herbaty, wsypałam cukru i podałam jej filiżankę. — Właśnie podziwiałam pianino. Ty też zajmujesz się muzyką?

Alicia się uśmiechnęła.

— Nie tak jak mama, o nie. Nie umiem śpiewać. Ale uczę gry na pianinie. Dość wcześnie się zorientowałam, że jestem lepszą nauczycielką niż pianistką, więc połączyłam jedno z drugim. — Napiła się herbaty i spojrzała na nas z uwagą. — Muszę przyznać, że zaskoczył mnie twój telefon po tych wszystkich latach. Gdy mama umarła, napisałam listy do waszych babek, informując je o jej śmierci. Mama dużo o nich mówiła w swoich ostatnich latach... dopadł ją rak... Byłam zdziwiona, bo wcześniej nigdy ich nie wspominała. Wtedy też dała mi wisiorek w kształcie anioła i opowiedziała o Loli. — Pokręciła głową. — Mogłabym przysiąc, że przed przyjazdem do Nowego Jorku i występami w Harlem Opera House w jej życiu nic ciekawego się nie działo, bo nigdy o nim nie mówiła, zaczęła dopiero przed śmiercią.

Ostrożnie odstawiłam filiżankę na spodek.

— Czy któraś z nich ci odpowiedziała?

Alicia zaprzeczyła.

— Nie. Żadna. Nie byłam pewna, czy Annabelle jeszcze żyje, ale cały czas widywałam w gazetach Lillian, więc wiedziałam, że ma się dobrze. Myślałam już o tym, żeby do niej pojechać i zapytać, o co chodzi.

Helen uśmiechnęła się lekko.

— Tak czasami się robi.

Alicia zacisnęła usta.

— Ale, cóż, uznałam, że byłoby to niegrzeczne. Zwłaszcza że mama coś dla niej zostawiła. Powiadomiłam ją o tym w liście, ale chyba jej to nie zainteresowało.

Obie z Helen nadstawiłyśmy uszu. Helen nawet się zakrztusiła i nie mogła wydobyć z siebie głosu.

— Czy to nie były przypadkiem kartki z albumu?

— O nie. Kazała je spalić babci Justine jeszcze przed moim urodzeniem. Wiem o tym, bo babcia mi powiedziała. Zresztą do śmierci żałowała, że to zrobiła. Mówiła, że przez to historia mamy nigdy nie ujrzy światła dziennego. Więc nie tylko ja jedna sądziłam, że jej życie tak naprawdę zaczęło się w Harlem Opera House. Pochodziła z Savannah... tyle wiedziałam, choć ona nigdy o tym nie wspominała. To było tak, jakby wymazała Georgię z pamięci i nie oglądała się za siebie. Dlatego tu jestem. Chciałam wrócić tam, skąd się wywodzimy. I tu wychowałam swoje dzieci. — Wskazała pianino oraz stojące na nim zdjęcia. — Trzech synów i córkę. Wciąż tu mieszkają, z wyjątkiem najmłodszego, który teraz jest w Niemczech, służy w wojsku.

Odstawiłam filiżankę ze spodkiem na stolik do kawy, bo zaczęły mi drżeć ręce.

— To, co miałaś przekazać Lillian... masz to nadal?

— Jasne, że tak. Pomyślałam, że po prostu zatrzymam to u siebie. A potem może napiszę do niej znowu. Musi być już mocno starszą panią, prawda?

Helen kiwnęła głową.

— Tak. Ma dziewięćdziesiąt lat. Jest w dość dobrej formie poza tym, że dokucza jej artretyzm.

Alicia wstała i podeszła do przeszklonego regału na książki, który stał między dwoma wielkimi oknami. Obiema rękami wyjęła z niego grubą, oprawioną w skórę Biblię i wydobyła spomiędzy jej kart pożółkłą kopertę.

— Pomyślałam, że tu ją schowam, żebym nie zapomniała.

Podała Helen kopertę.

— Przekaż to babci. Niech zrobi z tym, co zechce.

Helen skinęła głową i po krótkim wahaniu schowała kopertę do torebki. Potem zwróciła się do Alicii:

— Czy Josie kiedykolwiek wspominała o swoim bracie, Freddiem?

Alicia usiadła ponownie naprzeciwko nas i nalała herbaty do wszystkich trzech filiżanek.

— Miała jego zdjęcia. Był bardzo przystojny, to pewne. Mój młodszy syn, Jeremy, jest do niego podobny. A najstarszy, Frederick, dostał po nim imię. — Ściągnęła ramiona. — Wiem tylko, że był jednym z założycieli oddziału NAACP tu, w Savannah. Mama zawsze mówiła, że przez to stracił życie. I że ożenił się z białą kobietą.

Helen chwyciła mnie za rękę.

— Miał żonę? Tu, w Savannah?

Alicia pokiwała głową.

— Nie afiszowali się z tym, oczywiście. Mama mówiła, że pastor, który dał im ślub, zginął w pożarze swojego kościoła, bo dowiedziano się, że udziela ślubów parom mieszanym. To było tu nielegalne aż do sześćdziesiątego siódmego roku, ale zdarzali się duchowni, którzy wierzyli, że Bóg nie ma nic przeciwko związkom małżeńskim zawieranym przez mężczyzn i kobiety o różnych kolorach skóry, niezależnie od tego, co mówi o tym prawo. — Z roztargnieniem obracała w ciemnych palcach wisiorek na szyi. — W każdym razie podczas napadu na kościół zabrali rejestr ślubów. Znaleźli w nim nazwisko mojego wuja i postanowili dać mu nauczkę. Ale, oczywiście, było za późno.

— Za późno? Co to znaczy? — Znowu poczułam, że Helen chwyta mnie za rękę.

— Wuj i jego żona spodziewali się już dziecka.

Helen mocniej uścisnęła moje palce.

— Kim była ta kobieta... jego żona? Jak się nazywała?

— Mama nigdy nie zdradziła mi jej nazwiska. Wszystko, co miało związek ze śmiercią brata, było dla niej bardzo bolesne. Nigdy o tym nie mówiła. Wspomniała tylko, że był żonaty, gdy Sąd Najwyższy w sześćdziesiątym siódmym orzekł, że kolorowi mogą się żenić, z kim chcą, i państwu nic do tego.

Mama się rozpłakała, wspominając brata, który zginął, bo kochał nieodpowiednią kobietę.

— I nie wiesz, kim ona była? — zapytałam, choć znałam odpowiedź. Chciałam tylko poukładać sobie wszystko w głowie.

— Nie, przykro mi. Jak powiedziałam, mama nie lubiła o tym rozmawiać. Babcia nazywała ten okres w jej życiu „wielkim smutkiem". Uważała, że to za jego sprawą jej muzyka jest tak przejmująca. Ale moim zdaniem zapłaciła za to wysoką cenę.

— A kartki z albumu? — zapytała Helen. — Wszystkie zostały spalone?

— Wszystkie. Żałuję, że tak się stało, ale z mamą nie było dyskusji. Jeśli coś wbiła sobie do głowy, trudno jej to było wyperswadować.

Alicia się uśmiechnęła — i ja też, bo pomyślałam o trzech przyjaciółkach, które próbowały być silniejsze, niż pozwalały im na to czasy, w których żyły.

— Jest jeszcze jeden powód, dla którego chciałam się z tobą spotkać — powiedziałam. — Ty i ja... jesteśmy spokrewnione. Znalazłam w archiwach miejskich świadectwa urodzenia. Mój pradziadek, Leonard O'Hare, był ojcem twojej matki i wuja, Josie i Freddiego.

Alicia zamknęła oczy i pokiwała głową.

— Cóż, chwała Panu. To wspaniały dzień, gdy rodzina się powiększa.

Wstałyśmy i uścisnęłyśmy się serdecznie. Alicia uśmiechnęła się do mnie.

— Chociaż nie powiem, żebyśmy były do siebie podobne.

Zaśmiałyśmy się obie. Pomogłam wstać Helen, która wyciągnęła przed siebie rękę.

— Alicio, bardzo miło mi było cię poznać — powiedziała. — Musimy się wkrótce spotkać z tobą i całą twoją rodziną w Asphodel.

— Z przyjemnością. I jeszcze jedno. — Alicia przytrzymała dłoń Helen. — Kiedy otworzycie tę kopertę, daj mi znać, co w niej było. Niewiele zostało po mamie, a w historii jej życia jest tyle białych plam, że chciałabym dowiedzieć się jak najwięcej.

— Rozumiem. Na pewno do ciebie zadzwonię — odparła Helen i uściskała Alicię na pożegnanie.

Wzięłyśmy torebki i laskę Helen, a potem wyszłyśmy, obiecując sobie nawzajem, że niebawem znowu się zobaczymy. Później w milczeniu przejechałyśmy krótki odcinek drogi do biura George'a, gdzie miałam podrzucić Helen. W samochodzie słychać było tylko szum klimatyzacji. W końcu Helen odezwała się pierwsza.

— Była zamężna i zaszła w ciążę — powiedziała cichym głosem. — I nikomu dotąd o tym nie wspomniała. Dobry Boże. — Pokręciła głową, ale nie mogła znaleźć więcej słów, by wyrazić swoje zdumienie i urazę. Zwróciła ku mnie twarz. — To co teraz zrobimy?

— Zobaczymy się z Lillian i zapytamy ją o Freddiego. A potem o to, co stało się z ich dzieckiem.

Helen kiwnęła głową i palcami niecierpliwie otarła łzy spod oczu. Nie spojrzała na mnie, gdy odezwała się znowu.

— Myślę, że milczała przez te wszystkie lata ze względu na mnie.

— Ze względu na ciebie?

— Tak. Oboje z Tuckerem zawsze uważali, że muszą mnie chronić. Jakbym z powodu ślepoty była delikatniejsza i należało się ze mną cackać. — Uśmiechnęła się do siebie i wygładziła dłońmi sukienkę na kolanach. — To zabawne, bo mnie z kolei wydaje się, że jest odwrotnie.

Jechałyśmy dalej bez słowa. Obie myślałyśmy o kopercie w torebce Helen, o historii trzech przyjaciółek i sekrecie, który dwie z nich zabrały ze sobą do grobu.

ROZDZIAŁ 22

George podwiózł Helen do starego domu. Emily właśnie
bujała dziewczynki na huśtawce z opony samochodowej, którą
Tucker niedawno zamocował na potężnym dębie przed wejściem. Helen zaproponowała, żeby George wszedł z nią do
środka, ale on wiedział, że to tylko opóźniłoby rozmowę
z Lillian i skomplikowało sprawy. Pospiesznie więc pocałował
ją w policzek, obiecując, że do niej zadzwoni. Helen jeszcze
czuła w tym miejscu ciepło.

Dowiedziawszy się od Emily, że wszyscy są w rezydencji,
wzięła laskę i ruszyła ścieżką w stronę żwirowego podjazdu.
Usłyszała, że Tucker i Piper rozmawiają w ogrodzie od frontu,
przy kamiennej ławce, wokół której Malily zasadziła azalie.
Powinny już być w stanie spoczynku, ale dla Helen kwitły
zawsze, a ich efektowne purpurowe kwiaty tańczyły wśród
błyszczących zielonych liści.

Mardi skoczył na nią radośnie, gdy podeszła, i rozmowa
urwała się nagle. Tucker przywitał się z siostrą i zaprowadził
ją na ławkę.

— Jak tam lunch z George'em? Było miło? — zapytała Piper.

— O tak, dziękuję. Poszliśmy do Firefly Café, jednej z moich
ulubionych kawiarni. I byłaby to cudowna randka, gdyby George

wciąż nie zwracał mi uwagi, że palenie szkodzi. — Przewróciła oczami. — Więc mu powiedziałam: dobrze, może je rzucę. Dziewczynki też mnie do tego namawiają, więc chyba najwyższa pora. — Położyła dłoń na łbie Mardiego i podrapała go za uszami, zastanawiając się, dlaczego Tucker i Piper milczą. Była pewna, że dają sobie znaki oczami i rękami, więc postanowiła wybawić ich z kłopotu.

— No, dalej, powiedzcie mi. Jakoś to przeżyję.

— Nie chodzi o George'a, jeśli to sobie pomyślałaś — stwierdziła Piper.

— Nie pomyślałam. — Uśmiechnęła się wyrozumiale.

Tucker chrząknął.

— Piper opowiedziała mi o waszym dzisiejszym spotkaniu z córką Josie. I o kopercie, którą ci dała. Masz ją przy sobie?

— Tak, oczywiście. Jest w torebce. A dlaczego pytasz?

Helen znowu wyobraziła sobie, że porozumiewają się za pomocą gestów. Rozbawiło ją to, że najwyraźniej znają się już na tyle dobrze, aby stworzyć swój własny system znaków. Z Susan tak nie było. Podejmowane przez nią próby komunikacji, słowne i nie tylko, jakoś nigdy się nie sprawdzały. Nie mogła się porozumieć nawet z własnymi dziećmi, jakby mówiła obcym językiem.

Piper odpowiedziała:

— Bo chciałabym zajrzeć do niej pierwsza.

Helen zadziwiła samą siebie szybką reakcją. Podała jej torebkę.

— Proszę bardzo, wyjmij list i przeczytaj. Malily miała okazję, ale z niej zrezygnowała, pamiętasz? Nawet ona nie mogłaby tego zakwestionować.

W głosie Tuckera słychać było wzburzenie.

— Mówisz to tak po prostu? Bez namysłu?

— Sądzisz, że nie myślałam o tym przez całe popołudnie? — Pokręciła głową. — Czy nie zastanawiałeś się nigdy, Tucker, dlaczego Malily pije? Ani dlaczego zasłony w Asphodel są zawsze zaciągnięte? Dlaczego osoba, która kocha kolorowe kwiaty, żyje w mroku? Ona siebie karze, świadomie czy nie. Nie może tak umrzeć.

Helen wzięła go za rękę i splotła palce z jego palcami.

— Rozumiem twoje wahanie. Im bardziej zbliżamy się do rozwiązania zagadki, tym więcej dowiadujemy się o Susan. — Oparła się na jego ramieniu. Przypomniała sobie, że zawiesił trzy z jej obrazów w swoim gabinecie i zasługiwał w życiu na coś więcej niż tylko ból i rozterki z powodu pytań bez odpowiedzi. — Ale ignorowanie problemu nie sprawi, że on zniknie, Tuck.

— Nigdy się nie wahaj, jeśli czegoś chcesz — powiedział wolno Tucker. — Tego nauczyła nas Malily, czy nie?

— Tak.

Piper wzięła od Helen torebkę, wyjęła z niej list i delikatnie rozdarła kopertę.

— To kolejny wycinek prasowy... taki jak tamten pierwszy.

Zapadła cisza i po chwili Piper westchnęła.

Tucker powiedział łagodnie:

— Daj mi to. Przeczytam głośno, ze względu na Helen. — I zaczął: — Data: dwudziesty dziewiąty września tysiąc dziewięćset trzydziestego dziewiątego roku. A dalej: „Wciąż nie zidentyfikowano tożsamości murzyńskiego dziecka, którego zwłoki wydobyto z rzeki Savannah trzy tygodnie temu. Lekarz sądowy orzekł, że był to noworodek płci męskiej, który urodził się zdrowy. Przyczyna śmierci pozostaje nieznana, choć z raportu lekarza wynika, że dziecko już nie żyło przed wrzuceniem do rzeki. W akcie miłosierdzia ciało przekazano doktorowi Leonardowi O'Hare, żeby je godnie pochował".

Helen zastanawiała się przez dłuższą chwilę.

— Dlaczego Josie przesłała to Malily?

— Poczekaj — odezwała się Piper. — W kopercie jest coś jeszcze. To odręczny list. — Helen usłyszała szelest papieru. Potem Piper zaczęła czytać.

Droga Lily!

Moja matka zawsze mówiła, że złamane serca się goją, że z czasem wypełnia je radość i miłość. Jej słowa pomogły nam obu, gdy dowiedziałyśmy się o śmierci Freddiego i dziecka. Mam nadzieję, że pomogą i Tobie.

Nazajutrz przyjechał Charlie i zabrał Cię do Asphodel, więc nie miałam okazji pożegnać się z Tobą ani z Annabelle. Charlie dał mi brakujące pieniądze na bilet i jeszcze tego samego dnia wyjechałam do matki. Stamtąd jest znacznie bliżej do Nowego Jorku, gdzie chyba w końcu się przeniosę.

W zeszłym tygodniu dostałam list od Annabelle, w którym pisze, że nie odpowiadasz na jej listy, więc zwraca się do mnie z prośbą, żebym skontaktowała się z Tobą w jej imieniu. Jej ojciec przekazał dziecko Charliemu, aby je pochował, ale to wszystko, co wiemy. Annabelle prosi, abyś dała jej znać, gdzie w końcu spoczęło, bo chciałaby złożyć na jego grobie kwiaty.

Annabelle bardzo cierpi. Zawsze myślałyśmy, że jest z nas trzech najsilniejsza, ale chyba się myliłyśmy. Myślę, że cierpi razem z całym światem i bierze na siebie wszystkie jego bolączki. Mama słyszała smutne historie o kwiatach i drzewach, które chłoną otaczający je smutek i czernieją, niby żyją, ale w środku są martwe. I uważa, że to samo dzieje się z naszą kochaną Annabelle.

Ma okropne poczucie winy i tylko Ty możesz ją od niego uwolnić. Bo teraz jest jak żywy trup. I ten cudowny płomyk, który płonął dla nas wszystkich, przygasa jak świeca w otwartym oknie. Przebacz jej, Lily. Zrobiła, co musiała, i ocaliła życie nam trzem. Ona, oczywiście, tak tego nie widzi, ale przecież zawsze się od nas różniła.

Zostawiłaś Lolę, więc dałam ją Annabelle, licząc, że przypomni jej kiedyś lepsze czasy.

I może dobry Bóg wybaczy nam wszystkim.

Ucałowania,
Josie

Piper w milczeniu złożyła list i Helen usłyszała, że wsuwa go do koperty. Głos jej drżał, gdy chwilę później zapytała:

— Jak myślicie? Co takiego zrobiła moja babcia, że potrzebowała przebaczenia?

— Jest tylko jeden sposób, żeby się dowiedzieć — oświadczyła Helen. — Znajdźmy Malily i zapytajmy ją. — Wstała gwałtownie, nie mogąc pogodzić obrazu babci, która specjalnie dla niej założyła ogród, z wizją kobiety, która nie znalazła w sercu przebaczenia dla przyjaciółki.

Tucker wziął ją pod ramię.

— Jesteś pewna, że tego chcesz? To może być dla ciebie trudne.

Wyrwała mu rękę.

— Nie jestem już dzieckiem, Tucker. A to, że nie widzę, nie znaczy, że jestem słaba. To do mnie przyszedłeś po śmierci Susan, pamiętasz? Ja też ją opłakiwałam, ale ktoś musiał być silny ze względu na dzieci. Zresztą chętnie się nimi zajęłam. Nie traktuj mnie więc jak kogoś, kto nie poradzi sobie z prawdą.

Tucker się cofnął.

— Dobrze, idź. — I dodał łagodniejszym tonem: — Nigdy mnie tak naprawdę nie potrzebowałaś.

Helen po omacku wyciągnęła do niego rękę, a on ją ujął. Zarzuciła mu ramiona na szyję i uścisnęła go mocno, widząc w nim chłopca, który bał się burzy.

— Owszem, potrzebowałam. I zawsze będę potrzebować. Ale na wypadek gdybyś nie zauważył, moje życie jest mniej

352

skomplikowane niż twoje. Może więc skupisz się na własnym? A jeśli zdarzą się jakieś komplikacje i w moim, wcale nie będę niezadowolona.

Odsunęła się od niego i zwróciła do Piper:

— Chodź. Pójdziemy razem do pokoju Malily. — Zatrzymała Tuckera ruchem ręki. — Ale tylko my dwie. Pamiętasz, Malily zawsze mówi, że historię najlepiej rozumieją kobiety. Poza tym myślę, że nie zniosłaby zawodu w twoich oczach.

— Ani w twoich — zauważył.

Pozwoliła sobie na uśmiech.

— I tu się myślisz. Według niej nic nie widzę.

— Dobrze wobec tego. Jeśli tego chcesz. Tylko... zadzwoń do mnie, kiedy skończycie.

Piper wstała i włożyła kopertę w dłonie Helen.

— Daj jej to. — A do Tuckera powiedziała: — Idź do dziewczynek. Jeśli im pomożesz, chętnie ci pokażą, czego nauczyły się w tym tygodniu. Powiedziałam im, że jestem teraz panną Piper... bo chciałam odzyskać tożsamość.

Po chwili wahania Tucker odparł:

— Jasne, zrobię to. — Ruszył przed siebie, ale jeszcze się odwrócił. — Bądźcie dla niej wyrozumiałe. Jest starą kobietą.

Helen pokręciła głową.

— Byłaby wściekła, gdyby to usłyszała. Ale dobrze, będziemy.

Piper wzięła ją pod ramię i wprowadziła do domu. Szły wolniej niż zwykle, jakby wiedziały, że zaraz otworzą puszkę Pandory.

❧

Lillian siedziała w łóżku, wsparta na poduszkach obciągniętych najlepszym egipskim płótnem. Mimo to było jej niewygodnie i już tyle razy dzwoniła po Odellę, że ta w końcu postawiła krzesło przed jej pokojem, żeby oszczędzić sobie kursów po schodach. Pierwszy raz w życiu — nie licząc porodów — Lillian nie wstała z łóżka. Była zbyt zmęczona.

353

W głowie tłukły jej się zdania z albumu i własne myśli, co pozbawiało ją sił.

Obok niej na szafce nocnej leżały ostatnie zapiski Annabelle, a zdjęcie przedstawiające trzy przyjaciółki w ogrodzie doktora O'Hare przy Monterey Square stało oparte o ramkę z fotografią z balu debiutanckiego. Lillian poprosiła Odellę, żeby oderwała zdjęcie od kartki z albumu za pomocą pilniczka do paznokci, co nie nastręczało trudności, bo klej był już stary. Brzegi zawijały się jak nawiedzające ją wspomnienia, które krążyły tylko wokół jednego okresu jej życia.

— Była pani w ciąży na tym zdjęciu?

Przestraszona, spojrzała w stronę drzwi, w których stały Piper i Helen, a za nimi Odella. Lillian wiedziała jednak, że nie ma sensu prosić Odelli, aby kazała im odejść. Nic nie byłoby w stanie zatrzymać Annabelle, którą znała z dzieciństwa, i z jej wnuczką było tak samo.

Lillian odpowiedziała na surowe spojrzenie Piper.

— Tak, rzeczywiście. W siódmym miesiącu.

Odella uniosła brwi, ale Lillian odprawiła ją ruchem ręki i kobieta wyszła, zamykając za sobą drzwi. Nie żeby to miało jakieś znaczenie; Lillian wiedziała, że Odella zaraz przytknie ucho do drzwi i będzie podsłuchiwać. Tymczasem Piper przysunęła jedno z krzeseł do łóżka, pomogła Helen usiąść i sama też się usadowiła.

Helen odezwała się pierwsza.

— Byłyśmy dziś z wizytą u Alicii Jones... córki Josie.

Lillian uniosła brew, ale nic nie powiedziała.

Helen otworzyła torebkę i wyjęła z niej kopertę.

— Dała mi to. Od Josie. Alicia napisała do ciebie po jej śmierci, informując, że chciałaby ci to przekazać, ale nie odpowiedziałaś.

Lillian spojrzała na miękkie koce, które leżały na łóżku. Ze zdumieniem zaczęła się zastanawiać, czyje to ręce, takie stare, na nich spoczywają.

— Wolisz, żeby Piper ci to przeczytała, czy przeczytasz sama?

Lillian nie odpowiedziała. Piper wzięła więc od Helen kopertę i zaczęła czytać list. Starsza pani podniosła głowę dopiero wtedy, gdy dziewczyna skończyła. Zdziwiło ją, skąd się wzięły wilgotna plama na kocu i blada pokryta żyłkami skóra na artretycznych knykciach.

— Jakie imię nadałaś dziecku, Malily? — zapytała Helen takim tonem, jakby pragnęła być gdzieś indziej. Lillian też by wolała, żeby wnuczki przy tym nie było.

— Samuel. Samuel Frederick Montet. Po ojcu.

Piper wstała, gotowa zadawać dalsze pytania, ale Lillian podniosła rękę. Próbowała powstrzymać nieuniknione, chociaż wiedziała, że to jak próba powstrzymania dziecka przed płaczem.

— Znowu wybiegasz naprzód. Pozostał jeszcze jeden wpis w mojej części albumu. Nie chcesz go najpierw poznać?

Piper się zawahała, ale skinęła głową, a potem strzepnęła jedną z poduszek pod głową Lillian i wygładziła koc na jej kolanach. Zupełnie jak Annabelle. Lillian wyciągnęła rękę i chwyciła Piper za nadgarstek.

— Przestań.

Piper cofnęła się i usiadła z urażoną miną, bo najwyraźniej źle zrozumiała jej intencje. Lillian zachciało się śmiać, pomyślała bowiem: nie zasługuję na twoją troskę, tak jak nie zasługiwałam na troskę Annabelle. Nie powiedziała tego jednak.

— No, dalej, Piper, czytaj. Bo ja mimo okularów nie mogę już skupić wzroku.

Piper wzięła kartki, które wskazała Lillian, i zaczęła czytać na głos.

24 sierpnia 1939 roku

Nie bardzo wiem, po co znowu piszę w tym albumie, wklejam do niego zdjęcia i dodaję wisiorki do Loli. Może dlatego, że Annabelle tego ode mnie oczekuje. To nasza przybrana matka, jej siła i determinacja w ratowaniu tego, co zostało z przyszłości, dają nam pokrzepienie, ale ją samą, obawiam się, bardzo wyczerpują.

Nie chciałabym jej zawieść, więc piszę i wklejam zdjęcia. Ale jestem już dorosłą kobietą i zarówno ten album, jak i łańcuszek z wisiorkami wydają mi się dziecinne. Annabelle chyba sądzi, że te notatki pomogą nam w swoim czasie opowiedzieć historię naszego życia córkom, jakby to było takie istotne, w co nie wierzę. Ja sama nie znałam swojej matki ani historii jej życia; chociaż może właśnie dlatego zawsze czułam się taka samotna, pozbawiona korzeni.

I teraz się zastanawiam, czy moja matka miała mi o czym opowiedzieć. Więc piszę w tym albumie i wybieram wisiorek.

Znowu mieszkam u doktora O'Hare i mój ojciec nawet się nie domyśla przyczyny. Doktor O'Hare niedomaga i po wyjeździe Justine opieka nad nim i prowadzenie domu spadły na barki Annabelle. Tak przynajmniej mówię ojcu. Gdyby jednak znał Annabelle, wiedziałby, że kłamię, bo ona bez zmrużenia oka bierze na siebie wszystkie obowiązki. Mam poczucie winy, że jestem dla niej dodatkowym ciężarem, zwłaszcza że jeszcze musi kłamać w mojej sprawie. Nie wiem, co zrobiłby ojciec, gdyby poznał mój sekret. Mnie pewnie by nie skrzywdził, ale boję się myśleć, co stałoby się z Freddiem i jego dzieckiem.

To więc jedyne wyjście — żyć w sieci kłamstw. Śpię co noc na materacu w sekretnym pokoju, ale wszystkie wiemy, że i to nie jest bezpieczne.

Justine co tydzień śle listy do Josie, prosząc ją, żeby przyjechała do Wirginii. Ponieważ nie umie pisać, musi płacić komuś, żeby to za nią robił, co na pewno stanowi dużą trudność. To świadczy, jak bardzo pragnie, żeby Josie stąd wyjechała. Annabelle i ja też uważamy, że tak byłoby najlepiej, więc zaczęłyśmy zbierać dla niej pieniądze na pociąg. Ponieważ jestem przekonana, że urodzę chłopca, Annabelle sprzedaje wszystkie różowe buciki, sweterki, czapeczki i kocyki, które wydziergała w ostatnich miesiącach. Śmieje się i mówi, że to dopiero będzie, jeśli urodzi się dziewczynka!

Justine udzieliła nam ciekawej rady: żebyśmy rozwiązały wszystkie węzły w pokoju — od kokard przy zasłonach po sznurowadła — bo to podobno zapewnia łatwy poród. Nie mam serca jej odpisać, że to nie porodu się boimy, lecz tego, co będzie później.

Annabelle przygląda mi się i czeka. Już nie jestem o nią zazdrosna, bo Freddie dowiódł swojej miłości do mnie w sposób więcej mówiący o jego uczuciach niż obrączka, której nie mogę nosić na palcu lewej ręki. Nie wątpię też w jej lojalność i wiem, że zrobi, co konieczne, żeby zapewnić nam bezpieczeństwo. Ale w jej oczach widzę głód, głód życia, którego zawsze pragnęła. Nosi w sobie silniejszą pasję niż którakolwiek z nas i to mnie niepokoi. Jeśli nie zrealizuje swoich marzeń, to co się z nią stanie? Jest zbyt delikatna jak na twarde realia życia i za łatwo pogrąża się w żalu, wciąż zadręcza się tym, co powinna była zrobić.

To nas łączy. Ale tyle obecnie ryzykujemy, że obiecałam sobie nigdy więcej niczego nie żałować. Nie będę spoglądać wstecz i wyrzucać sobie, że mogłam postąpić inaczej. Nie da się cofnąć czasu. Od dziś zamierzam patrzeć przed siebie, żyć teraźniejszością. Gdybym tylko potrafiła przekonać do tego Annabelle. Bo ona i ja jesteśmy do siebie bardzo podobne pod wieloma względami. I to mnie przeraża. Może dlatego, że obie wychowałyśmy się bez matek, które dałyby nam wsparcie. Jednak moja niezależność wydaje się egoistyczna w porównaniu z jej ofiarnością i jest mi wstyd.

Ponieważ sprzedałyśmy mój aparat fotograficzny, nie mogę zrobić zdjęć pokoju, który w ostatnich miesiącach stał się dla mnie celą więzienną. Ale tkwię w nim i będę tkwiła jeszcze jakiś czas, więc postaram się go narysować: żelazne łóżko, wiklinowe łóżeczko, które jedna z pacjentek doktora O'Hare ofiarowała mu w ramach zapłaty. Udało mi się nawet jako tako narysować krzesło i okno, dzień i noc zasłonięte. Może pewnego dnia, przypominając sobie dawne czasy, uśmiechniemy się na to wspomnienie i będziemy się zdumiewać, jakie byłyśmy dzielne.

Jeśli chodzi o wisiorek, wysłałam Annabelle na Broughton Street, żeby zobaczyła, co tam mają. Powiedziałam jej, czego szukam, i przyniosła wisiorek przedstawiający rozwiązany bucik. Jest tylko pozłacany, bo nie mamy pieniędzy, ale wygląda idealnie. Ma zapewnić mi łatwy poród, ale jednocześnie symbolizuje naszą przyjaźń — to, jak rozwiązujemy serca, żeby znaleźć w nich miejsca dla siebie nawzajem. To nas łączy i pozwala nam przetrwać wszelkie zawieruchy.

3 września 1939 roku

Dziś rano, zaraz po śniadaniu, zaczęły się bóle. Początkowo myślałam, że zaszkodziło mi jajko w koszulce. Annabelle lepiej zna się na ogrodnictwie niż na gotowaniu, więc kiedy dostałam mdłości, moje podejrzenie padło na jajko. Nawet piękny bukiet wiosennych kwiatów na tacy ze śniadaniem nie poprawił mi samopoczucia.

Annabelle, która nieraz pomagała ojcu jako akuszerka, od razu zorientowała się, co się dzieje, wstawiła wodę na ogień i zaczęła rwać prześcieradła. Powiedziała, że wezwie ojca, gdy zacznie się właściwy poród, ale ponieważ

mogło to nastąpić za kilka godzin, obie uznałyśmy, że nie
będziemy go niepotrzebnie fatygować.
  Wysłałyśmy Josie do brata, żeby go zawiadomić.
Freddie się ukrywa i nawet ona nie ma pojęcia, gdzie go
znaleźć, ale wie, do kogo się zwrócić, aby wiadomość
dotarła na miejsce.
  Annabelle mówi, że to może potrwać jakiś czas i lepiej,
żebym się czymś zajęła. Zabrałam się do pisania, ale czuję,
że bóle się nasilają i stają się coraz częstsze, więc chyba
będę musiała przestać.
  Ostatnio przeczytałam cały ten album i cieszę się, że
Annabelle kazała nam go prowadzić. To będzie wspaniała
pamiątka na starość. Przeczytałam też swój ostatni wpis,
o przyjaźni, która pozwala nam przetrwać zawieruchy.
Jakie to prawdziwe! Gdy zaczęły się bóle, na niebie
pojawiły się szare chmury. Nadchodzi burza, już grzmi,
i ten dźwięk budzi we mnie strach. Zamykam oczy, kładę
się na plecach i modlę o to, żeby burza szybko przeszła.

Piper powoli odłożyła kartkę.

— To ostatnia strona. Ale nie koniec historii, prawda?

Znowu rozległ się szmer głosów, rzeka słów, która prze-
pływała jakby wokół Lillian i przez nią, ale zbyt szybko, aby
mogła je zrozumieć. Odniosła jednak wrażenie, że słyszy
Annabelle, która mówi jej, żeby oddychała, bo to złagodzi ból,
i że pewnego dnia to cierpienie jej pomoże.

Lillian odwróciła głowę, a miękkie płótno otarło się o jej
policzek. Leżała nie w wielkim łożu małżeńskim z mahoniu,
lecz w pojedynczym żelaznym łóżku.

— Nie, nie koniec — odpowiedziała, zamykając oczy, żeby
nie widzieć duchów.

Usłyszała przy uchu głos Helen.

— Co się stało z dzieckiem, Malily? Urodziło się martwe?

— Musisz wyjść — szepnęła Lillian. Pragnęła, aby Helen zrozumiała, że to dla jej własnego dobra.

— Czy tak? — powtórzyła pytanie wnuczka.

Lillian otworzyła oczy i spojrzała na nią.

— Jeśli odpowiem, obiecasz mi, że wyjdziesz?

Nastąpiła krótka chwila ciszy, gdy Helen się zastanawiała. Potem wyraziła zgodę.

— A Piper?

— Ona nie wyjdzie, nawet gdybym ją poprosiła.

Helen pokiwała głową.

— Powiedz nam. Czy dziecko urodziło się martwe?

Lillian przymknęła oczy, pogrążając się we wspomnieniach.

— Nie. Urodziło się zdrowe i silne, miało wszystkie paluszki u rąk i nóg. Było doskonałe.

— To powiedz, co się z nim stało, Malily. Jak Samuel umarł?

Lillian usłyszała teraz głos Josie, dobiegał z tyłu i zlewał się z głosem Annabelle, tworząc pieśń. Powiedz jej. Pokręciła głową, żeby je odpędzić.

— Proszę, niech ktoś włączy radio.

Piper wstała, podeszła do szafki nocnej i włączyła radio. Dobiegła z niego głośna, pulsująca muzyka. Josie śpiewała czystym, słodkim głosem, w którym zawierał się cały stracony czas między prawdą a żalem. „Czas to rzeka, która nie ma brzegów; mogę płynąć tylko z nim, do miejsca, gdzie pęknie mi serce".

Lillian podniosła gwałtownie rękę i strąciła radio, które zamilkło, i w pokoju zapadła ciężka cisza.

— Chcę, żebyś wyszła, Helen.

Obie z Piper patrzyły, jak Helen wstaje i podchodzi do drzwi. Tam zatrzymała się z ręką na gałce.

— Kochałaś w ogóle dziadka Charliego?

— Tak. Był dla mnie dobry i go pokochałam.

— Ale to Freddie był twoją prawdziwą miłością. Tą, której się nie zapomina.

Nie chciała odpowiedzieć, miała już jednak za mało czasu, żeby kłamać i utrzymywać tajemnice.

— Tak.

Helen pokiwała głową.

— Kocham cię, Malily. Nic, co do tej pory usłyszałam, i nic, co byś jeszcze powiedziała, tego nie zmieni. — Oparła czoło o drzwi. — I tak się wszystkiego dowiem. Ty sama mi mówiłaś, że jeśli czegoś pragnę, nie powinnam się wahać, pamiętasz?

Lillian znowu przymknęła oczy.

— Nie chcesz tego wiedzieć.

Helen otworzyła drzwi i Lillian dostrzegła Odellę, która wzięła jej wnuczkę za rękę. Potem drzwi się zamknęły.

Piper stała przy oknie. Spoglądała na dębową aleję cała sztywna z napięcia.

— Może usiądziesz?

Piper pokręciła głową.

— Nie, wolę stać.

Lillian mimowolnie uniosła kącik ust.

— Annabelle też nie lubiła, żeby jej mówiono, co ma robić. Miała tylko jedną słabość: myślała, że ci, których kocha, jej potrzebują. Obawiam się, że to był jej błąd.

Piper znowu zwróciła spojrzenie w stronę okna.

— To co się stało? Po tym, jak Samuel przyszedł na świat.

Lillian zapatrzyła się na radio. Znowu usłyszała śpiew Josie: „Czas to rzeka...". Tym razem nie odwróciła głowy. Wiedziała, że nie ucieknie przed tymi głosami.

— Muszę się napić.

Piper podeszła do kredensu, nalała Lillian sherry i jej zaniosła, a potem wróciła pod okno.

— Proszę mi wszystko opowiedzieć.

Lillian wypiła sherry jednym haustem i poczuła ciepło rozchodzące się po jej ciele. Podziałało to na nią uspokajająco, ale nie otępiło jej, jakby musiała odczuć każde wypowiedziane słowo. Odstawiła na szafkę nocną pusty kieliszek, który się przewrócił, ale żadna z nich go nie podniosła.

— Samuel urodził się cały i zdrowy. Wiedziałam, że to będzie chłopiec. Nie dlatego, że Josie tak mówiła, sądząc po kształcie mojego brzucha. Po prostu czułam, jak to matka. — Uśmiechnęła się na wspomnienie swojej ociężałości, okrągłego brzucha, wrażliwości piersi. Była dumna ze zmian, jakie zachodziły w jej ciele. Czuła się dzięki nim starsza, bardziej kobieca. Kochana.

— To jego zwłoki znaleziono potem w rzece, prawda?

Alkohol sprawił, że poczuła się lekka; miała wrażenie, że unosi się w wodzie, płynie z jej nurtem. Opadły jej powieki i ponownie znalazła się na strychu w domu przy Monterey Square, za zamkniętym oknem. Była noc, panowała duchota. Pot wsiąkał w czystą, zmienioną przez Annabelle pościel, leżące obok dziecko grzało ją dodatkowo. Odezwała się jakby w środku snu, czując upał i wilgotną pościel, i przerażenie, które je ogarnęło, gdy usłyszały kroki na schodach:

— Samuel był marudny. Nie miałam jeszcze mleka, więc nie mogłam go karmić. Wciąż płakał, bo był głodny. Annabelle wpadła na pomysł, żeby dać mu wilgotną szmatkę do ssania, i to przez jakiś czas działało, ale potem się zmęczył i znowu zaczął płakać.

— Czy Freddie przyszedł tej nocy?

Głos Piper zdawał się dochodzić z daleka.

— Nie. I następnej też nie. Sprawy źle się miały. Dwaj przyjaciele Freddiego i jakiś biały zostali zastrzeleni w samochodzie na polu w Summerville i tak ich znaleziono. Mówiło się, że to byli agitatorzy, chodzili od miasteczka do miasteczka, głosząc liberalne poglądy na temat systemu głosowania i segregacji. Kiedyś za coś takiego można było stracić życie.

Słońce późnego popołudnia zaczęło chylić się ku zachodowi, jego pomarańczowe światło przenikało przez zasłony, które

Piper uchyliła. Podświetlało ono jej profil w oknie, tak że wyglądała jak wytrawiona w szkle. Wydawała się taka krucha, ale było to złudne wrażenie.

— Annabelle też była piękna. Ale inaczej niż ty. Wszyscy myśleli, że jest silna, ale tak naprawdę była bardzo delikatna. Łatwo ją było złamać. — Przyglądała się przez chwilę młodej kobiecie, jej smukłemu nosowi i kościom policzkowym, wyrażającej upór brodzie i zaciśniętym w pięści dłoniom, z odciskami na palcach od ściskania cugli. — O tobie nikt tak nie mówił, prawda? Pewnie wszyscy byli zdziwieni, gdy przestałaś startować w zawodach.

Piper popatrzyła na nią zimno, nieustępliwie.

— Proszę, niech pani nie zmienia tematu. Kiedy Freddie wreszcie przyjechał?

Lillian odrzuciła koce, bo gorąco było nie do zniesienia.

— Dlaczego musisz to wiedzieć? Nie możesz zostawić tej sprawy? Twoja babcia nie żyje i to, że poznasz całą historię, niczego nie zmieni. — Mówiła niewyraźnie, zacierając słowa, bo jej ciało nie nadawało się do walki, którą podjął jeszcze umysł.

— Kiedy przyjechał Freddie?

Ale uparta. Annabelle też taka była. Aż do tego ostatniego listu, który Lillian odesłała. Leżąc na poduszkach, wróciła do pokoiku na strychu. Przypomniała sobie pierwszą błyskawicę, która rozświetliła małe pomieszczenie. Potem znowu zapadł mrok.

— Przebywałam na strychu przez dwa dni. Josie i Annabelle zmieniały się przy mnie i dbały o to, żebym jadła. Czasami brały ode mnie dziecko, żeby przestało płakać, albo dawały mu wilgotną szmatkę, żeby się napiło. Kiedyś zajrzał do nas doktor O'Hare, powiedział, że ktoś przyszedł do domu, szukając Freddiego i mnie, ale on go odesłał, mówiąc, że od miesiąca nie widział żadnego z nas. Jednak bardzo się przestraszył i chciał nas ostrzec, żebyśmy pod żadnym pozorem nie wychodziły z pokoju. Polecił nam zamknąć okno z powodu płaczu dziecka. Słyszałyśmy już o pożarze kościoła i o tym, że zabrano rejestr ślubów, pomyślałyśmy więc, że jeśli szukają mnie w Savannah, to na pewno poszli już do mojego ojca i powiedzieli mu wszystko. To była tylko kwestia czasu i wiedziałyśmy, że musimy zawiadomić Freddiego, aby nie przychodził, bo już na niego czekają.

— I co było dalej? — Piper się nie odwróciła.

Lillian walczyła z opadającymi powiekami, bo nie chciała znowu zobaczyć tego wszystkiego, ale w końcu zamknęła oczy. Wygodny pokój w Asphodel zniknął i ujrzała tamtą straszną burzową noc przed siedemdziesięciu laty.

— Przyszedł. Początkowo nie wiedziałyśmy, że to on. Doktor O'Hare poszedł do sklepu, żeby kupić jedzenie. Jakoś udało mu się zastawić drzwi pokoiku na strychu szafą, na wszelki wypadek. Siedziałyśmy w ciemności, trzymając na rękach Samuela i próbując go uspokoić. Uchyliłyśmy lekko zasłonę. Nad miastem wisiały czarne chmury i Josie powiedziała, że to zły znak, że musimy przygotować się na najgorsze.

— I tak zrobiłyście?

— Nie miałyśmy wyboru. Nie mogłyśmy wyjść. Musiałyśmy tam siedzieć i czekać, i modlić się, żeby doktor O'Hare wrócił i żeby Freddie przypadkiem nie przyszedł. — Machnęła ręką nad przewróconym kieliszkiem po sherry. — Nalej mi jeszcze.

Przez chwilę wydawało się, że Piper odmówi. Ale odepchnęła się od okna, podniosła kieliszek i napełniła go, a następnie bez słowa podała Lillian. Potem wróciła na swoje miejsce i znowu spojrzała na dęby oraz na zachodzące za nimi słońce w swojej samotnej wędrówce po świecie, który Lillian powoli opuszczała.

Wypiła sherry duszkiem, jak to robił jej ojciec; widziała to, bo nie miała matki, która by zadbała, aby córka nie stykała się z wulgarnym światem mężczyzn.

— I wtedy przyszedł Freddie?

Lillian posmakowała alkoholu, który rozlał się jej na języku.

Wiedziała jednak, że choćby wypiła nie wiadomo jak dużo, nie pozbędzie się goryczy, którą czuła w ustach.

— Tak. Musiał mieć klucz Justine. Wiedział, gdzie jesteśmy... Josie pewnie mu powiedziała... i dotarł na strych, gdy go dopadli.

Piper stała teraz naprzeciwko niej, miała słońce za plecami, więc Lillian nie widziała jej oczu.

— Słyszałyście... ich?

Lillian kiwnęła głową.

— Słyszałyśmy wszystko. Najpierw go bili, pytali, gdzie jest jego biała dziwka, mówili, że dostanie nauczkę za to, że sprzeniewierzyła się swojej rasie. Ale on... — Głos jej się załamał, wspomnienia były niczym zbite szkło. — Nic im nie powiedział.

— A Samuel przestał płakać.

Lillian powoli spojrzała na Piper, zadowolona, że nie widzi jej dobrze. Bo za każdym razem, gdy na nią patrzyła, widziała Annabelle w tamtą burzową noc, noc, podczas której zostawiły dzieciństwo daleko za sobą.

Nie odwracając wzroku, Lillian zapytała:

— Rzeczywiście chcesz poznać prawdę? Bo mogę ci opowiedzieć zakończenie, w którym to ci w czarnych kapeluszach będą źli. A nie kobieta, która trzymała cię w ramionach, gdy byłaś mała.

Piper powoli usiadła na krześle przy łóżku. Ręce jej się trzęsły, jakby ona też słyszała grzmoty i odgłosy pięści łamiących kości.

— Chcę znać prawdę. Całą. Babcia by mi ją powiedziała.

— Gdybyś zapytała.

Piper spojrzała jej w oczy. Wysunęła brodę.

— Proszę powiedzieć mi prawdę.

Lillian wygładziła koc pod palcami, ale nic w nich nie czuła. Nie spuszczała wzroku z twarzy Piper.

— Annabelle trzymała Samuela na rękach, kiedy zaczął płakać. Wsadziła mu szmatkę do buzi, ale to nic nie dało. Był bardzo głodny. Odgłosy burzy najpierw maskowały jego płacz, ale krzyczał coraz bardziej. Wiedziałyśmy, że nie dożyjemy poranka, jeśli ci ludzie go usłyszą.

Przełknęła ślinę, bo zaschło jej w gardle. Miała wielką ochotę napić się jeszcze sherry, ale brakowało jej sił, żeby o nie poprosić.

— Więc Annabelle zasłoniła mu buzię ręką, żeby go uciszyć. Wtedy... przestał płakać. Nie śmiałyśmy się poruszyć, tylko słuchałyśmy, jak biją Freddiego i przetrząsają pozostałe pomieszczenia. Potem wyszli, zabierając go ze sobą, a my zostałyśmy w ciemnym pokoju, słuchając szumu deszczu i grzmotów. Siedziałyśmy tam do świtu, dopiero wtedy odważyłyśmy się poruszyć.

— Gdzie był doktor O'Hare? Dlaczego nie wrócił?

— Och, wrócił. Paul Morton znalazł go w salonie. Uderzyli go w głowę krzesłem i złamali mu żebro. Paul poszedł na górę, odsunął szafę i odemknął drzwi. Powiedział nam, że doszło do linczu i Freddie nie żyje. Twierdzili, że to było samobójstwo. Ale my znaliśmy prawdę. — Przymknęła na chwilę oczy, bojąc się znowu je otworzyć. — I wtedy Paul... — Uniosła głowę i ze zdziwieniem zobaczyła, że Piper, z twarzą mokrą od łez, podaje jej chusteczkę higieniczną. — Wziął od Annabelle Samuela i podał go mnie. — Lillian odwróciła wzrok, bo nie mogła patrzeć Piper w oczy. — Ale on nie oddychał.

Piper pokręciła głową, drżały jej ramiona.

— Nie. Nie!

Lillian spojrzała poza młodą kobietę, w stronę okna, za którym widziała czubki dębów.

— Nie chciała. To był wypadek.

Piper patrzyła na nią przez długi czas z przerażeniem i oburzeniem w oczach.

— A pani obarczała ją winą przez te wszystkie lata. Nie chciała jej przebaczyć, a jej tak bardzo na tym zależało. To ją zniszczyło, te wyrzuty sumienia. — Pokręciła głową i wierzchem dłoni otarła łzy. Pochyliła się i powiedziała: — Uratowała was, panią i Josie. A pani nie umiała jej przebaczyć? — Zasłoniła rękami oczy.

Lillian patrzyła na jej pochyloną głowę. Przypomniała sobie ich rozmowę o powoju księżycowym. Piper powiedziała, że to odważna roślina, bo nie boi się pokazać w świetle dnia swojej brzydoty. Lillian miała ochotę wyznać jej wtedy prawdę, ale się zawahała. Nigdy nie była tak odważna jak Annabelle i dlatego ukrywała prawdę nawet wtedy, gdy mogła uzyskać przebaczenie.

— Przebaczyć?! Musiałam jakoś żyć dalej. Za każdym razem, gdy myślałam o Josie i Annabelle, widziałam buzię swojego synka. Dlatego się rozstałyśmy. Dlatego rozerwałyśmy album i nigdy nie patrzyłyśmy wstecz.

Piper miała zaczerwienione oczy, a na twarzy ślady łez z powodu dziecka, którego nigdy nie widziała.

— Ten kamienny anioł na cmentarzu. Tam go pochowaliście.

Lillian skinęła głową, przyciskając chusteczkę do ust.

— Ojciec zgodził się na to, ale tylko pod warunkiem, że wyjdę za mąż za Charliego. Kochał mnie mimo... mimo wszystko. Moja reputacja była ocalona, bo wydał przyjaciół Freddiego tym, którzy dokonali na Freddiem linczu.

Piper wstała, poruszała się sztywno.

— Jesteś zadowolona, że poznałaś całą historię? — zapytała Lillian.

Piper, wzburzona, pokręciła głową.

— To przecież nie wszystko, prawda? Co było w liście, który znalazła Susan? — Podeszła do łóżka i spojrzała na Lillian z góry. — Dlaczego żyje pani w mroku przez te wszystkie lata? Czego mi jeszcze pani nie powiedziała?

Lillian patrzyła, jak faluje jej pierś, i pomyślała o Helen.

— To już wszystko. Czułam się winna z powodu tego, co stało się z Annabelle, i próbowałam jakoś z tym żyć. Ale wybaczyłam jej dawno temu. Miałam nadzieję, że sama też sobie wybaczy.

Piper spojrzała na nią dziwnie.

— Ale ona nie wiedziała, że jej pani wybaczyła, prawda? Więc jak mogła wybaczyć samej sobie? — Odwróciła głowę, prychając głośno. — Pójdę już. Przysłać Odellę?

Lillian pokręciła z wysiłkiem głową, a potem opadła na poduszki.

— Nie. Muszę odpocząć.

Dziewczyna dała znak, że rozumie, i podeszła do drzwi.

— Piper?

Odwróciła się.

— Tak?

— Kochałam twoją babcię jak siostrę. I nigdy nie przestałam.

— Dziwnie jej to pani okazywała. — Lillian odniosła wrażenie, że dostrzegła litość w jej oczach. Piper cicho otworzyła drzwi i wyszła.

Gdy Lillian zamknęła oczy, z ust wyrwały jej się słowa, które pragnęła wypowiedzieć. Przez chwilę unosiły się w pustym pokoju, a potem przebrzmiały — były jak błyskawica, która na moment rozświetla mrok.

ROZDZIAŁ 23

Wychodząc z pokoju Lillian, usłyszałam jej ostatnie słowa, których miałam nie słyszeć. „Przebacz mi". Zmroziły mnie, więc zaczęłam się zastanawiać, za co pragnęła przebaczenia.

Odella odeszła, a na jej krześle przed drzwiami siedziała Helen. Po wyrazie przejęcia na jej twarzy i zaczerwienionych oczach zorientowałam się, że wszystko słyszała. Wyciągnęła do mnie rękę, którą przyjęłam. Stałyśmy tak w milczeniu przez chwilę, jakbyśmy zgadzały się, że nie ponosimy odpowiedzialności za grzechy naszych babek. I że upływ czasu jest jak porwana koronka okrywająca stare sekrety.

Puściłam jej dłoń, a potem wyszłam z domu oszołomiona. Nie wiedziałam nawet, dokąd idę, dopóki nie dotarłam do stajni. Zawsze zwracałam się do koni, gdy musiałam coś przemyśleć, ale tym razem moje pragnienie, aby stanąć przed Kapitanem Wentworthem, było częściowo efektem tego, co Lillian powiedziała o babci. Ale nie w związku z tym strasznym zdarzeniem w pokoiku na strychu przed laty. Moją uwagę przykuły jej słowa o dzielnej kobiecie, która staczała bitwy w cudzych sprawach i która do końca była lojalną przyjaciółką. Przepełniała mnie duma, że znałam tę osobę i że była moją babcią. Szkoda tylko, że tak późno to odkryłam i nie powiedziałam jej tego, gdy jeszcze mogłam.

Prześladowało mnie też to, co Lillian powiedziała wcześniej. „Gdybyś była inna, nadal skakałabyś przez przeszkody". Nie byłam pewna, czy chciała mnie zranić. Mówiła przecież, że kochała moją babcię, i wierzyłam jej. Może po prostu zdawała sobie sprawę, że Annabelle nie chciałaby, abym siedziała na widowni życia tak jak ona, tylko żebym odkryła to, do czego ona sama doszła tak późno: że rozczarowania nie mają końca, ale życie jest tylko jedno.

Położyłam dłonie na drzwiach stajni. Miałam zbielałe knykcie. „Gdybyś była inna, nadal skakałabyś przez przeszkody". Czułam, że te słowa nie były skierowane do mnie, lecz do Annabelle, że był to rodzaj przebaczenia. I jeśli jej już nie mogło pomóc, to mogło pomóc mnie.

Zajrzałam do boksu i ze zdziwieniem zobaczyłam, że jest pusty. Jednocześnie zauważyłam przy drzwiach tabliczkę z imieniem konia. „Kapitan Wentworth". Delikatnie przesunęłam palcami po wygrawerowanych literach. Pomyślałam, że Tucker zamówił tę tabliczkę ze względu na mnie.

— Kapitanie Wentworcie?! — zawołałam. Nie liczyłam na odpowiedź, ale chciałam przerwać dziwną ciszę, która panowała w stajni. Wyszłam na zewnątrz drugimi drzwiami, tymi, które prowadziły na maneż, i zatrzymałam się zaskoczona.

Lucy najwyraźniej sama osiodłała Kapitana Wentwortha i właśnie prowadziła go do podnóżka. Ewidentnie nie zdawała sobie sprawy z jego wielkości i temperamentu, zwłaszcza w stosunku do jej wzrostu i doświadczenia. Nie podbiegłam do niej, żeby nie przestraszyć ani jej, ani zwierzęcia, ale weszłam szybkim krokiem na plac. Dziewczynka już wsunęła w strzemię stopę w wysokim bucie i właśnie miała usiąść w siodle.

Gdy byłam już blisko, Lucy zauważyła mnie i szybko przerzuciła nogę nad końskim grzbietem.

Kapitan Wentworth poruszył się nerwowo, ale potem stanął spokojnie, tak że Lucy ujęła wodze i zmusiła go, żeby powoli odszedł od podnóżka.

Nie podnosząc głosu, zwróciłam się do niej:

— Lucy, co ty wyrabiasz?

— Jeżdżę na koniu zamiast na kucyku.

— Lucy — powiedziałam bardziej stanowczo — na tym koniu nie wolno ci jeździć.

— Ale proszę spojrzeć, panno Piper. Sama go wyprowadziłam ze stajni i dosiadłam. Widzi pani? I jadę na nim. Potrafię.

— Owszem, Lucy. Nigdy nie mówiliśmy, że nie potrafisz. Tylko że ten koń jest szczególny, a ty nie masz doświadczenia. Był zaniedbywany przez poprzednich właścicieli, którzy być może nawet się nad nim znęcali. A to znaczy, że może zareagować nieprzewidywalnie, jeśli poczuje się zagrożony.

— Ale jadę na nim, a on jest mi posłuszny. — Dziewczynka uśmiechnęła się szeroko pod kaskiem jeździeckim. — Widzi pani? — Dźgnęła boki Kapitana Wentwortha nogami i koń posłusznie przeszedł w kłus. Poruszał się pięknie, harmonijnie, i ogarnęła mnie dziwna tęsknota. Chcę skakać. Skakać wysoko.

Zaczęłam się niepokoić.

— Wystarczy już, Lucy. Proszę, przyprowadź Kapitana Wentwortha do podnóżka.

— Ale widzi pani, jak dobrze mi idzie? Proszę zobaczyć. Pokażę pani, że umiem też skakać.

Przerażona, rozejrzałam się po maneżu i zobaczyłam, że ustawiła dwie poprzeczki, niezbyt niebezpieczne, chyba że jeździec był niedoświadczony, a koń — nieprzewidywalny.

— Dam radę! Niech pani patrzy!

Patrzyłam ze zgrozą, jak jej kucyki, jakby w zwolnionym tempie, opadły na kurtkę do jazdy konnej.

— Zatrzymaj się, Lucy. I to już. To nie jest dobry sposób, żeby się tego nauczyć.

Kapitan Wentworth na żądanie Lucy przeszedł w galop.

— Lucy, ściągnij wodze w lewo, niech skręci!

Ale dziewczynka wysunęła brodę i jechała przed siebie, jakimś cudem nie spadając z siodła. Ruszyłam ku niej, kontrolując swoje ruchy, żeby nie przestraszyć konia, a tymczasem ona okrążyła maneż ostatni raz i Kapitan Wentworth skierował się ku pierwszej przeszkodzie. Nic nie wskazywało na to, że zwolni. Był koniem wyścigowym, gotowym wziąć każdą przeszkodę.

Podbiegłam bliżej i zobaczyłam, że Kapitan Wentworth przeskoczył nad poprzeczką i wylądował w obłoku pyłu po drugiej stronie. Podniecony powodzeniem, wyrwał przed siebie, żeby nabrać rozpędu. Ten gwałtowny ruch zaskoczył Lucy i gdy szłam ku niej, zobaczyłam, że zaczyna zsuwać się z siodła. Jej szczupłe nóżki traciły podparcie z każdym ruchem konia. Uskoczyłam w bok, gdy Kapitan Wentworth przegalopował przede mną na tyle blisko, że dostrzegłam wyraz oczu Lucy — podniecenie i radość z pierwszymi oznakami niepokoju.

Upartej dziewczynce udało się odzyskać równowagę i nawet usiadła pewnie w siodle, ale koń biegł zbyt szybko, aby mogła nad nim zapanować.

— Usiądź, Lucy! Usiądź!

Kapitan Wentworth przeleciał nad drugą przeszkodą, ale moja ulga trwała krótko, bo zdałam sobie sprawę, że zmierza ku stacjonacie z belką na wysokości metra dwudziestu, którą ktoś zostawił na maneżu. Zamarłam i patrzyłam z przerażeniem, jak koń zbliża się do przeszkody, zamierzając ją pokonać z Lucy na grzbiecie.

Czując wahanie dziewczynki, Kapitan Wentworth zwolnił i ominął przeszkodę, ale przejechał obok niej tak blisko, że Lucy zawadziła o jedną belkę i spadła. Wylądowała na ziemi z głośnym uderzeniem, w chmurze pyłu, i usłyszałam, że ze świstem wypuszcza z płuc powietrze.

Dobiegłam do niej, zanim jeszcze pył osiadł, przyklękłam obok i sprawdziłam, czy oddycha. Jej pierś wznosiła się i opadała. Odprężyłam się, ale jeszcze się nie uspokoiłam.

— Słyszysz mnie, Lucy?

Dziewczynka kiwnęła głową, dzięki czemu wiedziałam, że nie złamała sobie karku. Odetchnęłam, ale zaraz potem spojrzałam jej w oczy, aby się upewnić, czy patrzy przytomnie i jest w stanie nawiązać ze mną kontakt wzrokowy. Była bardzo blada, ale zaczęła łapać powietrze, więc nie miała złamanych żeber, z powodu bólu byłoby to niemożliwe. Zaczęłam sprawdzać metodycznie, czy nie ma złamanych kości, tak jak w moim przypadku robili to mnóstwo razy lekarze.

Lucy zaczęła oddychać normalnie i śledziła wzrokiem moje ruchy. Ujęłam w dłonie jej brodę.

— Boli cię gdzieś?

Kiwnęła głową, więc przygryzłam wargę.

— Gdzie cię boli?

W jej brązowych oczach malowała się powaga.

— Wszędzie.

Zaśmiałam się nerwowo.

— Uhm, wiem. Ale nie boli szczególnie mocno w żadnym miejscu?

Pokręciła głową.

— Zdejmę ci buty i poproszę cię, żebyś poruszała palcami u stóp, dobrze?

Lucy skinęła głową i patrzyła, jak zdejmuję jej po kolei oba buty. Uśmiechnęłam się, widząc, że ma na nogach skarpetki w niebieskie wstążeczki.

— Poruszaj palcami.

Wykonała polecenie, a potem w ten sam sposób sprawdziłyśmy, czy ma władzę w pozostałych częściach ciała. Kapitan

Wentworth stał w miejscu, nieświadomy, że o mało nie doprowadził do nieszczęścia, i zarzucił łbem arogancko, jakby chciał powiedzieć: „Widzisz? Dałbym radę".

Pomogłam Lucy usiąść i przez chwilę siedziałyśmy razem na ziemi, aby się upewnić, że nic jej nie dolega. Potem wstałam, podeszłam do gniadosza i pozwoliłam mu się obwąchać. Nie mogłam się na niego gniewać; robił przecież to, czego chciała od niego Lucy.

Odwróciłam się do dziewczynki, żeby sprawdzić, czy jest gotowa wstać, i ze zdziwieniem zobaczyłam, że z lękiem odsuwa się od konia.

— Lucy?

— Nie będę więcej na nim jeździć.

— Jak to? Coś ci się stało i nie chcesz mi powiedzieć?

Pokręciła głową, nie odrywając wzroku od Kapitana Wentwortha.

— To będziesz musiała na niego wsiąść. — Ogarnął mnie spokój, taki jaki panuje nad stawem w pierwszych godzinach po wschodzie słońca. Przyszły mi na myśl słowa, stłumione i niewyraźne, jakby dochodziły spod wody, ale brzmiały mi w uszach, jakby zostały wypowiedziane pod moim adresem zaledwie poprzedniego dnia. — Bo inaczej zapomnisz, po co w ogóle jeździ się konno.

Popatrzyła na mnie twardym wzrokiem.

— Ale pani nie wsiadła już na konia.

Odpowiedziałam spojrzeniem, uświadamiając sobie, że powiedziała to bez złości, rzeczowo, jak tylko dzieci potrafią.

— To co innego — zaczęłam.

— Dlaczego?

Chciałam przerwać tę rozmowę i zapytać ją, jak ktoś taki młody może być tak mądry i skąd wie, że toczę ze sobą podobną dyskusję od ponad sześciu lat.

— Bo... — Szukałam odpowiedzi i nagle uświadomiłam

sobie, jak łatwo ją znaleźć. — Bo nie było nikogo, kto by mi to powiedział.

Podparła się rękami i spojrzała na mnie niewinnie.

— Ale teraz ja jestem przy pani. Dlaczego nie wsiądzie pani na konia i nie zacznie jeździć znowu, panno Piper?

Odwróciłam się i spojrzałam na Kapitana Wentwortha, jakby mógł włączyć się do tej rozmowy. A wtedy przypomniałam sobie inny powód, równie istotny jak pozostałe. Nigdy nikomu go nie wyjawiłam i sama dopiero zaczęłam go sobie uświadamiać — ale cóż, był niczym różowy słoń pośrodku pokoju, którego nie można nie zauważyć.

Przełknęłam ślinę, starając się znaleźć słowa zrozumiałe dla ośmiolatki.

— Bo kiedyś byłam w tym naprawdę, naprawdę dobra. Ludzie przychodzili, żeby mnie oglądać, oklaskiwali mnie i podziwiali. A teraz... — Wzruszyłam ramionami, nie bardzo wiedząc, czy sama to rozumiem. — Już nie jestem dobra. Jeśli o to chodzi, pewnie nawet jeżdżę słabo. I po prostu nie chcę... nie chcę wsiąść na konia po tych wszystkich latach i przekonać się, że jestem już innym jeźdźcem.

Lucy ściągnęła brwi.

— Ale, panno Piper, może pani na mnie liczyć. Będę klaskać i kibicować, jeśli pani wsiądzie na konia i na nim pojedzie. A potem zamienimy się rolami.

Spojrzałam na nią, próbując znaleźć argument, który pozwoliłby mi zakończyć tę dyskusję, ale uświadomiłam sobie, że to daremne. Odwróciłam się znowu do Kapitana Wentwortha. Wałach zastrzygł uszami i powoli machnął ogonem, może czekał na moją odpowiedź? Blizny na jego boku stały się jakby wyraźniejsze. Czyżby chciał mi przez to pokazać, że nie jestem sama? „Bo inaczej zapomnisz, po co w ogóle jeździ się konno". Czy moja babcia powiedziała to, aby uzmysłowić nam obu, że na tym właśnie polega sztuka przetrwania, niezależnie od tego, ile razy doświadczyło się upadku? I czy nie liczyła, że ja to potwierdzę? Pod tym względem ją zawiodłam, ale może Lucy stwarzała mi drugą szansę.

Niewiele myśląc, sprawdziłam popręg. Siodło było małe, ale uznałam, że się w nim zmieszczę. Podniosłam wodze z ziemi i ruszyłam z Kapitanem Wentworthem do podnóżka.

— Panno Piper... niech pani zaczeka.

Odwróciłam się. Lucy stała na suchej ziemi w skarpetkach i wyciągała w moją stronę swoją fluorescencyjną szpicrutę. Jako dziewczynka zawsze marzyłam o czymś takim, ale dziadek mówił, że to nie jest szpicruta dla poważnych jeźdźców. Jednak kiedyś znalazłam podobną pod choinką z kartką, że to prezent od obojga dziadków. Dopiero teraz zrozumiałam, kto tak naprawdę mi ją podarował.

— I jeszcze to. — Dziewczynka podbiegła do ogrodzenia i zdjęła wiszący na słupku kask jeździecki dla dorosłych. — To panny Andi... zostawiła go tu wczoraj. Powinien na panią pasować.

Podziękowałam skinieniem głowy, wzięłam szpicrutę oraz kask i zaprowadziłam Kapitana Wentwortha do podnóżka. Obniżyłam strzemiona, włożyłam w jedno z nich stopę i nie czekając, aż znowu ogarnie mnie lęk, przerzuciłam prawą nogę nad końskim grzbietem. Koń stał nieruchomo, aż oboje oswoiliśmy się ze sobą i opanowałam pokusę, żeby zsiąść.

Nie miałam na nogach butów do jazdy konnej, co stanowiło pewne utrudnienie, ale skłoniłam Kapitana Wentwortha do stępa, lekko dźgając go łydkami. Lucy wycofała się i usiadła na ogrodzeniu, z którego mogła mnie obserwować, tak jak obiecała. Znajomy rytm końskich kroków i stukot kopyt na ubitej ziemi nie budził we mnie strachu; był jak kołysanka śpiewana mi przez mamę, ale zapomniana dawno temu. Wsłuchałam się w nią, a potem ścisnęłam łydkami boki konia i Kapitan Wentworth przeszedł w kłus.

Może to wystarczy, pomyślałam, jadąc po okręgu. Gniadosz szybko okrążał maneż, wiatr wiał mi w twarz i w usta, co mi uświadomiło, że się uśmiecham.

— Ładne przejście, panno Piper! — zawołała Lucy.

Tak. Rzeczywiście. Uśmiechnęłam się szerzej i dalej jechałam kłusem, czując pod sobą spiętego konia i własne napięcie w rękach trzymających wodze. Chcę biec. Chcę się wznieść. Miałam wrażenie, jakby koń powiedział to na głos, a ja wyraziłam zgodę, bo ściągnęłam wodze i dałam znak do galopu. Poczułam, że wierzchowiec przyspiesza. Moje ciało przystosowało się do jego rytmu, jakby nigdy go nie zapomniało, a serce przepełniła radość.

Kątem oka zauważyłam, że Lucy otwiera bramę.

— On chyba chciałby pogalopować, panno Piper.

Niepewnie zrobiłam na Kapitanie Wentworcie jeszcze dwa okrążenia, ale czułam, że koń ma ochotę na więcej, tak samo zresztą jak ja. Oboje pragnęliśmy pogalopować przed siebie, jakby te lata, w których byliśmy pozbawieni tej możliwości, jeszcze wzmogły w nas tę chęć. Czując, że jest nam to pisane, wyprowadziłam wałacha za bramę i gdy znaleźliśmy się na polach za Asphodel, skłoniłam go do galopu. Gdy popędziliśmy przed siebie, usłyszałam, że Lucy klaszcze i wiwatuje.

Galopowaliśmy, aż oboje pokryliśmy się potem, aż zostawiliśmy daleko za sobą wszystkie demony i duchy, które siedziały nam na karku i ciążyły jak kamienie noszone w kieszeniach przez dzieci. Pędziliśmy, aż krew w moich żyłach zaczęła tętnić w rytm końskich kopyt uderzających o ziemię, i przestałam czuć gorycz w ustach.

Energia skończyła nam się w tym samym czasie, więc zwolniliśmy do kłusa, a potem do stępa, żeby odzyskać oddech. Bolało mnie kolano, ale to nie był ból, którego się bałam.

Już z daleka usłyszeliśmy oklaski i wiwaty. Wjeżdżając na maneż, Kapitan Wentworth uniósł łeb jakby w królewskim podziękowaniu. Gdy spojrzałam przed siebie, ze zdziwieniem zobaczyłam, że do Lucy dołączyli Tucker i Sara, którzy kibicowali nam z takim samym jak ona entuzjazmem.

Tucker wyszedł nam naprzeciw i spotkaliśmy się pośrodku maneżu, ale nie czekał, aż zsiądę. Wyciągnął do mnie ręce, a ja z wdzięcznością zsunęłam się w jego objęcia i przywarłam do niego.

— Nie wierzę, że się na to odważyłam. — Przycisnęłam czoło do jego piersi i zaczęłam szlochać. Wraz ze łzami wypłynęły ze mnie cały żal i gniew, które narastały od czasu śmierci rodziców, gdy uwierzyłam, że jestem niepokonana.

Rozpłakałam się jeszcze bardziej, bo przypomniałam sobie babcię, która za pomocą ogrodnictwa próbowała mnie przekonać, że się mylę, że jej kwiaty każdego roku muszą pokonywać rozmaite przeciwności, ale jeśli się użyżnia ziemię i ją podlewa, rośliny stają się coraz silniejsze i lepiej znoszą kaprysy natury.

Płakałam także z powodu chłopca, którego jedyną winą było to, że urodził się w złym czasie, i z powodu kobiety, która by go wychowała, gdyby nie umarł.

Tucker trzymał mnie w ramionach, dopóki nie przestałam płakać. Poczułam jego usta na swoich włosach.

— Byłaś niesamowita — powiedział mi do ucha.

Odsunęłam się, spojrzałam mu w oczy i zobaczyłam, że się uśmiecha.

— Naprawdę?

— Naprawdę.

Wydawało się czymś najbardziej naturalnym na świecie, że pochylił się i pocałował mnie w usta, a ja zarzuciłam mu ramiona na szyję i przytuliłam się do niego. Mieliśmy wrażenie, jakbyśmy znaleźli coś, co nam umykało w okresie cierpienia i żalu.

— Wynajmijcie sobie pokój.

Nagle przypomnieliśmy sobie, że nie jesteśmy sami. Oderwaliśmy się od siebie i zobaczyliśmy, że Sara zasłania oczy, a Lucy odwraca wzrok. Nawet Kapitan Wentworth patrzył w inną stronę.

— Gdzie to usłyszałaś, młoda damo?

Widziałam, że Tucker jako rodzic z trudem zachowuje powagę, więc ja też przybrałam poważną minę.

— W telewizji — wyjaśniła Lucy, wciąż na nas nie patrząc.

Tucker w milczeniu kiwnął głową.

— Chyba będę musiał porozmawiać z Emily.

Sara podbiegła do nas i pociągnęła ojca za koszulę.

— Możemy pójść do kuchni? Odella zrobiła dziś cytrynowe batony i powiedziała, że dostaniemy je po kolacji.

Lucy podeszła do Sary, jakby chciała odejść razem z nią. Wyciągnęłam jednak rękę i położyłam jej na ramieniu.

— Poczekaj chwilę. Myślałam, że zawarłyśmy umowę.

Dziewczynka spojrzała niepewnie na Kapitana Wentwortha.

— Jutro to zrobię.

— Nie. Zrób teraz.

Przełknęła ślinę.

— Nie chcę.

— Lucy... — zaczął Tucker, ale dałam mu znak ręką, więc umilkł.

— Dlaczego nie, Lucy? Dlaczego nie chcesz ponownie wsiąść na konia?

Wzruszyła ramionami.

— Bez powodu. Chyba jestem już zmęczona.

Podeszłam do Kapitana Wentwortha i podciągnęłam mu strzemiona, a potem wróciłam do Lucy.

— Dlaczego nie? — zapytałam jeszcze raz. Kucnęłam przed nią, żeby spojrzeć jej w oczy.

Dziewczynka opuściła głowę.

— Dlaczego nie, Lucy? — Pochyliłam się ku niej. — Bo się boisz?

Uniosła wzrok.

— Wcale się nie boję.

— To wsiadaj na konia i weź go na przejażdżkę. — Położyłam jej dłonie na ramionach. — Bo inaczej zapomnisz, po co w ogóle na nim jeździłaś. Ja nie jeździłam konno przez ponad sześć lat właśnie dlatego, że zapomniałam. Zamierzasz czekać tak długo, żeby znowu znaleźć się w siodle?

Zerknęła na Kapitana Wentwortha, a potem znowu spojrzała na mnie.

— Bała się pani?

Przypomniałam sobie, co czułam, siedząc w siodle — powściągana siła konia ponownie dała mi poczucie władzy i kontroli. Ale wcześniej, zanim na niego wsiadłam, ogarnął mnie strach, bo pomyślałam, że źle robię, że powrót na koński grzbiet nie wystarczy, aby ból zniknął.

— Tak, bałam się — potwierdziłam. Wstałam i wyciągnęłam rękę. — Chodź. Kapitan Wentworth jest zmęczony, na pewno chciałby już zostać wyczesany i nakarmiony. Nie każmy mu czekać, dobrze?

Lucy spojrzała na Tuckera. Szukała u niego wsparcia, ale on pokręcił głową.

— Posłuchaj panny Piper. Ona wie, co mówi.

— Ale ja spadłam — powiedziała i w jej głosie było takie zdziwienie, jakby stało się coś niemożliwego. Zwróciła się do ojca, licząc na współczucie. — Jechałam na Kapitanie Wentworcie i spadłam.

Tucker spojrzał na mnie pytająco, a ja nieznacznie skinęłam głową. Ku mojej uldze jednak nic nie powiedział. Najwyraźniej uznał, że to sprawa między mną a Lucy. Chociaż nie miałam wątpliwości, że później wypyta mnie o wszystko, i na tę myśl zachciało mi się śmiać.

— Owszem, tak było — potwierdziłam. — I był to brzydki upadek. Miałaś szczęście... bo mogłaś coś sobie zrobić. Ale musisz zrozumieć, że to nie była wina konia, tylko twojego działania. Robiłaś coś, na co nie byłaś jeszcze gotowa, dlatego spadłaś. I żeby przekonać samą siebie, że możesz znowu wsiąść na konia, musisz się na to odważyć teraz, bo potem mogłoby być za późno. To byłaby tragedia, gdybyś miała już nigdy więcej nie wsiąść na konia, prawda?

Znowu zmarszczyła brwi i uświadomiłam sobie, że użyłam surowszego tonu, niż zamierzałam.

— Chodź — powiedziałam łagodniej. — Przejedziesz się stępa, a ja będę szła obok, jeśli chcesz.

Wzdychając ciężko, Lucy wciągnęła buty, a potem wzięła mnie za rękę i pozwoliła mi się zaprowadzić do podnóżka.

— Wcale się nie boję — powtórzyła. Wysunęła brodę i spojrzała na wielkiego wałacha. Bez niczyjej pomocy, jednym szybkim ruchem znalazła się w siodle, jakby się obawiała, że jeśli nie zrobi tego szybko, zmieni zdanie.

— Mam iść obok ciebie?

Pokręciła głową, wzięła wodze i dźgnęła konia obcasami. Objechali maneż trzy razy. Lucy odzyskała rumieńce, a jej ramiona i nogi się rozluźniły, wpadając w znajomy rytm.

— Chcesz zsiąść? — zapytałam.

Zaprzeczyła i zrobiła jeszcze jedno kółko.

— Dzielnie się spisałaś — powiedziałam, gdy pomagałam jej zsiąść.

Zaskoczyła mnie, obejmując mnie ramionkami. Uścisnęłam ją i przytuliłam do siebie. Wtedy przyłożyła stulone ręce do mojego ucha i wyszeptała:

— Dla mnie nie będzie miało znaczenia, jeśli nie wsiądzie pani więcej na konia, panno Piper. Bo będzie pani dla mnie tą osobą, która kazała mi wsiąść, gdy pierwszy raz spadłam. To chyba coś znaczy.

Zaszlochałam i zaśmiałam się jednocześnie, przytulając ją mocniej. Potem ruszyliśmy wszyscy razem do stajni, żeby rozsiodłać Kapitana Wentwortha i go wyczesać. Na chwilę zatrzymałam się przed wejściem, podczas gdy pozostali weszli do środka. Wciągnęłam powietrze w płuca i poczułam zapach świeżo skoszonej trawy. Spojrzałam w stronę alei dębów i choć widziałam tylko ich czubki, odniosłam wrażenie, że wyglądają jakoś inaczej. Gałęzie kołysały się łagodnie na wietrze, nie stawiały już oporu, a zgrubienia u dołu każdego konaru wydawały się okrąglejsze. Uśmiechnęłam się w zapadającą noc. Nad domem i polami Asphodel unosiła się delikatna poświata. Wydawało mi się, że gdy ja wreszcie przestałam cierpieć, stare drzewa także uwolniły się w końcu od bólu. Z lekkim westchnieniem weszłam do jasnej stajni, zostawiając za sobą ciemność.

ROZDZIAŁ 24

Lillian zakręciło się w głowie, gdy wstała z łóżka. Nie wiedziała, czy to wina sherry, czy tych wszystkich lat, które spędziła na ziemi. Wciąż słyszała duchy w pokoju. Choć już ich nie widziała, czuła na sobie ich oskarżycielskie spojrzenia i miała wrażenie, że sam dom wciąga powietrze wyczekująco, jakby i on chciał poznać prawdę.

Otworzyła po kolei wszystkie okiennice, żeby wpuścić niknące światło dnia, bo nagle zaczęła się bać nadchodzącej ciemności. Spojrzała na dębową aleję; najwyższe gałęzie uginały się w powiewach wieczornego wiatru. Ale robiły to sztywno, nieustępliwie, jakby i one czekały, aż Lillian pogodzi się z obecnością duchów.

Miała na szyi Lolę i teraz ją zdjęła. Potrafiła rozpoznać po omacku wszystkie wisiorki, znała je dobrze, pamiętała, która z nich trzech je dodała i z jakiej okazji. Przesunęła palcami po każdym z nich; po nutce, serduszku, węźle marynarskim, wózku dziecięcym. Przycisnęła ten ostatni do serca, pragnąc poczuć w oczach łzy, ale nosiła je głęboko w sercu, w miejscu, do którego nie śmiała zaglądać i w którym zamknęła żal. Gdyby go stamtąd wypuściła, toby ją zniszczył, tak jak Annabelle.

Rozległo się delikatne pukanie do drzwi i gdy się odwróciła, zobaczyła, że do pokoju wchodzi Helen.

— Malily? Nie śpisz?

— Nie. Siedzę na fotelu między oknami.

Patrzyła, jak Helen zgrabnie idzie w jej stronę. Jej piękna twarz była wymizerowana, a oczy — zaczerwienione. Wnuczka zatrzymała się krok przed nią i ręką musnęła jej koszulę nocną. Zwróciła twarz ku oknu, jakby wyczuła światło.

— Czy te drzewa zmieniły się choć trochę?

Lillian uśmiechnęła się lekko. Stary żart. Kiedy Helen straciła wzrok, Lillian była jej oczami i wszystko opisywała. Jednak Helen, którą zawsze fascynowała legenda o dębach, wciąż miała nadzieję, że drzewa kiedyś przestaną cierpieć i wrócą do normalności. Dawniej prawie co tydzień pytała Lillian, czy zmieniły się choć trochę. Ale przestała. Może straciła nadzieję, że usłyszy inną odpowiedź niż zwykle. A może po prostu zmęczyło ją pytanie.

— Nie, jeszcze nie.

Helen podała jej coś — był to niebieski kocyk dla dziecka, zrobiony na drutach. Lillian wzięła go do ręki, ale zamiast niego poczuła delikatną skórę małego Samuela i gęste włoski na jego główce. Zamknęła oczy, usiłując zobaczyć synka, ale ujrzała Annabelle trzymającą go w pokoju, w którym się urodził i w którym umarł. Bratanek Annabelle. Samuel był z nią spokrewniony, pomyślała. Annabelle jednak nigdy jej tego nie powiedziała. Jakby ta informacja mogła przyczynić Lillian jeszcze większego bólu i przyjaciółka wolała jej tego oszczędzić. Nawet jeśli to oznaczało, że będzie cierpieć w samotności, sądząc, że pozbawiła życia własnego bratanka.

Lillian podniosła kocyk i przytuliła do niego twarz, szukając zapachu niemowlęcia, które znała i kochała przez tak krótki czas, ale poczuła tylko woń kurzu i starej wełny. I coś jeszcze, czego nie chciała przyjąć do wiadomości.

Helen wyciągnęła rękę i dotknęła szyby w oknie. Na jej twarzy pojawiło się zdziwienie, gdy się zorientowała, że okiennice są otwarte.

— Dlaczego chciałaś, żebym wyszła z pokoju, gdy rozmawiałaś z Piper? Myślałaś, że potępię cię za to, że poślubiłaś czarnego mężczyznę i miałaś z nim dziecko? Albo że nie potrafiłaś wybaczyć najlepszej przyjaciółce? Tak słabo mnie znasz? Sądziłaś, że z powodu czegoś takiego zapomnę, ile dla mnie znaczysz? Lillian spojrzała na nią zaskoczona. Nie zdziwiło jej to, że Helen podsłuchiwała, tylko to, że nie domyśliła się prawdy.

— Nie. — Zwróciła wzrok w stronę okna i ciemniejącego nieba. Niknące światło przypomniało jej piasek w klepsydrze. Helen przez chwilę nic nie mówiła.

— Nie chciałaś, żebym została, bo zamierzałaś powiedzieć Piper coś jeszcze.

Lillian milczała.

Helen pochyliła się z lekkim westchnieniem i pocałowała ją w policzek.

— „Bądź cierpliwy i silny; pewnego dnia ból przyniesie ci korzyść". — Cofnęła się. — Co nas nie zabije, to nas wzmocni, prawda? Więc wierz mi, jestem dość silna, aby sobie z tym poradzić, poza tym kocham cię i nic tego nie zmieni.

Odwróciła się i ostrożnie podeszła do drzwi.

— Po kim masz taką dzielność? — zapytała Lillian.

Helen odpowiedziała bez zastanowienia, nie oglądając się za siebie.

— Po tobie, oczywiście.

Lillian patrzyła na zamknięte drzwi i słuchała, jak Helen oddala się długim korytarzem. Towarzyszył jej Mardi, który skrobał pazurami po drewnianej podłodze. Odwróciła się od okna i zamrugała szybko, bo nie mogła skupić wzroku. Wolno podeszła do biurka. Nigdy nie czuła się tak zmęczona, nawet po porodach. Oddychała ciężko, ze świstem, każdy jej ruch był sztywny i opasły. Nawet sercu trzeba było przypominać, żeby biło.

Oparła się obiema rękami o blat, ignorując ból i próbując odzyskać oddech. Biurko należało kiedyś do jej matki i kiedy ojciec na szesnaste urodziny podarował je Lillian, miała nadzieję, że znajdzie w jakiejś skrytce czy jednej z wielu szuflad coś od niej: list, notatkę, opowieść. Ale biurko było puste i Lillian przez całe życie starała się je zapełnić.

Zebrawszy wszystkie siły, wysunęła środkową szufladę i ostrożnie wsunęła do niej rękę. Wyczuła przycisk i wcisnęła go, krzywiąc się, bo ten ruch wywołał w palcach ból. W nagrodę usłyszała ciche pstryknięcie, a kiedy wsadziła dłoń głębiej, boczna ściana szuflady ustąpiła. Za nią znajdowała się niewielka skrytka, w sam raz, żeby schować w niej kartkę. Albo list.

Lillian wydobyła kopertę zaadresowaną własnym starannym i znacznie młodszym pismem. Znała adres przy Monterey Square na pamięć, nawet po tylu latach. Znaczek w prawym górnym rogu nie był ostemplowany, ale brzeg koperty został rozdarty, co umożliwiło dostęp do znajdującego się w środku listu.

List leżał w biurku niemal od czasu, gdy go napisała, dopóki Susan nie zajęła się historią rodu Harringtonów i zamiast się na tym skupić, zaczęła badać przeszłość Lillian. Lillian przycisnęła go do piersi. Czuła każdy oddech, gdy z wielkim wysiłkiem wracała do łóżka. Szła chwiejnym krokiem, a potem miała wrażenie, że ktoś pomaga jej wspiąć się na wysoki materac i poprawia pościel wokół niej.

Podjęła decyzję. Ta historia była własnością młodego pokolenia, spadkobierców trzech przyjaciółek, których życie splotło się nierozerwalnie. Helen i Piper były niezależnymi kobietami; była pewna, że zrozumieją. Że będą umiały wybaczyć i będą wiedziały, jak poruszać się w świecie, który nie zawsze daje drugą szansę. Skulona na boku, przytuliła do siebie list, jakby to było dziecko. Zamierzała następnego dnia przeczytać go Helen, bo zrozumiała, że stanowi część historii, którą chciała się z nią podzielić. Poza tym wiedziała, że wychowała odważną kobietę, która jest w stanie kochać bezwarunkowo i potrafi stawić czoła mrocznemu światu.

Oddychając nierówno, uniosła rękę, włączyła radio i nastawiła stację jazzową. Jej dłoń opadła na materac; była blada, bezkrwista. Radio grało cicho i choć nie była pewna, odniosła wrażenie, że słyszy głos Josie. „Czas to rzeka, która nie ma brzegów; mogę płynąć tylko z nim, do miejsca, gdzie pęknie mi serce. A tam zobaczę twoją twarz, usłyszę śpiew aniołów i znowu znajdę się w twych ramionach".

Lillian się uśmiechnęła. Ogarniało ją coraz większe zmęczenie, ale przyjmowała to tak, jak podróżnik przyjmuje sen po długiej wędrówce. Pozwoliła powiekom opaść na chwilę, ale potem otworzyła je znowu, słuchając śpiewu Josie i wyobrażając sobie, że towarzyszy jej Annabelle. Choć na dworze zapadła już noc, przez okno wpadało jasne światło. Stała tam Annabelle i przyzywała ją. Lillian wstała z łóżka, nagle lekka i już wcale nie zmęczona, i podeszła do okna, do swojej dawnej przyjaciółki. Wokół nich unosił się zapach powoju księżycowego. Jego kwiaty otwierały się, ujawniając swoje sekrety wszystkim, którzy nie bali się ciemności.

Annabelle stała tam i wyciągała do niej rękę. Wyglądała jak ta młoda kobieta, którą Lillian kiedyś znała. Spojrzała na swoje dłonie — były znowu młode i piękne, miały proste, silne palce. Annabelle się uśmiechnęła i Lillian do niej podeszła. Ze zdziwieniem zobaczyła, że idą razem aleją dębów. Była tam też Josie, która wciąż śpiewała. Wzięła ją za drugą rękę. Gdy szły przed siebie wszystkie trzy, Lillian uniosła głowę i spojrzała na stare drzewa. I zobaczyła, że wreszcie się zmieniły. Nie miały już powykręcanych czarnych gałęzi, lecz proste i giętkie, każda puszczała listki, a szal z mchu kołysał się na wietrze, obiecując przebaczenie.

᷍

Po raz pierwszy od przyjazdu do Asphodel spałam jak kamień. Być może potrzebowałam wypoczynku po wysiłku fizycznym, jakim była przejażdżka na Kapitanie Wentworcie poprzedniego dnia, ale wydaje mi się, że znalazłszy odpowiedzi, których szukałam, wreszcie się odprężyłam, choć pozostała jeszcze jedna niewyjaśniona kwestia. Tucker i ja aż do północy rozmawialiśmy na frontowym ganku; opowiedziałam mu o Freddiem, o dziecku i o tym, co wydarzyło się tamtej burzowej nocy. Nie padły żadne oskarżenia, usprawiedliwienia, banały. Byliśmy emocjonalnie związani z bohaterami tego dramatu, ale to nie była nasza tragedia, a jedynie lekcja, z której mogliśmy wyciągnąć wnioski.

Obudziłam się przed świtem, byłam jednak zbyt pobudzona, żeby ponownie zasnąć, więc poszłam do kuchni, by jeszcze raz przejrzeć notatki. Dopiero gdy piłam poranną kawę, przypomniałam sobie, że znowu śniła mi się babcia, choć tym razem nie na moich ostatnich zawodach. Byłyśmy obie w ogrodzie w Savannah. Sadziłyśmy powój księżycowy pod oknem kuchennym. Spojrzałam jej w twarz, a ona uśmiechnęła się do mnie. I nie musiałyśmy już nic mówić.

Było jeszcze ciemno, gdy usłyszałam, że pod domek zajeżdża samochód. Zobaczyłam, że to jeep Tuckera. Pomyślałam o Lucy oraz jej wypadku poprzedniego dnia i serce podeszło mi do gardła. Otworzyłam drzwi, gdy zapukał, i zobaczyłam, że ma ściągniętą twarz i zapadnięte policzki.

— Czy Lucy dobrze się czuje?

Skinął głową.

— Tak, w porządku. Chodzi o... Malily. — Spojrzał na mnie w szarym świetle poranka i zrozumiałam, co chce mi powiedzieć. — Umarła we śnie. Nie bardzo wiemy kiedy... gdy Odella zabierała od niej tacę po kolacji, Malily powiedziała, że nie będzie jej już potrzebowała.

Podsunęłam mu krzesło kuchenne, potem usiadłam naprzeciwko niego i ujęłam go za ręce.

— Przykro mi — powiedziałam, czując stratę wręcz fizycznie. Przyklękłam przed nim. — Bardzo mi przykro — powtórzyłam. Wiedziałam, że frazesy, jakie mówi się przy takich okazjach, nie spełnią swojej funkcji albo wręcz wywołają ból w sercu. Najważniejsze to być blisko. Wiedziałam to z doświadczenia.

Puścił moje ręce i odchylił się na oparcie krzesła, patrząc na mnie z uwagą.

— Co się stało? — zapytałam, także siadając na krześle.

Odpowiedział dopiero po chwili.

— Długo się zastanawiałem, czy ci to pokazać. — Na jego ustach pojawił się lekki uśmiech. — Ale potem przypomniałem sobie, że mam do czynienia z Piper Mills. Ona nie załamuje się tak łatwo.

— A o co chodzi?

— Malily zostawiła list. Trzymała go w rękach, gdy Odella znalazła ją dziś rano. Myślę, że chciała go dziś przeczytać Helen. Ale nie zdążyła.

Wyjął z tylnej kieszeni spodni pożółkłą kopertę. Natychmiast rozpoznałam na niej pismo Lillian.

— Jest zaadresowany do twojej babci, ale nie został wysłany.

Włożył mi list w dłonie, a ja go wzięłam, zdziwiona, że jest taki lekki i niepozorny. Powoli wyjęłam go z koperty i rozłożyłam. Zerknęłam na Tuckera, szukając wsparcia, i zaczęłam czytać.

2 lutego 1949 roku

Moja najdroższa Annabelle!

Odkąd widziałyśmy się po raz ostatni, minęło dziesięć lat, ale przez cały czas mam wrażenie, jakbyśmy zaledwie wczoraj jeździły konno w Asphodel albo podkradały Justine ciastka w kuchni. Miałyśmy cudowne dzieciństwo, prawda? Ty i Josie byłyście dla mnie siostrami, których nie miałam, i nigdy nie zapomnę naszej przyjaźni. Wiedz, proszę, niezależnie od tego, co myślisz, że zawsze będziesz mi bliska. Byłaś i będziesz najdzielniejszą i najsilniejszą osobą, jaką znam. Szkoda, że ja sama nie mam tych cech. Wiem, że do mnie pisałaś. Odesłałam Twoje listy, ale z innego powodu, niż sądzisz. Myślisz, że winię Cię za śmierć Samuela i że nie wybaczyłam Ci tego, co stało się tamtej strasznej nocy. Ale to nieprawda. Bo, widzisz, to ja powinnam prosić Cię o wybaczenie. Moje milczenie przez te lata nie miało nic wspólnego z Tobą, wynikało wyłącznie z mojego tchórzostwa.

Tamtej nocy, po burzy, gdy zabrali Freddiego, Paul Morton przyszedł po nas na strych, wziął Samuela z Twoich ramion i dał go mnie. Chłopczyk leżał nieruchomo w moich objęciach i wszyscy zrozumieliśmy, że od nas odszedł. Ty i Josie zaczęłyście płakać i Paul próbował Was pocieszyć. Ale gdy rozpaczałyście, zauważyłam, że pierś Samuela się uniosła, jakby próbował złapać powietrze.

W pierwszej chwili byłam wniebowzięta, ale coś powstrzymało mnie przed wezwaniem Twojego ojca, który mógł jeszcze pomóc. Coś mrocznego i beznadziejnego. Ty zawsze byłaś marzycielką, Annabelle, a ja tą praktyczną. Zobaczyłam swoje życie z przerażającą jasnością. Freddie nie żył, a ja w oczach prawa byłam panną z dzieckiem mieszanej krwi. Ono nie miało przed sobą przyszłości, a ja — tak. Mogłam ułożyć sobie życie od nowa. Spróbować jeszcze znaleźć szczęście.

Kiedy więc Twój ojciec przyszedł po dziecko, owinęłam je w jeden z kocyków, które dla niego wydziergałaś, i włożyłam do torby lekarskiej. Potem dowiedziałam się, że doktor O'Hare wrzucił je do rzeki Savannah, i modliłam się codziennie o to, żeby Samuel był już z aniołami, gdy wpadał do wody. Ale anioły nam go oddały, prawda?

Pozwoliłam Ci wierzyć, że niechcący go udusiłaś, bo gdzieś w głębi mojego słabego serca uznałam, że łatwiej będzie nam znieść to niż świadomość, że zabiłam własne dziecko. Wiem, że zrobiłam coś strasznego, i nie oczekuję, że mi wybaczysz. Mogę jedynie prosić Boga — i modlić się o to — żeby zlitował się nad moją duszą. Modlę się też za Ciebie, żebyś znalazła radość i szczęście, na które zasługujesz, i żebyś miała córkę, której będziesz mogła opowiedzieć o swoim życiu.

Spodziewam się następnego dziecka i mam nadzieję, że to będzie dziewczynka. Chciałabym nazwać ją Annabelle, chociaż Charlie się upiera, żeby dać jej imię po jego matce. Więc dostanie Annabelle na drugie i będę z nią rozmawiała jak kiedyś z Tobą. I nauczę ją sekretów ogrodnictwa.

Samuel został pochowany tu, w Asphodel. Odwiedzam go codziennie. Zasadziłam w pobliżu jego grobu powój księżycowy, ale nie chce rosnąć mimo wszelkich moich starań, więc przydałyby się Twoje cudowne ręce.

Zaczynałam pisać ten list kilkanaście razy i pierwszy raz go kończę. Mam nadzieję, że znajdę w sobie odwagę, żeby go wysłać. I że mimo wszystkich moich grzechów zdołasz mi wybaczyć. Bez Ciebie jestem niekompletna, tak samo jak bez Josie i mojego ukochanego Samuela. Czasami się zastanawiam, jak ludzie by na mnie patrzyli i ze mną rozmawiali, gdyby wiedzieli, że jestem pozbawiona jakiejś części siebie.

Jakoś jednak żyję. Tylko niczego nie żałować,
pamiętasz? Ale to nie znaczy, że nie cierpię, nie tęsknię
za Tobą ani nie pragnę drugiej szansy.

Wybacz mi,
Lily

Zabrakło mi tchu, jakbym zużyła cały tlen z powietrza. Wstałam szybko, wpadając na stół i wywracając kubek z kawą, ale żadne z nas go nie podniosło. O Boże. Musiałam odetchnąć, poczuć zapach letniej trawy i kwiatów; zapomnieć, że przeczytałam ten list.

Dotarłam na ganek, zanim Tucker mnie dogonił. Zatoczyłam się, ale on mnie złapał i oboje usiedliśmy na podłodze.

— Tak mi przykro — powiedział, tuląc mnie do siebie. — Tak mi przykro.

Próbowałam mu powiedzieć, że nie płaczę nad sobą; że płaczę nad wspaniałą kobietą, która była moją babcią i umarła w przekonaniu, że zrobiła coś okropnego. A ja, skupiona na sobie, nie miałam o tym pojęcia. Nawet nie przyszło mi do głowy, żeby się tym zainteresować.

Spojrzałam na Tuckera. Chciałam obarczyć go winą, bo był wnukiem Lillian.

— Wiedziałeś o tym? Tak czy nie? Jak ona mogła mówić, że nie uznaje żalu?

Tucker potrząsnął mną delikatnie i uświadomiłam sobie, że jestem na granicy histerii. Czułam się tak, jakbym mimo wszystkich wygranych ostatnio bitew znowu miała stracić wiarę w siebie.

— To nie znaczy, że nie cierpiała, Piper. Tylko wiedziała, że nie da się cofnąć czasu, i szła naprzód. Ale cierpiała. Wszędzie widziała grzechy. Być może była tak przywiązana do Helen, bo uważała, że jej ślepota jest karą za grzech, którego sama się dopuściła.

Tucker usiadł i przyciągnął mnie do siebie.

— I nie, Piper, nie wiedziałem o tym. Gdybym wiedział, nakłoniłbym ją, żeby powiedziała Annabelle. Zresztą sama chciała to zrobić. — Zbliżył swoją twarz do mojej, żebym na niego spojrzała. — Tylko brakowało jej tej odwagi, którą ty masz.

Odgarnął wilgotne włosy z moich oczu i popatrzyłam na niego, mrugając szybko. Wiedziałam, że mówił prawdę, ale nie byłam jeszcze gotowa jej przyjąć.

— Kiedy wychodziłam od niej zeszłego wieczoru, powiedziała do mnie: „Przebacz mi".

Pokiwał głową i pocałował mnie w czoło.

— Może jeszcze nie zdajesz sobie z tego sprawy, ale Annabelle także próbowała żyć teraźniejszością, iść do przodu. Pewnie dlatego chciała skontaktować się z Lillian. I dlatego wyszła za twojego dziadka... żeby zacząć nowe życie. Ale w sercu wciąż nosiła poczucie winy.

Oparłam głowę na jego piersi i spojrzałam na horyzont, gdzie właśnie zaczęło wschodzić słońce. Jego ciepły blask na otwartym niebie przypominał topiące się masło. Pomyślałam o tych wszystkich godzinach, które spędziłam z babcią w ogrodzie, i wiedzy, którą od niej nieświadomie czerpałam.

— Tak, rzeczywiście — powiedziałam silniejszym głosem. — Tylko zrozumiałam to dopiero po jakimś czasie.

Już spokojniejsza, spojrzałam na niego pytająco.

— A co z tobą? To na pewno ten list, który znalazła Susan. I który ostatecznie wypaczył jej obraz rzeczywistości.

— Jest wstrząsający dla nas wszystkich, a co dopiero dla Susan... myślę, że bardzo wzięła sobie to do serca. I pewnie dlatego utopiła się w rzece. Z powodu Samuela.

Przytuliłam twarz do jego piersi. Pragnęłam zasnąć, ale wiedziałam, że w końcu i tak bym musiała się obudzić. Przypomniałam sobie, jak długo spałam po wypadku, licząc, że się nie obudzę. Ale nie byłam już tamtą Piper. Byłam wnuczką Annabelle Mercer z domu O'Hare.

— Przykro mi — powiedziałam.

Tucker pogładził mnie po głowie.

— Kiedy wczoraj zobaczyłem Lucy na koniu po tym, jak przekonałaś ją, aby na niego wsiadła, chyba w końcu zrozumiałem, że nie ma znaczenia, czy znajdziemy ten list, czy nie. Susan wybrała swoją drogę na długo przed tym, jak się poznaliśmy. Nie mogłem jej pomóc, choć zawsze się za to obwiniałem. Uważałem, że mój sukces w życiu zależy od tego, czy zdołam poprawić jej stan. A kiedy się zabiła, uznałem, że to moja wina.

Oparł swoją głowę o moją i oboje spojrzeliśmy ku jasnej łunie na horyzoncie.

— Ale gdy zobaczyłem Lucy, odważną i zdeterminowaną, oraz Sarę, głupiutką, uroczą i kochaną, zdałem sobie sprawę, że mimo poczucia, iż zawiodłem, przyczyniłem się do stworzenia dwóch niesamowitych istot.

Pochyliłam ku niemu twarz, a on kciukami otarł łzy z moich policzków.

— I chociaż mam pretensje do Malily za to, że tak długo utrzymywała swoją historię w tajemnicy, dzięki niej w końcu zrozumiałem, dlaczego nie wierzyła w żal. Jej życie polegało na dostrzeganiu w codzienności rzeczy niezwykłych. Potrafiła siedzieć w swoim ogrodzie w deszczowy dzień i widzieć piękno. To sprawiało, że codziennie rano z nową energią wstawała z łóżka. To była jej odwaga.

Przysunął do mnie twarz, a ja położyłam dłonie na jego rękach. Gdy się odezwał, jego oddech owiał mi policzki.

— Ze względu na ciebie chciałbym, żeby było inaczej, żeby to wszystko tak bardzo nie bolało. Ale przecież nie o to chodzi, prawda? Bo pewnego dnia stwierdzimy, że ból, którego doznaliśmy, czemuś służył. Twoja babcia kazała to wygrawerować na wisiorku z aniołem, więc musiała w to wierzyć.

Pocałowałam go.

— Dziękuję ci — szepnęłam. Przypomniałam sobie lantanę, nieposkromioną i nieprzewidywalną, tak jak samo życie. — Dziękuję — powtórzyłam, wiedząc, że to, co powiedział, jest prawdą, i licząc, że z czasem się z tym pogodzę.

Otoczył mnie ramionami i zwróciliśmy głowy w stronę wschodzącego słońca, które rzucało blask na sekrety Asphodel Meadows, gdy powój księżycowy w ogrodzie Lillian zamykał pąki przed światłem dnia.

EPILOG

Lola lśniła na szyi Sary, w słońcu połyskiwały wszystkie wisiorki, każdy z nich jak rozdział książki. Do złotego łańcuszka przypięłyśmy dwa nowe: kolejny w kształcie konia, który symbolizował nową klacz Lucy, Jane Austen, i maleńki puchar upamiętniający dokonanie Sary, która przepłynęła staw bez kamizelki, i to dwa razy. Wprawdzie to Lucy miała teraz nosić Lolę, ale powiedziałam jej, że jeśli sędziowie dostrzegą u niej jakąkolwiek ozdobę, odejmą jej punkty. Dziewczynka uroczyście i z powagą zapięła więc łańcuszek na szyi siostry i wymogła na niej obietnicę, że go zwróci, gdy tylko Lucy zakończy udział w konkursie konia wierzchowego.

W rześkim jesiennym powietrzu nad kubkami z gorącą kawą unosiła się para. Tucker i ja, z Sarą pośrodku, siedzieliśmy na trybunach przed areną dla młodzików i staraliśmy się ignorować tęskne spojrzenia, które Lucy rzucała w stronę pobliskiego krytego toru, gdzie zaawansowani jeźdźcy pokonywali niemożliwie wysokie przeszkody i bariery. Trąciłam Tuckera łokciem, zwracając jego uwagę na sześcioosobową grupę, która właśnie szła w kierunku trybun. George, pod pretekstem, że jest zimno, obejmował ramieniem Helen, a pan Morton pomagał żonie w śliwkowych zamszowych botkach lawirować między kału-

396

żami błota a końskimi odchodami. Kobieta wciąż opędzała się od Mardiego, który podskakiwał przy niej, rozchlapując rude błocko jak małe dziecko.

Była z nimi Alicia, która gawędziła z Helen, trzymając za rękę jedną ze swoich wnuczek. Dziewczynka wskazywała konie i próbowała pogłaskać każdego, który przechodził obok niej. Uśmiechnęłam się do siebie, bo wiedziałam, że tak to się zaczyna. Byłam ciekawa, ile upłynie czasu, gdy usłyszę od Alicii o lekcjach jazdy konnej.

Wszyscy zajęli miejsca obok nas i pan Morton cmoknął mnie w policzek. Pokazaliśmy mu list od Lillian, a on pokiwał głową, jakby od nowa wszystko sobie w niej układał, po czym zmienił temat. Jednocześnie jednak zaczął kasłać, wyjął chusteczkę i otarł oczy. Poklepałam go po ręce, lecz odwrócił wzrok.

Przeczytałam też list Helen, która potem milczała przez dłuższą chwilę. Pomyślałam, że źle zrobiłam, ujawniając jej jego treść. Ale w końcu się uśmiechnęła i zapytała, czy może umieścić go na końcu sklejonego albumu, zawierającego zapiski Lillian i Annabelle. Sara i Lucy przeczytają go, gdy będą starsze i gdy już się przekonają, że uczucie zawodu jest wieczne. Duży bukiet białych tulipanów, spoczywający na grobie Lillian, był właśnie od niej — na znak przebaczenia.

Pan Morton przyjechał do Asphodel na pogrzeb Lillian oraz mszę za Samuela i Susan. Lillian pochowano przy Charliem, a szczątki Samuela ekshumowano i złożono w trumnie obok matki. Przenieśliśmy też Susan na teren cmentarza, przyjmując ją w ten sposób do kamiennego ogrodu rodziny, żeby córki mogły ją tam odwiedzać i składać na jej grobie wyhodowane przez siebie kwiaty. Dziewczynki i ja lubimy tam chodzić o zmierzchu i czekać, aż otworzą się pąki powoju księżycowego, który wreszcie zaczął kwitnąć. Lillian ma doskonały widok na te odważne delikatne kwiaty, otwierające się tylko w nocy, gdy nikt ich nie widzi.

Sędzina zapowiedziała przez megafon zawody młodzików, więc zwróciłam się do Tuckera:

— To Lucy. Życz nam szczęścia.

Pocałował mnie mocno w usta i wziął ode mnie kawę, podczas gdy ja zeszłam z trybun w swoich ubłoconych wysokich butach oraz dżinsach i odnalazłam Lucy, która siedziała już na Jane i rozmawiała z inną zawodniczką.

— Jesteś gotowa? — zapytałam. Z podniecenia ściskało mnie w żołądku. Lucy startowała dopiero w konkursie ujeżdżania, ale byłam podekscytowana tym, że znowu przebywam wśród wierzchowców i zawodników, że czuję w powietrzu zapach koni i skóry. Choć przyjechałam tu tylko jako widz, żeby kibicować Lucy, to mi wystarczyło.

— Uhm. — Dziewczynka pożegnała się ze znajomą, więc zaprowadziłam Jane na arenę.

Poklepałam Lucy po nodze.

— Pamiętasz, co masz robić?

Kiwnęła głową, przewracając oczami.

— Uśmiechać się. Ściągać ramiona do tyłu i pięty w dół. Ale kiedy zacznę skakać?

Wyciągnęłam rękę i wygładziłam numer startowy, który miała przywiązany wokół piersi.

— Już niedługo, obiecuję. Wszystko w swoim czasie, pamiętasz? Chcę, żeby sama jazda konna sprawiała ci przyjemność... a nie tylko wygrywanie. Taka jest umowa, jeśli mam być twoją trenerką.

Ponownie przewróciła oczami, lecz tym razem z uśmiechem.

— Ale chętnie bym dziś przywiozła do domu jakieś niebieskie wstęgi.

— Moja dziewczynka — skomentowałam, poprawiając kokardy przy jej kucykach, gdy brała wodze i zbliżyła się do startu.

Sędzina ponownie zapowiedziała przez megafon ujeżdżanie, a wtedy Lucy i Jane powoli wjechały na arenę razem z pozostałymi zawodniczkami i zatrzymały się, czekając na znak do rozpoczęcia.

Owionął mnie zapach perfum przechodzącej obok kobiety i pomyślałam o ogrodzie babci. Nie wiedziałam jeszcze, co zrobię z domem, ale zaczęłam przywracać ogród do dawnego stanu. Do pierwszych przymrozków było jeszcze trochę czasu, więc nawoziłam ziemię, przekopywałam ją i sadziłam cebulki. Planowałam zasadzenie lantany, kolcorośli i drzewek herbacianych, które tak lubiła babcia. Pomiędzy pracami ogrodniczymi w Asphodel i przy Monterey Square chodziłam na wieczorne kursy architektury krajobrazu w Savannah. Dzięki temu mogłam też spędzać więcej czasu z Tuckerem, który podjął praktykę lekarską w mieście.

Jesień już pozbawiła barw letnie kwiaty i gdy przygotowywałam ogrody na zimę, czułam się bliżej babci, bo teraz lepiej niż kiedykolwiek rozumiałam naturalny cykl przyrody, to, że goła ziemia zasypia na czas zimy, a wiosną budzi się do życia. Wreszcie zaczęłam rozumieć.

Stałam przy barierce, podczas gdy Lucy, zgodnie z instrukcjami sędziny, demonstrowała poszczególne biegi, przechodziła ze stępa w trucht, a potem w kłus, i zmieniała kierunki. Gdy skończyła, skierowała Jane na środek areny i dołączyła do reszty zawodników, a potem odwróciła się, żeby sędziowie zobaczyli numer na jej plecach. Widziałam, jak lustruje widownię, szukając kogoś. Wreszcie jej spojrzenie padło na mnie. Odprężyła się wyraźnie i uśmiechnęła szerzej, gdy zobaczyła, że na nią patrzę. Stałam bez ruchu, delektując się tą chwilą. Przypomniałam sobie kobietę, która przychodziła na moje pierwsze występy i troskliwie zaplatała mi włosy w warkocze.

Kiedy sędzia ogłosiła wynik, Lucy puściła do mnie oko, a potem zwróciła konia do wyjazdu z areny i odebrała wstęgę, pozdrawiając wdzięcznym skinieniem głowy współzawodników. Skłaniała głowę z wrodzoną gracją i uśmiechnęłam się do siebie, bo pomyślałam o Lillian.

Gdy wracaliśmy do Asphodel, było już ciemno. Sara jechała z Helen i George'em, a Lucy spała z głową opartą na moim ramieniu, między mną a Tuckerem, w ciężarówce z przyczepą, którą podróżowała jej klacz. Przy marynarce miała trzy błękitne wstęgi, których nie chciała zdjąć. Księżyc w pełni stał wysoko na niebie, pełen możliwości, i oświetlał stare dęby oraz ich rękawy z mchu hiszpańskiego, przekształcając je w serdecznie wyciągnięte ramiona.

Opuściłam szybę w oknie i zobaczyłam w blasku księżyca, że z moich ust wydobywają się obłoczki pary. Na dębach wyrosły młode liście, gałęzie drzew nie zwieszały się już smutno nad drogą, lecz kiwały wdzięcznie, bo żałoba się zakończyła. Nawet wiatr, który krążył wśród konarów, nie świstał już, tylko szumiał cicho, wyśpiewując nową kołysankę na nadchodzące lata.

Spojrzałam nad głową Lucy na Tuckera i uśmiechnęłam się do niego, czując, że robi mi się cieplej na sercu. Obudziłam się niczym uśpiony ogród, moje życie stało się żyzną glebą, na której wyrosła nadzieja i zakwitły nowe możliwości. Podniosłam rękę do księżyca i zamknęłam go w dłoni jak sekret, a potem rozwarłam po kolei wszystkie palce, aż zniknął za nimi.